Rainer Oechslen
Kronzeuge Paulus

Beiträge zur evangelischen Theologie
Theologische Abhandlungen. Begründet von Ernst Wolf
Herausgegeben von Eberhard Jüngel und Rudolf Smend

Band 108

RAINER OECHSLEN

Kronzeuge Paulus

Paulinische Theologie im Spiegel
katholischer und evangelischer
Exegese und die Möglichkeit
ökumenischer Verständigung

CHR. KAISER VERLAG MÜNCHEN
1990

CIP-Titelaufnahme der Deutschen Bibliothek

Oechslen, Rainer:
Kronzeuge Paulus : Paulinische Theologie im Spiegel
katholischer und evangelischer Exegese und die Möglichkeit
ökumenischer Verständigung / Rainer Oechslen. – München :
Kaiser, 1990
(Beiträge zur evangelischen Theologie; Bd. 108)
ISBN 3-459-01863-1
NE: GT

© 1990 Chr. Kaiser Verlag, München.
Alle Rechte vorbehalten. Abdruck, auch auszugsweise, nur mit
Genehmigung des Verlages. Fotokopieren nicht gestattet.
Einbandentwurf und Umschlag: Ingeborg Geith, München.
Satz: Text & Form, Hannover
Druck: Druckerei Sommer GmbH, Feuchtwangen.
Bindung: Conzella, Aschheim-Dornach.
Printed in Germany.

Inhalt

Vorwort

Dieses Buch ist die überarbeitete Fassung meiner Dissertation, die im Wintersemester 1986/87 von der Theologischen Fakultät der Friedrich-Alexander-Universität Erlangen-Nürnberg angenommen wurde.

Daran, daß diese Arbeit erscheinen kann, haben Lehrer und Freunde einen wichtigen Anteil. Ihnen allen möchte ich herzlich danken. Angeregt und betreut wurde die Arbeit von Professor Dr. Jürgen Roloff. Das Zweitgutachten von systematischer Seite erstattete Professor Dr. Friedrich Mildenberger. Die verschiedenen Fassungen des Manuskripts wurden von Ruth Wendel, Gudrun Grob und Helene Köppel als Reinschrift erstellt. Beim Korrekturlesen des Typoskripts halfen Astrid Polzer und Windfried Heider, bei den Korrekturen der Druckfahnen Susanne Spieß, Eva Göbel und Andreas Schlechtweg.

Die Professoren Rudolf Smend und Eberhard Jüngel haben die Arbeit in die "Beiträge zur evangelischen Theologie" aufgenommen.

Einen Druckkostenzuschuß gewährte Professor Dr. Manfred Seitz für die Zantner-Busch-Stiftung und das Evangelisch-Lutherische Landeskirchenamt, München.

Als Gemeindepfarrer empfinde ich nach bald vier Jahren deutlich den Abstand zu dieser Form theologischer Arbeit, wie ich sie hier vorlege. Andererseits freut es mich sehr, daß ich Gelegenheit bekam, nach dem Studium nochmals in Ruhe bei Jürgen Roloff zu arbeiten. Oberkirchenrat i. R. Siegfried Wolf danke ich nachträglich für seine Vermittlung. Angesichts der Aufgaben und Anforderungen des kirchlichen Alltags und angesichts der Tendenz zu unmittelbar an der Praxis orientierten Beiträgen, empfinde ich es als um so nötiger, daß in unserer Kirche auch ein Raum theologischer Besinnung ist; zwar hat diese Besinnung ebenfalls ihre Interessen, aber sie ist frei vom Druck schneller "Verwertbarkeit".

Schweinfurt, im Mai 1990

Rainer Oechslen

§ 1 Einleitung

A. Die Fragestellung

Es sei "schlicht ein Ereignis von ökumenischer Bedeutung, wenn in der jüngsten Vergangenheit die Paulus-Exegese beider konfessioneller Theologien zu einer erstaunlichen Übereinstimmung gefunden hat,"[1] so urteilt Ulrich Wilckens 1978 in seinem Kommentar zum Römerbrief. Er knüpft dabei an die Beobachtung an, daß bis zur "jüngsten Vergangenheit" die Differenzen von römisch-katholischer und reformatorischer, insbesondere lutherischer Theologie sich auf dem Feld der Paulusexegese besonders deutlich zeigten.

Tatsächlich war die Interpretation von Paulustexten ein entscheidendes Medium kontroverstheologischer Auseinandersetzungen von der Reformationszeit – man denke nur an Luthers Auslegungen des Römer- und Galaterbriefes einerseits und etwa die Pauluskommentare des Kornelius a Lapide[2] andererseits – bis in die Gegenwart, wenn etwa Anders Nygren in seinem Römerbriefkommentar 1951 die reformatorischen Positionen nochmals kräftig verteidigt.[3] Auch die Tatsache, daß bei ökumenischen Gesprächen über die Rechtfertigungslehre der Paulusexegese ein entscheidender Platz eingeräumt wird,[4] zeigt deutlich, was von einer Verständigung in der konkreten Schriftauslegung erwartet wird: Die gemeinsame Interpretation von Texten, über deren Deutung es zur Spaltung gekommen war, soll nun der Sache der Annäherung der Kirchen, ja der Einheit der Kirche Jesu Christi dienen.[5]

Wilckens' These geht dahin, daß eine solche Verständigung möglich wird, einmal durch die historisch-kritische Arbeit an den Texten, die auch im Katholizismus üblich geworden ist, zum anderen durch das, was er "nachkritischen Biblizismus" nennt,

nämlich "eine neue, historisch vermittelte Unmittelbarkeit der Begegnung mit dem in den biblischen Texten bezeugten göttlichen Handeln, die sich durch die historisch-kritische Distanz zu den Texten den Zugang zu deren 'Sache' vermitteln läßt..."[6]

1   Wilckens, EKK VI/1, 51.
2   Vgl. dazu *Boss*, Rechtfertigungslehre.
3   Nygren, Römerbrief.
4   Vgl. etwa das aus dem Dialog zwischen Lutheranern und Katholiken in den USA entstandene Dokument "Justification by Faith" (in Anderson/Murphy/Burgess, Righteousness in the New Testament) von 1982.
5   In diesem Zusammenhang ist es von Gewicht, daß Wilckens seine Auslegung des Römerbriefes an der Einsicht orientiert, daß Paulus in diesem Brief vor allem einen Beitrag zur Einheit der römischen Gemeinde und der Gesamtkirche leisten wollte: "Die besondere Situation, in der er ihn schrieb, erforderte eine umfassende Darlegung seiner Evangeliumsverkündigung unter dem Ziel, sein umstrittenes Verständnis der Mitte christlicher Religion ohne jeden sachlichen Kompromiß so zu verantworten, daß er nicht allein als Basis seiner eigenen Heidenmission von den anderen Partes der Urkirche toleriert, sondern als gemeinsame Grundlage der werdenden Kirche aus Juden und Heiden erkannt und akzeptiert werden konnte." Wilckens, EKK VI/1, 48.
6   Wilckens, EKK VI/1, 51.

Der Grund dafür, daß in der Reformationszeit trotz noch so eifriger exegetischer Arbeit auf beiden Seiten keine Übereinkunft zustande kam, liegt
nach Wilckens gerade darin, daß es weder für die Reformatoren noch für ihre
Gegner eine Distanz zu den Texten gab:

"Sowohl die reformatorischen als auch die altgläubigen Theologen lasen die Schrift
jeweils wie selbstverständlich als einen göttlich-legitimen Spiegel der eigenen christlichen Erfahrungen und Interessen, genauer: sie lasen die Bibel als unmittelbar an sie
selbst gerichtetes Wort Gottes."[7]

War der Konflikt damals nicht lösbar, weil auf beiden Seiten nicht unterschieden wurde zwischen der Schrift selbst und dem eigenen Erfahrungsho-
rizont, so hat sich nach Wilckens durch die gemeinsame historische Arbeit
die Situation fundamental gewandelt. Indem nämlich nach dem ursprünglichen Aussagesinn der Texte als nach ihrer Bedeutung für ihre Autoren und
die von ihnen gemeinten Adressaten gefragt wird, ist schon unterschieden
zwischen dem Textsinn selbst und seiner je aktuellen Rezeption bei späterer
Hörern und Lesern. Daraus ergibt sich für Wilckens ein

"Potential ökumenischer Einheitssuche der getrennten Kirche ... dem à la longue eine
nicht zu unterschätzende, beträchtliche Wirkungs- und auch Sprengkraft innewohnt.
Diese besteht in der Fähigkeit, zugleich mit den Differenzen der Schwesterkirche zur
ursprünglichen Wahrheit der Bibel auch die der eigenen Kirche zu erkennen und
herauszustellen."[8]

Wilckens' These enthält also zwei Elemente: Einmal behauptet er, daß die
historisch-kritische Arbeit auf der Seite der römisch-katholischen Kirche
wie auf der Seite der reformatorischen Kirchen in Fragen der paulinischen
Theologie faktisch weitgehende Übereinstimmung erreicht. Zum anderen
billigt er einem solchen historischen Konsens eine die Lehre und Verkündigung beider Kirchen verändernde Kraft zu.

Mit dieser doppelten These ist die Fragestellung der folgenden Untersuchung gekennzeichnet. Sie fragt nach Übereinstimmungen und Differenzen
in den Ergebnissen katholischer und evangelischer Paulusexegese und
danach, ob die Differenzen sich aus bestimmten konfessionellen Denkstrukturen ableiten lassen. Schließlich fragt sie nach der Tragweite von Übereinstimmungen in der historischen Erforschung der paulinischen Theologie.
Sie will also Wilckens' These im Vergleich der exegetischen Arbeit der
jüngeren Zeit überprüfen.

Es handelt sich dabei um einen forschungsgeschichtlichen Ansatz, was
zur Folge hat, daß exegetische Literatur ausführlich zu Wort kommt. Befragt
wird diese aber nicht auf ihren historischen Ertrag – etwa was sie zur
Erkenntnis der Stellung des Paulus innerhalb des Urchristentums beiträgt –
sondern auf ihre systematischen Implikationen, also darauf, was sie über
Nähe und Ferne des Apostels zu seiner Wirkungsgeschichte in der reforma-

---

7   Wilckens, Augsburger Bekenntnis, 199 f.
8   a.a.O., 205.

torischen wie in der römisch-katholischen Theologie aussagt. Um einerseits der Gefahr eines forschungsgeschichtlichen Positivismus – "So ist die Forschung eben faktisch verlaufen" – zu entgehen und andererseits nicht einen rein dogmatischen Standpunkt zum Maßstab der Beurteilung zu erheben, muß sich die Arbeit aber auch um eine eigene Sicht der jeweils entscheidenden Aspekte paulinischer Theologien bemühen.

B. Die Vorgeschichte des Problems

Schon vor dem Eintritt der römisch-katholischen Theologie in die historisch-kritische Arbeit am Neuen Testament wurde das hier behandelte Problem heftig diskutiert. Die Exegese der Religionsgeschichtlichen Schule ließ es als überaus zweifelhaft erscheinen, ob Luther tatsächlich, wie man bisher angenommen hatte, ein Erneuerer der paulinischen Theologie sei.

Die vorangegangene historisch-kritische Arbeit an Paulus, deren Beginn man mit Ferdinand Christian Baur (1792-1860) ansetzen darf – einen Aufsatz über "Zweck und Veranlassung des Römerbriefs" von 1836 nennt er selbst "eine historisch-kritische Untersuchung"[9] –, hatte zu einer solchen Differenzierung zwischen der paulinischen und der lutherischen Theologie nicht geführt, weil sie am paulinischen "Lehrbegriff" mehr interessiert war als an der historischen Situation, in die die Verkündigung des Apostels gehört.

1897 aber – im gleichen Jahr, in dem auch William Wredes grundlegende Schrift "Über Aufgabe und Methode der sogenannten Neutestamentlichen Theologie" erscheint, mit der der religionsgeschichtliche Ansatz programmatisch auf die Erforschung des Neuen Testament angewandt wird – veröffentlicht Paul Wernle seine Studie "Der Christ und die Sünde bei Paulus"[10]. Schon im Vorwort wird deutlich, daß Wernle wesentlich radikaler historisch denken will als die Theologen vor ihm, und daß er die Einheit von Paulinismus und Protestantismus für ein Vorurteil hält:

"... kein Teil der Neutestamentlichen Theologie hätte es so dringend nötig, auf eine neue Art erfaßt zu werden, wie der Lehrbegriff des Paulus. Auch die scheinbar freiesten Schriftsteller unserer Zeit, die sich mit ihm beschäftigten, haben sich von einer dogmatischen Behandlung der paulinischen Schriften nicht losgemacht. Noch ist der Glaube an die Einheit der paulinischen und protestantischen Gedankenwelt in weiten Kreisen nicht erschüttert; der Dogmatiker, der den Römerbrief liest, meint immer noch, er spüre darin Geist von seinem Geist."[11]

Neben Ritschl und Pfleiderer nennt Wernle als Beleg für eine solche Behandlung und Vereinnahmung des Paulus auch Heinrich Julius Holtzmann.

9   Vgl. dazu Scholder, Ferdinand Christian Baur, 355.
10 Wernle, Der Christ und die Sünde.
11 a.a.O., VII.

Daß eine wirklich historische Interpretation paulinischer Verkündigung Folgen für die Sicht der konfessionellen Problematik haben muß, ist eine Einsicht, vor der man nach Wernle nicht zurückschrekken darf:

"Die Meinung, daß die Reformation einfach den Paulinismus erneuert habe, ist immer noch nicht in die Beleuchtung gestellt, die sie verdient. Noch darf man es fast nur im Geheimen aussprechen, daß auch der Katholizismus von Paulus theologisch gelebt, ja ihn in sehr Vielem direkt fortgesetzt hat."[12]

Damit ist m.W. erstmals auf protestantischer Seite klar formuliert, daß es von einem konsequent historisch verstandenen Paulus aus nicht nur den Weg zur reformatorischen, sondern ebenso und vielleicht sogar mit besserem Recht, den Weg zur katholischen Theorie gibt. Nur wenn man von den konkreten Bedingungen, unter denen die Theologie des Paulus steht, abstrahiert und seine Aussagen einzeichnet in ein bereitliegendes dogmatisches Koordinatensystem, kann man – so Wernle – ihn als Kronzeugen der reformatorischen Theologie beanspruchen.

Wernle konkretisiert seine Einsichten an dem "für uns" – d.h. für protestantische Christen – "allerwichtigsten Problem: wie erlangt der Christ Vergebung, wenn er sündigt?", das "von Paulus noch gar nicht in Betracht gezogen werden konnte."[13] Der Apostel kennt diese Frage nicht, weil sie in seiner hochgespannten Naherwartung keinen Platz hat und weil er mit seiner Rechtfertigungslehre die Heidenmission begründen will, also gerade zeigen will, daß wer zum Glauben gekommen ist, auch die Sünde hinter sich gelassen hat. Wernle findet bei seiner Untersuchung des paulinischen Sündenverständnisses als Ergebnis: Der Apostel sei "zu der totalen Lösung von der Sünde wirklich gelangt, die der Protestant erst vom Jenseits zu erhoffen sich gewöhnt hat."[14]

Die weitere Entwicklung in der Religionsgeschichtlichen Schule faßt Wilhelm Heitmüller 1917 in seiner Rede zum Reformationsjubiläum "Luthers Stellung in der Religionsgeschichte des Christentums"[15] zusammen. Er findet in praktisch allen wichtigen Fragen einschneidende Differenzen zwischen Luther und Paulus: im Verständnis der Rechtfertigung, des Glaubens, der Sakramente. Sein Urteil ist deshalb eindeutig:

"Wiederherstellung oder auch nur Erneuerung des Paulinismus war Luthers Christentum nicht: es bedeutet vielmehr die Beseitigung wichtiger Elemente des paulinischen Christentums, derjenigen nämlich, welche die katholische Kirche mit begründet haben."[16]

Heitmüller reflektiert nun auch die Frage, welche Konsequenzen die protestantische Christenheit aus diesen Einsichten zu ziehen habe. Denn wenn Luther und die Reformation sich dermaßen weit von Paulus entfernt haben, so könnte man erwarten, daß die Losung ausgegeben wird: Zurück von Luther zu Paulus. Aber das wäre für Heitmüller ganz verfehlt.

12 a.a.O., VIII.
13 ebd.
14 a.a.O., 24.
15 Heitmüller, Luthers Stellung in der Religionsgeschichte.
16 a.a.O., 22.

"Wir müssen dabei freilich mit mancherlei Vorstellungen brechen ... auch mit der uns in Fleisch und Blut übergegangenen Anschauung, das neutestamentliche Christentum sei die normative oder auch nur klassische Ausprägung des Wesens der christlichen Religion, an welche die Christenheit sich immer wieder eng anschließen müsse."[17]

Viel eher als das paulinische Christentum ist Luthers Frömmigkeit für die Christen des Jahres 1917 normativ. Denn sie gehört hinein in die "Aufwärtsbewegung"[18] der religionsgeschichtlichen Entwicklung des Abendlandes, die nunmehr im Urteil Heitmüllers im Begriff ist, auch über die Reformation einen Schritt hinaus zu tun.[19]

In der Sicht Wernles wie Heitmüllers – zu nennen wären hier auch noch William Wrede und Albert Schweitzer[20] – geraten Paulus und seine Theologie in eine historische Ferne, die jeden Gedanken an eine Erneuerung ausschließt. Es fällt ihnen nicht schwer, den Anspruch des Katholizismus auf den "historischen Paulus" als legitim einzuräumen, weil eine echte Anknüpfung an diesen Ursprung für sie ohnehin nicht möglich ist. Es kann daher nicht verwundern, daß der katholische Dogmatiker Bernhard Bartmann bereits 1914 von der damit eingeräumten Konzession Gebrauch macht und Paulus als Kronzeugen der katholischen Dogmatik reklamiert.[21] Zwar arbeiten katholische Theologen damals keineswegs historisch-kritisch – in das erste Jahrzehnt dieses Jahrhunderts fallen etwa die Enzyklika "Pascendi" und der Antimodernisteneid –, aber Bartmann kann unter diesen Umständen den katholischen Exegeten ausdrücklich religionsgeschichtliche Arbeit empfehlen, wenn dabei nur "die Übernatürlichkeit des Christentums respektiert", "seine Absolutheit nach vorwärts und rückwärts" anerkannt und hervorgehoben wird, daß das Urchristentum "sich dieses seines übernatürlichen und absoluten Charakters bewußt war"[22]. Eine solche Bestimmung läuft offenkundig darauf hinaus, daß die Voraussetzungen der Religionsgeschichtlichen Schule abgelehnt, ihre Arbeitsergebnisse aber rezipiert werden, womit noch einmal bestätigt ist, wie "katholisch" das Paulusbild der Religionsgeschichtlichen Schule ist.

Doch nicht allein Theologen der Religionsgeschichtlichen Schule bezweifeln in dieser Zeit die Legitimität von Luthers Berufung auf Paulus. 1908 hatte Johannes Ficker die wiederentdeckte Römerbriefauslegung Luthers ediert. Diese untersucht Adolf Schlatter in seinem Beitrag zur Vierhundertjahrfeier der Reformation.[23] Er ist weit davon entfernt, Paulus

17   a.a.O., 23.
18   a.a.O., 25.
19   Vgl.: "Daß eine weitere Entwicklung über die Reformation hinaus eingesetzt hat, wissen wir; daß sie einsetzen mußte, ist uns verständlich." a.a.O., 27.
20   Vgl. Wrede, Paulus und Schweitzer, Mystik – Das letzte Werk erscheint allerdings erst 1930.
21   Bartmann, Paulus.
22   a.a.O., VII.
23   Schlatter, Luthers Deutung des Römerbriefes.

als Zeugen einer katholischen Theologie gelten zu lassen. Seine Differenzierung zwischen Paulus und Luther ist wesentlich vorsichtiger als die Wernles oder Heitmüllers. Dennoch: Auch er weist signifikante Unterschiede zwischen der Theologie des Apostels und der des Reformators auf. So kommt Schlatter etwa bei der Untersuchung des Sündenverständnisses in die Nähe Wernles, wenn er sagt:

"Beim negativen Werk der Gerechtigkeit, bei der Beseitigung der Strafe, die uns von Gott scheidet, verweilte Luthers Bitte deshalb, weil ihn nur der inwendige Zustand der einzelnen Seele, die in ihrer Sündhaftigkeit hilflos geworden ist, zur Frage trieb, wie sich Gott an ihr als der Gerechte offenbare und sie seiner Gerechtigkeit untertan mache. Das Gebot des Paulus begehrte dagegen dankend und bittend das Hervortreten der göttlichen Gerechtigkeit im ganzen menschlichen Zustand, weil er auf das universale Ziel des Christus sah, in dem das Werk der göttlichen Gnade seine die Welt umspannende Größe erlangt."[24]

Schlatter legt den Akzent auf die Aktivität des Christen, er urteilt dabei aber über Luthers Auffassung der Sünde im Christenleben sehr kritisch.

Es liegt auf der Hand, daß eine am lutherischen Bekenntnis orientierte Theologie die Herausforderung der Religionsgeschichtlichen Schule annehmen mußte. So entstand etwa 1902 im Umkreis Hermann Cremers in Greifswald eine Dissertation "Die Sünde des Christen nach Pauli Briefen an die Korinther und Römer"[25] von Max Meyer, in der Wernles Ansicht als "häretisch"[26] verurteilt wird und das Endergebnis lautet, "daß man mit Recht die Reformation die Erneuerung des Paulinismus genannt hat"[27].

Konkreter Gegenstand der Untersuchung ist wiederum die Frage der Sünde in der christlichen Existenz. Offenbar hatte Wernle einen heiklen Punkt berührt. Dabei lautet Meyers zentrale These:

"Nur in seinem (des Christen) persönlichen Lebenscentrum ist ein Umschwung eingetreten, nur eine Centralwendung ist erfolgt im Herzen des einzelnen. Denn die Taufe hat nicht die Bedeutung einer radikalen Neuschöpfung, welche zugleich auf die materielle Seite des Menschen sich erstreckt."[28]

Ist schon die Redewendung von der "Centralwendung im Herzen des einzelnen" verräterisch, so noch mehr die Verlegung der Rückzugsbastion der Sünde in "die materielle Seite des Menschen". Erfährt man noch, daß Paulus in Röm 8,33 ff "der Sünde eine bleibende Stätte im christlichen Leben gesichert" hat,[29] so wächst der Eindruck, daß hier eine petitio principii vorliegt, daß eine bestimmte Sicht des Paulus, nämlich die einer lutherisch-erwecklichen Theologie des 19. Jahrhunderts, gesichert werden soll, indem die Begriffsbildungen dieser Theologie weitgehend unreflek-

24 a.a.O., 53 f.
25 Meyer, Die Sünde des Christen.
26 a.a.O., 75.
27 a.a.O., 80.
28 a.a.O., 77.
29 a.a.O., 72.

tiert auf Paulus angewendet werden. Die ein Jahr später folgende Schrift "Der Apostel Paulus als armer Sünder"[30] ist eher ein Kuriosum, allein schon wenn man den Titel mit dem Selbstbewußtsein des Paulus nach 1.Kor 4,1-5 vergleicht.

So ist also die Problemlage um die Zeit des Ersten Weltkrieges folgende: Von einer ökumenischen Verständigung auf der Basis einer historischen Erforschung der paulinischen Theologie kann keine Rede sein. Allenfalls macht sich katholische Theologie die Ergebnisse protestantischer Forschung zunutze, ohne deren Voraussetzungen zu teilen. Durch die Arbeit der Vertreter der Religionsgeschichtlichen Schule, aber auch anderer Exegeten, ist es aber zweifelhaft geworden, ob Paulus als Kronzeuge der reformatorischen Theologie herangezogen werden kann. Material – (sola gratia/sola fide) und Formalprinzip (sola scriptura) der lutherischen Theologie scheinen sich nicht mehr zu decken. Gibt man nicht mit Heitmüller die Normativität neutestamentlicher Theologie überhaupt preis, so muß man von einer "Legitimitätskrise" reformatorischer Theologie sprechen: die historisch-kritische Exegese desavouiert das Bekenntnis. Dabei ist die Radikalität, mit der "katholische" Denkstrukturen etwa ein hellenistisch-mysterienhaftes Sakramentsverständnis bei Paulus aufgedeckt werden, bemerkenswert. Denn die Theologen der Religionsgeschichtlichen Schule sind Vertreter eines dezidierten theologischen Liberalismus. Sie entdecken bei Paulus gerade das, was ihnen ganz fremd ist, – wenn auch, wie gezeigt, die Normativität dieser fremden Theologie höchst relativ ist.

Ein neuer theologiegeschichtlicher Abschnitt beginnt nach 1918: Der Aufbruch der Dialektischen Theologie, die Lutherrenaissance, die exegetische Arbeit Rudolf Bultmanns bringen neue Bewegung in die Theologie. Vor allem durch die letztere wird auch das Problem von Schrift und Bekenntnis, konkret von paulinischer Theologie und lutherischem Bekenntnis nochmals in einem neuen Licht erscheinen.

C. Methodische Erwägungen

Um ein Urteil darüber zu gewinnen, inwieweit in der Paulusexegese tatsächlich ein ökumenischer Konsens erzielt worden ist, empfiehlt es sich, nicht allgemein die jeweiligen Tendenzen der Forschung nachzuzeichnen, sondern von klassischen kontroverstheologischen Themen auszugehen und deren Behandlung in der gegenwärtigen Exegese zu untersuchen. Daß dabei vor allem die Kontroversen zwischen römisch-katholischer und lutherischer Theologie zur Sprache kommen, ist kein Zufall. Im Luthertum hat das

---

30 Meyer, Der Apostel Paulus als armer Sünder.

Bekenntnis faktisch – und wohl auch prinzipiell – eine wesentlich stärkere Bedeutung als im übrigen Protestantismus und deshalb ist lutherische Theologie besonders sensibel für eine – im Lauf historisch-kritischer Forschung sich möglicherweise eröffnende – Differenz von Schriftauslegung und Bekenntnisaussagen.

Die Beschränkung auf Fragen im Umkreis der Rechtfertigungslehre soll dem praktischen Erfordernis genügen, den Umfang der Arbeit einzugrenzen, andererseits entspricht sie den tatsächlichen Schwerpunkten der Debatte. Daß etwa in Fragen der paulinischen Ekklesiologie es kaum Material zum Vergleich gibt, weil evangelische Exegese sich in der Behandlung dieses Themas äußerst zurückgehalten hat, ist natürlich auch eine wichtige Beobachtung; nur muß man sich hier damit begnügen, dieses bedeutungsvolle Schweigen festzustellen und zu bewerten.

Es ergeben sich somit vier Fragenkreise:
- Ich beginne mit dem Problem der Sünde des Gerechtfertigten, weil diese Frage sowohl im 16. Jahrhundert eine entscheidende Rolle gespielt hat als auch bei der Kritik der Religionsgeschichtlichen Schule am protestantischen Paulusbild das erste behandelte Thema war. Im engeren Sinne geht es um das Problem der Existenz des Christen als "simul iustus et peccator". Hinzu gehören aber auch die Themen "Rechtfertigung und Heiligung" und "Forensische oder effektive Rechtfertigung", weil es ja immer um das *Wesen der neuen Gerechtigkeit* des Christen geht.
- Es folgt die Frage nach dem Charakter der *Sünde als Tat und als Macht*, von der für das Verständnis der Rechtfertigung Entscheidendes abhängt.
- Das *Verständnis des Glaubens und seines Verhältnisses zum Werk* ist der nächste Gegenstand der Untersuchung. Welche Rolle das sola fide für reformatorische Theologie spielt, braucht nicht ausgeführt zu werden. Was Paulus unter "Glaube" versteht, ist aber auch eine die Exegese des 20. Jahrhunderts bewegende Frage.
- In einem weiteren Abschnitt geht es um das *Verständnis des Evangeliums* bei Paulus und zwar in dreifacher Hinsicht: Eine kurze Überlegung gilt dem Evangelium als Kraft Gottes. Dann wird untersucht, inwiefern man vom Evangelium als der Mitte der Schrift reden kann. Schließlich wird gefragt nach dem Verhältnis des Evangeliums zum Gesetz.

Bei jedem Thema soll zunächst der genaue dogmatische Kontroverspunkt herausgearbeitet werden. Dann folgt eine weitgehend chronologisch angeordnete Darstellung und Interpretation der Forschungsgeschichte zur jeweiligen Sachfrage auf katholischer und evangelischer Seite. Dabei wird die katholische Forschung in etwa seit dem Ende des Zweiten Weltkrieges berücksichtigt (eine Begründung hierfür gebe ich im 2 Simul iustus et peccator); die herangezogene evangelische Forschung reicht teilweise in die Zeit nach dem Ersten Weltkrieg zurück (schon damals wurde die Auseinandersetzung mit dem "katholischen" Paulusbild der Religionsgeschichtlichen Schule geführt). Vollständigkeit kann auf beiden Seiten nicht ange-strebt werden. Vielmehr geht es um markante Tendenzen. Am Ende der for-schungsgeschichtlichen Überlegungen steht jeweils eine Zusammenfas-sung des systematischen Ertrags. Schließlich werden die festgestellten Ten-denzen miteinander verglichen und – nach einer eigenen Rückfrage nach Paulus – beurteilt. (Diese Anordnung bedeutet natürlich nicht, daß die Darstellung und Interpretation der Forschungsgeschichte völlig unbeein-flußt wäre von der eigenen Sicht der paulinischen Theologie. Es geht nur darum, zunächst einmal ihr Eigengefälle sichtbar zu machen.) Die Arbeit schließt mit einer Auswertung der Einzelergebnisse und einer hermeneuti-schen Grundsatzüberlegung.

Die äußere Form entspricht der Thematik der Arbeit insofern, als nicht nur Exkurse, sondern auch längere Zitate in engzeiliger Schreibweise geboten werden, um zwischen der Darbietung des Materials und seiner Interpreta-tion und Wertung zu unterscheiden.

I. Die Wirklichkeit der neuen Gerechtigkeit

§ 2 Simul iustus et peccator –
Ein kontroverstheologisches Problem
in der Paulusexegese

A. Das Problem

Eines der bekanntesten kontroverstheologischen bzw. ökumenischen Probleme, die auf dem Feld der Paulusexegese entstanden sind und dort diskutiert werden, ist mit der Formel "simul peccator et iustus" verbunden. Bekanntlich hat Martin Luther diese Formel geprägt und zwar bei seiner Auslegung von Röm 7,25 in der Römerbriefvorlesung von 1515/16.[1]

Mit den meisten Vertretern der abendländischen Tradition, vor allem mit dem späten Augustin, bezieht Luther Röm 7 auf den Christen.[2] Diese exegetische Entscheidung entfaltet der Reformator allerdings in einem Neuansatz der theologischen Anthropologie:[3] Die ἐπιθυμία wird streng als Sünde verstanden, im Unterschied zu ihrer (scholastischen) Deutung als "Zunder" für die Versuchung, so daß – weil und insofern das Leben des Christen von der ἐπιθυμία gekennzeichnet ist – dieser Christ Sünder ist und bis zum Tode bleibt. Allerdings bleibt die Sünde im Gerechtfertigten nicht einfach dieselbe. Denn Rechtfertigung meint nicht: Ich werde lediglich so angesehen als ob ich gerecht sei. Durch Gottes Rechtfertigungsurteil ändert sich auch der Ort und die Macht der Sünde in der christlichen Existenz. Luther drückt dies aus mit der Differenzierung von peccatum regnans und peccatum regnatum,[4] d.h. mit der Unterscheidung einer den Menschen vor der Rechtfertigung beherrschenden Sünde von der zwar vorhandenen, aber beherrschten Sünde des Christen. So ist der gerechtfertigte Christ Sünder und Gerechter zugleich, während der vorchristliche Mensch den Zwiespalt, der in Röm 7 dargestellt ist, gerade nicht erfährt und in seinem Sündersein sich einer, wenn auch falschen so doch spannungslosen, Identität erfreut.[5]

---

1 WA 56, 347. "Quod simul Sancti, dum sunt iusti, sunt peccatores. Vgl. auch die Formulierung "peccator in re, iustus in spe" bei der Auslegung von Röm 4,7. WA 56, 269.
2 Vgl. Anz, Römer 7 bei Bultmann, Luther, Augustin; Wilckens, EKK VI/2, 101-117 (Wirkungsgeschichte von Röm 7,7-25).
3 Vgl. Iwand, Sed Originale.
4 Vgl. zur Deutung der Simul-Formel: Hermann, Luthers These "Gerecht und Sünder zugleich".
5 Vgl. WA 56, 72. "Quia diligere justitiam et odisse iniquitatem soli Christo tribuit ps. 44 et ps. 1: Sed in lege Domini voluntas ejus et per spiritum Christi omnibus suis." Dazu Althaus, Paulus und Luther, 50 ff. Vgl. auch WA 56, 233 (zu Röm 3,5): Ergo fieri peccatorem est hunc sensum destrui, quo nos bene sancte, juste vivere, dicere, agere, pertinaciter esse peccatores, male agere, dicere, vivere, errare, ac sic nos accusare, judicare damnari et detestari."

Man muß sich allerdings hüten, in Luthers Entscheidung für das simul iustus et peccator nur eine Konsequenz seiner Auslegung von Röm 7 auf den Christen zu sehen. Es hat vielmehr für sein Verständnis der Rechtfertigung grundlegende Bedeutung. Nach Anders Nygren hat das Simul

"hinsichtlich der fortgesetzten Gottesgemeinschaft die gleiche Funktion zu erfüllen wie 'sola fide' in Hinsicht auf die Errichtung der Gottesgemeinschaft. Für Luther steht es fest, daß auch der gerechtfertigte Mensch ein Sünder ist, der nichts Eigenes hat, worauf er sich vor Gott berufen kann, sondern auch weiterhin seine Zuflucht zu dessen sünden-vergebender Gnade nehmen muß. Niemals kommt der Mensch dahin, daß er auf eine einzige Tat zeigen kann, die an sich und als solche vor Gottes Urteil bestehen kann."[6]

Das Simul ist also zu verstehen als die Erstreckung des sola fide in das Leben des Christen hinein. Das Rechtfertigungsgeschehen soll weder als einmaliger Akt (etwa bei der Taufe) verstanden werden, noch soll es auseinanderfallen in die rein gnadenhafte Rechtfertigung des Sünders am Anfang und die Rechtfertigung des Gerechten am Ende der christlichen Existenz. Durch eine Auflösung der Einheit des Rechtfertigungsgeschehens müßte notwendigerweise der Verdienstgedanke wieder zu Ehren kommen. Gott würde dann Verdienste belohnen, die der gerechtfertigte Sünder mit Hilfe der Gnade erwirkt, und er würde den Mangel solcher Verdienste bestrafen. Luther will hingegen einschärfen, daß der Mensch nicht nur vor der Rechtfertigung, sondern immer ein iustificandus fide ist, daß er immer sola gratia gerechtfertigt wird und niemals aufgrund einer neuen geistlichen Qualität. Im Zusammenhang dieser Grundeinsicht erhält das simul iustus et peccator bei Luther seine volle Tragweite.

Luthers Verständnis der bleibenden Sünde ist auch in die lutherischen Bekenntnisschriften eingegangen, so in die Apologia Confessionis[7] und in die Konkordienformel[8]. Spätestens seit der Verwerfung von Luthers Posi-tion durch das Trienter Konzil gehört die Frage des "Simul" zu den kontroverstheologischen Unterscheidungslehren. Denn das Tridentinum erklärte im Kanon 5 des Dekretes über die Erbsünde, daß die

"Konkupiszenz zwar aus der Sünde stamme und – insofern alles andere als neutral – auch zur Sünde neige, aber selber gerade nicht vere et proprie peccatum, Sünde im eigentlichen Sinn sei."[9]

Damit erscheint der konfessionelle Gegensatz in dieser Frage für alle Zeiten festgeschrieben zu sein: Auf der einen Seite die reformatorische Lehre, daß die Sünde im Christen bis zum Tod gegenwärtig bleibt, auf der anderen Seite die katholische Auffassung, daß in der Taufe die Erbsünde völlig getilgt wird, dem Christen ein posse non peccare verliehen wird, bei dem die

---

6   Nygren, Simul iustus et peccator, 366 f.
7   AC II, 38-41, BSLK 154 f.
8   FC-SD II, 34-35, BSLK 886 f.
9   Kösters, Luthers These, 154. Der ganze Aufsatz von Kösters ist wichtig als systematischer Beitrag zur kontroverstheologischen Diskussion um das Simul.

verbleibende Konkupiszenz zwar zur Versuchung, ja zur Anfechtung werden kann, aber selbst eben nicht Sünde ist.

Noch 1914 kann Bernhard Bartmann formulieren:

"Nach der offiziellen auf die Reformatoren zurückgehenden Theorie lehrt der Apostel den fortdauernden Sündenzustand und die Sündentatsache der Christen. Die Umkehr dieses Gedankens ist die Zudeckungstheorie (justitia imputata). Der Mensch ist und bleibt ein Sünder; nur der Glaube differenziert ihn... Es ist nicht schwer, hier die katholische Auffassung von der Lehre Pauli zu verteidigen. So gut wie Jesus will auch Paulus, daß der Christ ohne Sünde lebe. Das ist die einfache Kehrseite seiner Pneumalehre. Der Christ kennt die Sünde, aber tut sie nicht mehr."[10]

Doch gerade Bartmann in seiner scheinbar so statischen Verteilung der konfessionellen Akzente zeigt andererseits, daß der Streit um das Simul nicht auf der Stelle tritt und daß nicht nur die protestantische, sondern auch die katholische Position geschichtlichem Wandel unterworfen sind. Das wird einmal sichtbar an der Weise, wie der katholische Dogmatiker die Hinweise des Paulus auf faktische Sünde in seinen Gemeinden systematisiert, nämlich durch die Entgegensetzung von Konkretion und Ideal:

"Wenn Paulus nun die erhabenen Sätze von der Sündenreinheit und Pneumagesellschaft vorträgt, dann meint er nicht so sehr den konkreten geschichtlichen Christen, sondern die Idealfigur des Gläubigen wie der Kirche Gottes."[11]

Mit der Unterscheidung eines "zweifachen Betrachtungsstandpunktes" und zwar der "idealen Theorie" und der konkreten bzw. "schlechthinnigen Wirklichkeit" stellt sich Bartmann offenkundig in eine idealistisch-philosophische Tradition, die auch im Protestantismus des 19. Jahrhunderts eine große Wirksamkeit entfaltet hat. Zum andern beruft er sich – außer auf Vertreter der evangelischen Gemeinschaftsbewegung[12] – auf die Arbeit evangelischer Theologen der Religionsgeschichtlichen Schule, so vor allem auf die schon erwähnte Schrift von Paul Wernle "Der Christ und die Sünde bei Paulus".

Doch gerade durch diese Darstellung der katholischen Position ist evangelische Exegese herausgefordert.

10   Bartmann, Paulus, 144 f.
11   a.a.O., 145 f.
12   a.a.O., 144, Anm. 3.

B. Die Diskussion des Problems innerhalb der evangelischen Exegese

a) Rudolf Bultmann und Paul Althaus

Einen Wendepunkt innerhalb der evangelischen Paulusexegese markiert Rudolf Bultmanns Aufsatz "Das Problem der Ethik bei Paulus"[13] aus dem Jahr 1924. Denn hier zeigt sich – wenn ich recht sehe – erstmals der neue Ansatz im Paulusverständnis bei Bultmann. Er spricht dabei offen aus, daß er "die innere Verwandtschaft Luthers mit Paulus viel höher"[14] einschätzt als etwa Wilhelm Heitmüller.[15] Entscheidend hierfür ist, daß Bultmann vorschlägt, bei den Aussagen des Paulus über Sündenfreiheit und Kampf gegen die Sünde von einer "echten Antinomie"[16] auszugehen, d.h. davon, daß beide Aussagenreihen in gleicher Weise ernstzunehmen sind und zugleich gelten. Schon mit dieser Grundentscheidung hat sich Bultmann Luther wieder genähert, für dessen Theologie das "Zugleich" von Gerechtigkeit und Sünde (aber auch von Gesetz und Evangelium, Fleisch und Geist usw.) eine entscheidende Rolle spielt.

Bultmann skizziert zunächst zwei einseitige Auflösungen der Antinomie von Sündenfreiheit und Kampf gegen die Sünde, die in der vorangegangenen exegetischen Arbeit wirksam geworden sind: einmal die Lösung der Stoa, nach der der Mensch im unendlichen Fortschritt begriffen ist zur als Idee verstandenen Vollkommenheit. In die Nähe der stoischen Konzeption rückt Bultmann Ferdinand Christian Baur und die idealistische Theologie des 19. Jahrhunderts. Eine andere Lösung bietet die hellenistische Mystik, in der das Jenseitige "real gegenwärtig" ist und "naturhaft, substanzhaft gedacht"[17] wird. Hier hat die Paulusinterpretation der Religionsgeschichtlichen Schule ihren Ansatzpunkt. Paulus aber läßt sich nach Bultmann weder von der Stoa noch von der Mystik her angemessen verstehen, da für ihn das Jenseitige in Gottes χάρις besteht als der neuen Heilstat. Die Beziehung des Menschen zu dieser Heilstat Gottes nennt Paulus πίστις. Bultmann folgert:

"Die πίστις aber ist der Gehorsam des Menschen unter Gottes Heilstat unter Verzicht auf jeden Anspruch, von sich aus die Beziehung zu Gott herstellen zu können; sie ist der Glaube, daß allein durch Gottes Urteil der Mensch als gerechtfertigt gilt. Die Gerechtigkeit oder Sündlosigkeit ist also – höchst paradox – keine Veränderung der sittlichen Qualität des Menschen, sie ist weder etwas am Menschen Wahrnehmbares noch etwas von ihm Erlebbares im Sinne der Mystik; sie kann eben nur geglaubt werden."[18]

13 Bultmann, Problem der Ethik.
14 a.a.O., 198, Anm. 11.
15 Bultmann bezieht sich auf Heitmüllers Marburger Rede "Luthers Stellung in der Religionsgeschichte des Christentums" von 1917. Heitmüller, Luthers Stellung in der Religionsgeschichte.
16 Bultmann, Problem der Ethik, 179.
17 a.a.O., 189.
18 a.a.O., 193.

Nun aber hat die πίστις nicht nur den Sinn des einmaligen Zum-Glauben-Kommens, obwohl sie wegen der Naherwartung des Paulus diese Bedeutung immer behält. Denkt man aber konsequent im Sinne des Paulus, so bleibt die πίστις im ganzen Leben des Glaubenden die einzig sachgemäße Relation zu Gottes Heilstat. Dann aber darf formuliert werden:

"daß der Gläubige nie aufhört ein ἀσεβής zu sein, und immer nur als ἀσεβής gerechtfertigt ist, selbst wenn man diesen Satz nicht sicher aus Röm 4,5 herauslesen darf."[19]

Es fällt nicht schwer, in dieser Darstellung Bultmanns die Sicht Luthers wiederzuerkennen: Die Rechtfertigung des Gottlosen ist kein einmaliger Akt, der aus dem Gottlosen den Gerechten machen würde, sondern der Gläubige bleibt der gerechtfertigte Gottlose. Andernfalls "würde ja Gottes χάρις nicht mehr ihren Sinn als χάρις für ihn haben"[20], mit anderen Worten: Das "sola gratia" wäre eingeschränkt. Ohne daß er das Stichwort vom Bleiben der Erbsünde gebraucht, kann Bultmann den von Luther gemeinten Sachverhalt einholen:

"Die Kontinuität zwischen dem alten und dem neuen Menschen ist also nicht abgerissen, wie in der hellenistischen Mystik", – die alten lutherischen Theologen hätten hier vielleicht von "Schwärmerei" gesprochen –[21] "der δικαιωθείς ist der konkrete Mensch, der die Last seiner Vergangenheit, Gegenwart und Zukunft trägt, der also auch unter dem sittlichen Imperativ steht."[22]

Dann aber liegt es nahe, daß Bultmanns Bestimmung des Verhältnisses von Indikativ und Imperativ beim Gerechtfertigten in Analogie steht zu Luthers Verständnis von Gesetz und Evangelium. Zwar sagt Bultmann nirgends, daß der Imperativ beim Christen die Funktion des usus elenchticus legis erfüllt, aber seine Zuordnung des Imperativs als des Gehorsam fordernden Gebotes Gottes und des Indikativs als der das Gebot erfüllenden Gabe Gottes läßt keinen anderen Schluß zu.[23]

Man wird Bultmanns Ansatz wohl folgendermaßen zusammenfassen dürfen: Indem er bei der Interpretation der paulinischen Rechtfertigungslehre Luthers Kategorie des rechtfertigenden Urteils Gottes wieder aufnimmt, indem er also den forensischen Charakter der Rechtfertigung betont, kann er das von Wernle vertretene substanzhafte Verständnis der Sündlosigkeit des

---

19   a.a.O., 197.
20   a.a.O., 198.
21   Sofort nach den Enthusiasten verurteilt die FC: "Item qui fingunt Deum in conversione et regeneratione novum cor atque adeo novum hominem ita creare ut veteris Adami substantia et essentia ... penitus aboleatur et nova animae essentia ex nihilo creetur." FC-SD II 81, BSLK 905.
22   Bultmann, Problem der Ethik, 195.
23   So erkläre ich es auch, daß Karl Kertelge in seinem kurzen Referat von Bultmanns Aufsatz schreibt: "Der Imperativ sei ein Zeichen dafür, daß der alte Adam im Gerechtfertigten noch lebt und weiterhin zu bekämpfen ist." Einen solchen Satz fand ich bei Bultmann zwar nicht, wohl aber scheint er dessen Intention zu treffen. Kertelge, Rechtfertigung, 260.

Christen zurückweisen, ohne die paulinischen Aussagen als solche preiszugeben. Er kann sie vielmehr von der Relation zwischen dem Glauben des Christen und dem Urteil Gottes her verstehen. Damit entlastet er die Rede von der Sündenfreiheit zugleich von einem Mißverständnis, das nach empirischer Verifikation verlangt. Sündlosigkeit "kann eben nur geglaubt werden"[24]. Erst der Glaube erkennt die Sünde, zugleich aber hält er sich an Gottes rechtfertigendes Urteil. Ohne die Formel simul iustus et peccator anzuführen, hat Bultmann m.E. eine Konzeption paulinischer Ethik vorgelegt, die ihr inhaltlich weitgehend entspricht.[25]

Eine weitere Klärung wird sich ergeben, wenn wir die Diskussion Rudolf Bultmanns mit Paul Althaus verfolgen.

Chronologisch aber geht voran die Dissertation Werner Georg Kümmels, die dieser 1929 unter dem Titel "Römer 7 und die Bekehrung des Paulus" vorgelegt hat.[26] Er kommt hier zu dem Ergebnis:

"Überblicken wir, was gegen die Deutung von Röm 7,14 ff auf den Christen Paulus (oder überhaupt den Christen) zu sagen war, so scheinen mir sowohl der Zusammenhang wie der Inhalt des Abschnittes in jeder Weise gegen diese Deutung zu zeugen."[27] Ebenso aber weist alles darauf hin "daß wir es aufgeben müssen, Röm 7,7-24 als biographischen Text des Paulus zu verstehen und zu verwenden."[28]

Dann aber malt Röm 7 das Bild des vorchristlichen Menschen und es fällt als Stütze für das simul iustus et peccator weg. Kümmel zieht aus seinem Ergebnis zunächst nur Folgerungen für das Verständnis der Bekehrung des Paulus und läßt die Anthropologie des Apostels unberührt. Dennoch darf man seine Arbeit als Einschnitt verstehen. Nur noch wenige (z.B. Anders Nygren[29]) haben nach ihm Röm 7 als klassischen Beleg für Luthers Verständnis sehen wollen.

Einer der ersten, der für die theologische Anthropologie deutliche Konsequenzen zog, war der als Lutherforscher wie als Neutestamentler ausgewiesene Paul Althaus. 1938 erschien seine Studie "Paulus und Luther über den

---

24 Bultmann, Problem der Ethik, 193.
25 Soweit ich sehe, hat Bultmann in seiner Theologie des Neuen Testaments die Gedanken von 1924 weitgehend übernommen und vertieft: Bultmann, Theologie (Die erste Auflage erschien vollständig 1953); vgl. zur Rechtfertigungslehre 271-285, zur Freiheit von der Sünde 332-341. Folgendes Zitat scheint mir die oben gegebene Interpretation zu bestätigen: "Der alte Streit also, ob der Gerechtfertigte wirklich gerecht ist oder nur gilt, 'als ob' er gerecht wäre, – die Frage, inwiefern er denn ein wirklich Gerechter sein könne, und die Versuchung, ein 'als ob' einzufügen, – endlich auch das Problem, wie Paulus die wirklich Gerechten, also 'Sündlosen', dann doch unter den ethischen Imperativ stellen kann, – das alles beruht auf dem Mißverständnis, daß die διακαιοσύνη die ethische Qualität des Menschen bezeichne, während sie in Wahrheit seine Relation zu Gott meint." a.a.O., 278.
26 Kümmel, Römer 7.
27 a.a.O., 109.
28 a.a.O., 117.
29 Althaus, Paulus und Luther, 12, kennt noch E. Rissanen und A.F.N. Lekkerkerker.

Menschen"[30]. Er räumt in ihr die Differenz zwischen Paulus und Luther in der Anthropologie freimütig ein. Als Grund für diese Differenz nennt er zunächst die unterschiedliche Situation:

"Des Apostels Wort vom Christenstande trägt in dieser Hinsicht die Züge einer Missions- oder Bekehrungstheologie ... Luthers Theologie dagegen ist auf das innerchristliche Problem der Sünde gerichtet ... An Stelle der Sukzession von Einst und Jetzt steht das Simul-taneum, das Simul von Sünde und Gerechtigkeit."[31]

Mit der Verschiedenheit der Situation könnte man auch argumentieren, wenn man die sachliche Übereinstimmung von Paulus und Luther, die in unterschiedlichem Kontext jeweils einen anderen Ausdruck gefunden hat, darstellen möchte. So aber steht es nach Althaus nicht, vielmehr liegt der Kern der Differenz in einem unterschiedlichen Sündenverständnis, ist also streng theologischer Natur:

"Das 'Fleisch' im Christenleben bedeutet bei Paulus die Versuchlichkeit, die Möglich- keit der Sünde, bei Luther schon die Sünde selbst."[32]

Folgerichtig steht Althaus auch nicht an, der römisch-katholischen Lehre von der Konkupiszenz zu bestätigen, sie könne sich "auf Paulus berufen"[33], für den die "Begierden" ebenfalls noch nicht Sünde seien. Man steht einigermaßen überrascht vor diesem Befund. Gerade von einem Vertreter des konfessionellen Luthertums hätte man so weitreichende Zugeständnisse nicht erwartet. Wenn auch Luthers Interpretation von Röm 7 sich nicht halten läßt, so ist doch die Auffassung der Begierde als fomes[34], als Zunder der Sünde, also die Zustimmung zur tridentinischen Lehre, daraus keine notwendige Schlußfolgerung. Man könnte sich ja auch vorstellen, daß Paulus auch mit der Konkupiszenz beim Christen nicht rechnet und sie dort, wo sie doch auftauchte, durchaus Sünde nennen würde. Aber Altenhaus will hier gar nicht die lutherische Dogmatik prinzipiell korrigieren. M.E. geht es bei Althaus nicht oder nicht in erster Linie um den Konflikt zwischen historischer Exegese und konfessioneller Dogmatik. Seine Interessen schei- nen mir selbst durchaus dogmatischer Art zu sein. Zwei Beobachtungen führe ich hierfür als Belege an: Einmal ist die theologische Konsequenz, die Althaus aus der exegetischen Einsicht zieht, lange nicht so weittragend, als es zunächst den Anschein hatte. Tatsächlich kann sich Luthers Anthropolo- gie nicht auf Paulus, zumindest nicht auf den Paulus von Röm 7 berufen. Dennoch ist sie "sachlich" gegen Paulus im Recht:

30   Althaus, Paulus und Luther.
31   a.a.O., 83 f.
32   a.a.O., 90.
33   a.a.O., 88.
34   a.a.O., 88: "Wenn sie (die römisch-katholische Lehre) die Begehrlichkeit, wie sie nach der Taufe bleibt, nur als fomes, als Zunder der Sünde, nicht schon als Sünde im eigentlichen Sinn auffaßt, so setzt sie damit einen Zug der paulinischen Theologie fort."

Luthers "Blick in die Seele ist eindringlicher, die Reflexion schärfer, und damit die Beurteilung strenger geworden. Luthers Sündenbegriff reicht bis in die Tiefe der unwillkürlichen Regungen. Insofern hat seine Umdeutung und Anwendung von Röm 7 auf den Christen Sinn. Sie ist exegetisch unmöglich, sie widerspricht den Gedanken des Paulus, aber sie ist Ausdruck einer Selbstbeurteilung des Christen, der wir sachlich recht geben müssen. Obgleich sie Paulus Gewalt antut, hat sie theologisches Recht."[35]

Damit ist dann die katholische Auffassung der Konkupiszenz, mag sie sich auch auf Paulus stützen, sachlich eben doch falsch.

Fragt man, wo für Althaus der Sachgrund liegt, der das theologische Urteil trägt, so erhält man keine andere Antwort als Karl Holls Hinweis auf die "Verfeinerung des Persönlichkeitsgefühls"[36]. Es ist also letztlich eine Veränderung der Psychologie, die die Wandlung des theologischen Urteils über den Menschen zwischen Paulus und Luther bewirkt hat. Zugespitzt gesagt: Luther wußte mehr vom Menschen, deshalb durfte er Paulus besser verstehen, als dieser sich selbst verstand. Damit wird aber auch die Kritik verständlich, die Althaus allenthalben gefunden hat.

So urteilt etwa Ulrich Wilckens: Althaus "vereinfacht ... nicht nur das Problem, sondern verfälscht es auch, sofern er auf ein psychologisch verfeinertes Sündenbewußtsein bei Luther abhebt".[37]

In einer anderen Hinsicht stimmt Althaus Paulus gegen Luther zu. Die Beziehung von Röm 7 auf den vorchristlichen Menschen gibt der Sündenerkenntnis bzw. der Erkenntnis der Gespaltenheit des Menschen außerhalb des Glaubens einen biblischen Anhalt:

"Luther sagt: der natürliche Mensch haßt das Gesetz Gottes." Bei Paulus aber steht es anders: "Nicht das ist des Menschen Not, daß er sich des Guten nicht freute, es nicht möchte und wollte, sondern daß er es bejaht, möchte, will – und zugleich, er derselbe Mensch, doch nicht will und daher nicht tut; daß er sich des Gebotes freut – und sich ihm entzieht und wünscht, es wäre nicht, weil er Lust hat zum Bösen. Er liebt und haßt das Gebot Gottes."[38]

Paulus betont also nach Althaus viel mehr als die Reformatoren die bleibende Geschöpflichkeit des Menschen, auch des sündigen Menschen. Dieser Mensch ist auch als Sünder nicht so verdorben, seine Geschöpflich-

---

35 a.a.O., 94.
36 Althaus zitiert sie a.a.O., 93.
37 Wilckens, EKK VI/2, 116, Anm. 473. Hat man erst einmal zugegeben, daß der Unterschied zwischen Paulus und Luther auf dem Gebiet der Psychologie (bzw. einer mehr oder weniger psychologischen Anthropologie) zu suchen ist, so ist nicht einzusehen, warum man nicht mit Krister Stendahl die Neigung zur Psychologie für einen Irrweg halten soll, von dem man zu Paulus umkehren muß. Vgl. Stendahl, The Apostle Paul, und etwa folgende Aussage: Bultmann "ist überzeugt, daß der wesentliche Schwerpunkt, das Zentrum, von dem alle Interpretation herkommt, die Anthropologie ist, die Lehre vom Menschen. Dies mag in der Tat richtig sein; aber wenn es so ist, dann verwüstet und zerstört es jedenfalls die Perspektive des paulinischen Denkens." Stendahl, Der Jude Paulus, 38.
38 Althaus, Paulus und Luther, 62.

keit ist nicht so korrumpiert, daß Gottes Geist an nichts mehr anknüpfen
könnte. Vielmehr gilt:

"Hier waltet ein positives Verhältnis, hier geschieht Anknüpfung, hier ist Kontinuität
zwischen dem Menschen ohne Christus und dem Menschen in Christus ... insofern, als
der Geist dem Menschen verliehen werden kann nur, weil er 'Vernunft' ist und im
'Geiste' die Vernunft von Röm 7 sie selbst bleibt."[39]

An diesem Punkt scheint mir Althaus' eigentliches Interesse zu haften. Er
will gegen den Augustinismus, der sich auch bei Luther zeigt und wohl mehr
noch in der dialektischen Theologie, an der Möglichkeit des vorchristlichen
Menschen zur Selbstunterscheidung zwischen seinem Ich und seiner Sünde
festhalten. Mag diese Selbstunterscheidung ohne Christus nur "ohnmächti-
ger Protest"[40] sein, so ist sie doch offen für die Unterscheidung und
Trennung, die Christus den Seinen gewährt.

Bei Althaus ist also ein durchaus komplexes Verhältnis zwischen Schrift-
exegese und Dogmatik zu sehen. Die Erkenntnis, daß Röm 7 nicht auf den
Christen zu beziehen ist, hindert ihn nicht, aufgrund theologischer Sachent-
scheidung an Luthers Simul auch für den Christen festzuhalten. Sie gewährt
aber andererseits Raum für eine theologische Anthropologie, die an der
Kontinuität zwischen vorchristlichem und christlichem Menschen orientiert
ist und die mit einer – wie auch immer eingeschränkten – Möglichkeit zu na-
türlicher Sündenerkenntnis rechnet. Nebenbei hat sich damit auch der kontroverstheologische Horizont erweitert: Es geht nicht mehr allein um die
theologische Wertung der Konkupiszenz und damit um Sündhaftigkeit oder
Sündlosigkeit des Christen, sondern ebenso um das Problem, inwieweit der
vorchristliche Mensch seine Lage wahrnehmen kann.

Es ist nun sehr interessant, wie Rudolf Bultmann gegen Paul Althaus
argumentiert. Von ihrer Herkunft her sind beide Lutheraner. Doch reagieren
sie sehr verschieden auf die Herausforderung der liberalen Exegese. Die
Antwort auf Althaus' Schrift erschien 1940 unter dem Titel "Christus des
Gesetzes Ende"[41].

Auch für Bultmann steht fest, daß "Luthers Auffassung von Röm 7,15 ff
... exegetisch falsch" ist, und ähnlich wie Althaus fährt er fort, sie "sei
sachlich nicht unpaulinisch"[42]. Der Grund für diese theologische Entscheidung ist nicht in einem gegenüber Paulus anthropologisch-psychologisch
vertieften Sündenverständnis zu suchen, denn es "ist deutlich, daß die
Begierde als solche sündig ist"[43] – auch für den Apostel selbst. In Luthers
Exegese – und man darf ergänzen: in der theologischen Sicht, die mit dem
Simul verknüpft ist – wird vielmehr ein Zwiespalt im Christen bewußt und

---

39   a.a.O., 65 f.
40   a.a.O., 66.
41   Bultmann, Christus des Gesetzes Ende.
42   a.a.O., 47.
43   a.a.O., 55.

ausgesprochen, den Paulus als "einen unbewußten erlebt und überwunden hat"[44].

Der Zwiespalt, den Paulus unbewußt und Luther bewußt erlebt haben, ist aber kein anderer als der zwischen "Glaubensgerechtigkeit" (mit der Bultmann die "Gottesgerechtigkeit" identifiziert) und "eigener Gerechtigkeit".

Sünde ist, so interpretiert Bultmann, nicht allein und nicht einmal zuerst Gebotsübertretung, ihre eigentlich gefährlichere Form ist die Gebotserfüllung zur Aufrichtung der "Eigengerechtigkeit" ... "der Wille als Tatwille ist von vornherein böse, weil er, auch wenn er will, was das Gesetz will, nämlich das Gute tun, um zu leben, doch das Böse will, nämlich die eigene Gerechtigkeit aufrichten."[45]

M.E. haben wir hier Bultmanns Kerngedanken in der Interpretation der paulinischen Rechtfertigungsverkündigung vor uns: Diese wird sofort verstanden in der Polarität von (aus Gnade geschenkter) Glaubensgerechtigkeit und (selbstgesuchter) Eigengerechtigkeit und zugleich wird die Sünde völlig transmoralisch verstanden als Versuch, die Eigengerechtigkeit aufzurichten, gerade auch durch Gebotserfüllung. Ein solches Sündenverständnis muß dem Judentum zur Zeit des Paulus unverständlich bleiben und es wird noch zu fragen sein, ob katholische Theologie es akzeptieren kann. Jedenfalls ist diese Unzugänglichkeit für Bultmann kein Problem. Denn die Sünde ist nicht nur ein transmoralisches, sondern auch ein transsubjektives Phänomen und kann überhaupt nur vom Christusgeschehen her verstanden werden.

Mit dieser Einsicht hat Bultmann nun die Möglichkeit gewonnen, die beiden ersten Althausschen Thesen zurückzuweisen – nämlich, daß die Konkupiszenz als solche keine Sünde sei und daß eine natürliche Sündenerkenntnis in gewissen Grenzen möglich sei: Da die Sünde in dieser Weise ein transsubjektives Phänomen ist und da sie als solches den ganzen Menschen beherrscht, ermöglicht sie dem Menschen außer Christus gerade keine "Selbstunterscheidung" (diesen Ausdruck gebraucht Althaus für die Unterscheidung des Menschen zwischen seiner Sünde und seinem "eigentlichen" Ich) zwischen sich und seiner Sünde. Vielmehr ist eine solche Unterscheidung nur dem an Christus Glaubenden im Rückblick auf seine Vergangenheit möglich. Paulus wollte also im Röm 7 alles andere als eine, wenn auch noch so beschränkte Möglichkeit der Sündenerkenntnis für den natürlichen Menschen postulieren.

Zum anderen aber ist die im Streben nach Eigengerechtigkeit (und nicht etwa im natürlichen Triebleben oder dergleichen) sich realisierende Begierde selbstverständlich Sünde.

Da aber solche Begierde im Christen bleibt, ist er auch für Paulus simul iustus et peccator.

"Paulus kennt also doch das paradoxe Mit- und Gegeneinander des alten und neuen

---

44   a.a.O., 47.
45   a.a.O., 45.

Menschen, das Luther durch das simul iustus, simul peccator beschreibt. Und dieses
Nebeneinander ist durchaus als das von Vergangenheit und Gegenwart zu bezeichnen;
denn eben die Vergangenheit ist ja das Fleisch, ist die Sünde, die gegenwärtig lebendig
ist."[46]

Es ist offenkundig, daß Bultmann die sachliche Übereinstimmung Luthers
mit Paulus stärker betont als Althaus, ja daß er sogar gegen Althaus sich zu
Luther stellt. Wir müssen allerdings dabei festhalten, daß dies möglich
wird, indem Bultmann die paulinische Rechtfertigungsverkündigung sofort
in die Systematik des Gegensatzes von Glaubens- und Eigengerechtigkeit
einzeichnet und einen transsubjektiven und zugleich hoch abstrakten Sündenbegriff bei Paulus voraussetzt.[47] (Vgl. dazu die exegetischen Überlegungen zum Simul § 2 und zum Sündenbegriff § 4.) Die zweite Voraussetzung,
die Bultmanns Option trägt, ist sein Verständnis der "Geschichtlichkeit":

"Indem Paulus Geschichte und Eschatologie vom Menschen aus interpretiert, ist die
Geschichte des Volkes Israel und die Geschichte der Welt seinem Blick entschwunden
und dafür ist etwas anderes entdeckt worden: Die Geschichtlichkeit des menschlichen
Seins, das heißt, die Geschichte, die jeder Mensch erfährt und erfahren kann und in der
er erst sein Wesen gewinnt."[48]

Aus der heilsgeschichtlichen Wende wird also – folgt man Bultmanns
Paulusverständnis – eine individualgeschichtliche – nicht Wende, sondern
Dialektik. Denn Vergangenheit und Gegenwart tragen, wie der Aufsatz von
1940 sehr eindeutig zeigt, die Signatur des "Zugleich".
   Die Vergangenheit ist nicht "vergangen", sondern als Vergangenheit
gegenwärtig. Diese gegenwärtige Vergangenheit aber ist das Fleisch, ist die
Sünde. Man kann nun fragen, ob in dieser Dialektik der christlichen
Existenz die Kategorien "Vergangenheit" und "Gegenwart" überhaupt
noch sinnvoll sind und ob es für Paulus zutrifft, daß die Gegenwart des
Fleisches identisch ist mit der Sünde. Für unsere Frage nach dem Simul
ergibt sich, daß Bultmann trotz der Zugeständnisse, die Althaus gemacht
hatte, Luthers Auffassung nochmals kräftig verteidigt hat.

b) Zwischenüberlegung: Bultmanns Nähe zu Luther

Daß Bultmanns Interpretation der apostolischen Rechtfertigungsverkündigung in der Frage des Simul, aber etwa auch – wie noch zu zeigen sein wird
– beim Verständnis der Gottesgerechtigkeit als Glaubensgerechtigkeit, in
der Zuordnung des forensischen zum effektiven bzw. eschatologischen

---

46   a.a.O., 56.
47   Es kann an dieser Stelle noch nicht die Frage nach der Berechtigung von
Bultmanns Ansatz gestellt werden. Zur Kritik vgl. Wilckens, EKK VI/2, 115: "Der Preis
freilich ... die völlige Abstraktheit der Sünde wie der Gnade, ist sowohl für die
Frömmigkeit als auch für die Theologie sehr hoch."
48   Bultmann, Geschichte und Eschatologie, 49.

Aspekt beim Rechtfertigungsgeschehen, sachlich nahe bei der Auslegung Luthers steht, ist leicht zu sehen und es ist nur zu verwundern, daß dies nicht häufiger vermerkt wurde.[49] Im polemischen Zusammenhang, nämlich in der Auseinandersetzung um die Entmythologisierung, hat etwa Karl Barth auf diese Beziehung hingewiesen, und es ist wohl nicht unsachgemäß, sein Verdikt[50] auch auf die Auseinandersetzung um die paulinische Theologie zu beziehen.

Schwieriger scheint es, den Grund zu finden, der die Übereinstimmung ermöglicht. Es kann ja nicht darum gehen, daß der Exeget die reformatorische Lehre einfach ins Neue Testament einzeichnet oder von einer selbstverständlichen Kongruenz ausgeht. Wir haben an einem Beispiel gesehen, daß Bultmann Ergebnisse historischer Paulusforschung keinesfalls unberücksichtigt läßt. Daß Bultmann sich streng als Exeget versteht, geht etwa aus dem Vortrag "Die Bedeutung der 'dialektischen Theologie' für die neutestamentliche Wissenschaft" von 1927 hervor.[51]

Dort sagt er zur Abgrenzung von Sätzen, "die aus einem dogmatischen Prinzip abgeleitet" wären: "Solche Sätze würden die neutestamentliche Wissenschaft nichts angehen, sofern diese nichts weiter will als verstehen, was das Neue Testament sagt."[52]

Für Bultmann ist nun bereits 1927 klar, daß Verstehen von Texten zu tun hat mit der Erfassung von Möglichkeiten der eigenen Existenz:

"Deshalb muß die Exegese um sich selbst als um ein echtes geschichtliches Phänomen wissen, daß der Exeget jeweils selbst sein Seinkönnen realisiert, eine Möglichkeit seiner selbst in der Exegese ergreift."[53]

Gerade deshalb aber gibt es kein Verharren der Exegese bei einmal gewonnener Einsicht, bei einmal formulierter Interpretation, selbstverständlich auch nicht bei der Interpretation Luthers:

"Mag Luthers Paulus-Exegese auf echtem Verständnis des Paulus beruhen; wir können uns bei ihr aus dem einfachen Grunde nicht begnügen, weil wir erst wieder Luther interpretieren müssen."[54]

Dennoch ist Bultmanns Übereinstimmung mit Luther unverkennbar und der

---

49   Von "der entschieden lutherischen Prägung" Bultmanns, Conzelmanns, Kleins und Lohses spricht Stuhlmacher, in: Gerechtigkeitsanschauung, 106. Anm. 16. Bereits in seiner Dissertation hatte Stuhlmacher angemerkt: "Bultmanns Rechtfertigungslehre zeigt, daß er Melanchthon näher steht als Luther." Stuhlmacher, Gerechtigkeit Gottes, 56, Anm. 4. Stuhlmacher spricht von "Bultmanns und seiner Schüler Interpretation des Paulus mit lutherischen Interpretationskategorien" und bemerkt, daß diese "denen des Rabbinats sehr nahe" stehen, in: Erwägungen, 25.
50   Barth riskiert die Frage, "ob Bultmann nicht einfach als - Lutheraner (Lutheraner sui generis natürlich) anzusprechen ist?" Barth, Rudolf Bultmann, 53..
51   Bultmann, Bedeutung der dialektischen Theologie.
52   a.a.O., 114.
53   a.a.O., 119.
54   a.a.O., 123.

Interpretation bedürftig. Ich gehe dabei von Hinweisen aus, die Bultmann gibt:

"Gerechtigkeit bedeutet die vom Richterspruch (Gottes) zugesprochene Gerechtigkeit, die Geltung (vor Gott)."[55]

Sie wird also im forensischen Kontext verstanden. Das Prädikat "iustus" meint "nie eine Qualität, sondern eine Relation".[56]

Bultmann entscheidet sich damit konsequent gegen die Exegese der Religionsgeschichtlichen Schule. Diese war von einem Verständnis der paulinischen Anthropologie und Soteriologie ausgegangen, in dem "Gnade", "Geist" usw. substanzhaft gedacht sind. Albert Schweitzer hatte deshalb die juridischen Aussagen als systemfremd, als "unnatürliches Gedankenerzeugnis" empfunden und geurteilt:

"Die Lehre von der Gerechtigkeit aus dem Glauben ist also ein Nebenkrater, der sich im Hauptkrater der Mystik des Seins in Christo bildet."[57]

Bultmann behauptet nun, daß gerade diese "Lehre von der Gerechtigkeit aus dem Glauben" in den Mittelpunkt der Theologie des Apostels gehört und daß entsprechend der Mensch immer schon als der durch Gottes Urteil und nicht durch naturhafte Qualitäten bestimmte verstanden wird. Bei dieser Entscheidung geht es nicht um eine Einzelheit der Soteriologie, sondern um die Mitte der paulinischen Verkündigung und um das Wirklichkeitsverständnis des Apostels allgemein.

In seiner Theologie des Neuen Testaments hat Bultmann die skizzierte Deutung ausdrücklich aufgenommen.[58] Bereits in dem Abschnitt "Schöpfung und Mensch" definiert er:

"Paulus sieht den Menschen stets als vor Gott gestellt ... Die ontologische Möglichkeit, gut oder böse zu sein, ist ontisch die Wahl, den Schöpfer anzuerkennen und ihm zu gehorchen, oder den Gehorsam zu verweigern."[59]

Bultmann kann hier von der ontologischen Möglichkeit des Menschen zum Guten oder Bösen hin sprechen. Es ist sicher gut paulinisch, wenn er diese Möglichkeit zusammenbringt mit der Anerkenntnis Gottes als des Schöpfers (vgl. Röm 1,25). Bultmann geht nun aber einen Schritt weiter. Als reine Möglichkeit tritt die Tatsache, daß der Mensch gut oder böse sein kann, nicht

---

55 Bultmann, Christus des Gesetzes Ende, 37.
56 a.a.O., 56.
57 Schweitzer, Mystik, 220. Schweitzers Buch erscheint nach den bahnbrechenden Aufsätzen Bultmanns, gehört aber theologiegeschichtlich zu einer früheren Phase.
58 Vgl. "Als Bezeichnung der Heilsbedingung oder des Heilsgutes ist δικαιοσύνη ein forensischer Begriff. Er meint nicht die ethische Qualität, überhaupt nicht eine Qualität der Person, sondern eine Relation; d.h. δικαιοσύνη hat die Person nicht für sich, sondern vor dem Forum, vor dem sie verantwortlich ist, im Urteil eines andern, das sie ihm zuspricht." Bultmann, Theologie, 273.
59 a.a.O., 228.

in Erscheinung auch nicht als Möglichkeit zur Anerkennung oder Verweigerung gegen den Schöpfer. Denn der Mensch steht prinzipiell vor dem Forum des dreieinigen Gottes und will von diesem Forum aus verstanden werden. So ist "ontisch" schon immer eine Relation des Geschöpfes zum Schöpfer da, die den Menschen in seinem Menschsein bestimmt. Der Mensch wird also gar nicht "in sich" betrachtet, als eine Substanz, der bestimmte Qualitäten zukommt, kurz – er wird nicht unter dem Aspekt klassischer Ontologie, sondern von vornherein in seiner Relationalität gesehen.

Man kann also Christa Hempel nur zustimmen, wenn sie konstatiert, daß hier ein eigenes "gegenüber dem traditionell katholischen anderes Wirklichkeitsverständnis vorliegt", ein Wirklichkeits- und Menschenverständnis, in dem "gewandelte Beziehungen ... ihn (den Menschen) sich selber wandeln lassen und zwar gründlich".[60] Allerdings weist die Autorin dann nicht auf die Nähe dieses Wirklichkeitsverständnisses zu dem Luthers hin.

Die These, die hier vertreten wird, ist aber, daß Bultmann sich mit Luther im Verständnis der paulinischen Rechtfertigungsverkündigung deshalb trifft, weil das Wirklichkeitsverständnis oder besser das Verständnis des Personseins bei Bultmann eine große Nähe zum Denken des Reformators zeigt.

Dies Verständnis der menschlichen Grundsituation als einer forensischen, der Akzent auf den coram-Relationen, in denen der Mensch steht (coram Deo, coram mundo, coram hominibus), die Ablehnung der Substanzkategorie für den Menschen sind herausragende Kennzeichen von Luthers theologischer Lehre vom Menschen.[61] Zur theologischen Absicherung der reformatorischen Wende Luthers gehört es, daß er das klassisch-substanzhafte Personverständnis der herkömmlichen Ontologie ablehnt und an seine Stelle die Kategorie der Relation, die vorher als die schwächste galt, entscheidend aufwertet.

Auch ein Theologe, der der Lutherinterpretation der Bultmann-Schule kritisch gegenübersteht, wie Wilfried Joest, formuliert: "In der Begegnung von Wort und Glauben wird also der Mensch aus der von einem konzentrischen Selbstverständnis diktierten Fragestellung nach der eigenen geistlichen Qualität und Wirkmöglichkeit herausgerufen und in die exzentrische Situation der Preisgabe an den sein geistliches Sein allein mächtig wirkenden Mitseienden: Gott in Christus, gebracht."[62]

---

60   Hempel, Rechtfertigung, 134. Daß neben dem Hinweis auf die Beziehung von Bultmanns Wirklichkeitsverständnis zu dem Luthers auch ein Bezug auf die Simul-Frage fehlt, überrascht bei einer Studie, die der Wirklichkeit der Rechtfertigung gewidmet ist. Auch Werner Georg Kümmel geht auf die Beziehung zu Luther nicht ein: Kümmel, Bultmann als Paulusforscher. Kümmel vermerkt zwar die Wende im Paulusverständnis, die der Aufsatz von 1924 markiert, er untersucht aber nicht die Gründe, die zu dieser Wende führten.
61   Vgl. Ebeling, Luther 219-238; Joest, Ontologie, besonders 233 ff.
62   Joest, Ontologie, 297. Vorher hatte Joest Ebelings Auffassung so zusammengefaßt: "Der Angelpunkt ist dabei die These, daß Luther den substanzialen durch einen relationalen Personenbegriff ersetzt. Menschsein heißt dann nicht eine Seinsausstattung haben, mittels derer der Vollzug von Gottesbeziehung möglich ist ... Das Personsein des

Obwohl Joest in seiner Untersuchung der "Ontologie der Person bei Luther" der Kategorie der Relation nicht so breiten Raum gibt, wie es etwa der Dogmatiker der Bultmannschule Gerhard Ebeling tut, so konstatiert doch auch er: "Die Heilswirklichkeit ist ... also nicht, substanzial (wenn man unter Substanz eine von ihren aktualen Beziehungen abstrahierbare Wesenheit versteht), sondern relational; sie ist Beziehungswirklichkeit"[63] – wobei dies für Joest allerdings nicht alles ist, was über den ontologischen Charakter des Heils und der Heilsaneignung zu sagen ist.

Jedenfalls kann sich Bultmann mit seinem Verständnis des Personseins – und das ist in unserem Zusammenhang entscheidend – auf einen Strang im Denken Luthers berufen. Stimmt diese These, so wäre die Übereinstimmung in der speziellen Rechtfertigungslehre bzw. im Verständnis der Sünde des Christen eine Konsequenz der vorlaufenden Übereinstimmung in der Anthropologie bzw. in der "Ontologie der Person". (Vorausgesetzt ist dabei natürlich, daß man Ontologie nicht im Sinne klassischer Substanzmetaphysik versteht.)[64] Nun wird sich diese Auffassung sogleich der Kritik gegenübergestellt sehen, die am anthropologischen Ansatz von Bultmanns Darstellung des Apostels geübt worden ist, etwa von Georg Eichholz,[65] Ulrich Wilckens[66] oder auch schon von Fritz Neugebauer,[67] der bei Bultmann die "Möglichkeit einer ontologischen Beschreibung des Glaubens" findet.

Neugebauer fragt, "ob es eine solche Möglichkeit geben kann und darf und ob es also ein immanent-anthropologisches Kontinuum des Menschseins gibt. Ist die neue Existenz dann wirklich noch geglaubt, oder schreitet man in jenem Fall nicht vom Glauben zum Schauen?"[68]

Menschen ist ja immer schon seine Gottesbeziehung im Vollzug; und zwar in einem Vollzug, in den der Mensch dadurch hineingezogen ist, daß Gott ihn angeht im Wort und ihm dadurch ein Verhalten zu sich selbst eröffnet." a.a.O., 34 f. Aus Ebelings Interpretation geht die Nähe Bultmanns zu Luther schon rein sprachlich deutlicher hervor als aus Joest. Doch zeigt das Zitat oben, daß Joest in diesem Punkt Ebeling nicht allzu fern steht, was er auch selbst vermerkt: Joest, Ontologie, 297, Anm. 47.
63   a.a.O., 362. Man darf dieses Zitat allerdings nicht anführen, ohne darauf hinzuweisen, daß es Joests Ziel ist, die personale bzw. existentiale Lutherdeutung zu korrigieren. Dazu verweist er auf drei Fragenkreise, die in einer solchen Interpretation (Ebeling) nur unzureichend geklärt werden konnten: die passivitas des Menschen Gott gegenüber, Luthers Bejahung der klassischen Christologie und seinen "Sakramentsrealismus".
64   Vgl. zu dieser Übereinstimmung auch: Peters, Luther und die existentiale Interpretation, vor allem folgendes Zitat: "In jener Forum – Struktur unseres Menschseins gründet unsere Sprachlichkeit; sie erweist sich als mächtig im Phänomen des Gewissens. Hier ist gleichsam der Gerichtshof, vor dem die unterschiedlichen Ansprüche und Urteile miteinander streiten. Von diesem Zentrum her gewinnt die gesamte Existenzanalyse bei Luther wie auch bei Heidegger forensisch-juridischen Charakter." (470).
65   Eichholz, Theologie, 44-48.
66   Wilckens, Christologie und Anthropologie.
67   Neugebauer, Voraussetzungen Bultmanns.
68   a.a.O., 299. Anm. 26. Neugebauer sieht die Annahme "eine(r) materiale(n) Konstante im Sinne des katholischen Naturbegriffs" mit der "Annahme einer formalen Struktur" der Existenz in der gleichen Funktion: Sicherung der "Kontinuität des Menschseins".

Ob man Barth folgen soll und Bultmanns lutherische Prägung beanstanden, weil er das "Christum cognoscere" identifiziere mit dem "beneficia eius cognoscere"[69], oder ob man mit Ebeling die Verbindung Bultmanns zu Luther positiv werten und herausarbeiten soll, ist hier nicht zu entscheiden. Es geht nicht um eine prinzipielle Beurteilung des anthropologischen Ansatzes von Bultmanns Theologie, sondern um die Herleitung seiner Zustimmung zu Luthers simul iustus et peccator aus einem Verständnis des Menschseins überhaupt, das maßgeblich von Luther geprägt ist. Diese Herleitung stellt sich nunmehr so dar: Die Gerechtigkeit des Christen besteht in einer Relation Gottes zu ihm, und zwar nicht nur anfangsweise, sondern bleibend. Denn niemals kann die Gerechtigkeit zu einer Qualität des Menschen oder gar zu einer empirisch aufweisbaren Qualität werden. Dann ist die eigentliche Bestimmung des (glaubenden) Menschen die, einer zu sein, der das rechtfertigende Urteil Gottes empfängt. Ist er aber ein iustificandus fide, so ist er auch stets einer, der der Gerechtsprechung durch Gott bedarf, also ein Sünder, denn Gottes Urteil erkennt die Gerechtigkeit des Gerechten nicht an, sondern schafft sie. Zwar läßt Gottes Urteil die Sünde vergangen sein, aber als Vergangenheit bleibt sie stets gegenwärtig.

"Vergäße er die Vergangenheit, wäre er nicht gerade als der, der er war, der Gerechtfertigte, behielte die neue Existenz nicht den Charakter der ständig zu ergreifenden Zukunft, so würde er ja aus der Gnade wieder unter das Gesetz zurückfallen; denn er würde sich einbilden zu besitzen und zu eigen zu haben, was ihm doch nur von Gott her zu eigen sein kann..."[70]

Somit aber gilt, daß der Christ Sünder und gerecht zugleich ist. Es gilt, weil jede andere Bestimmung aus einer in Gottes Urteil begründeten Relation eine Qualität machen würde. Die relationale Struktur von Gottes Rechtfertigungshandeln verlangt notwendig auf der Seite des Menschen das Simul.

Somit aber ist auch deutlich, daß Bultmanns Nähe zu Luther eine begrenzte ist. Denn er erfaßt durch seine Leugnung jedes empirischen Charakters der Rechtfertigung nur das, was Joest den "Totalaspekt" des Simul nennt.[71] Für Luther aber gilt nach Joest:

---

69 Vgl. Anm. 50.
70 Bultmann, Christus des Gesetzes Ende, 56 f.
71 Merk, Handeln aus Glauben, 35, weist darauf hin, daß Bultmann in seiner Theologie des Neuen Testaments seine Ansicht von 1924 "sachgemäß korrigiert" hat. Tatsächlich spricht dieser davon, daß das Sein des Glaubenden "ein stets bedrohtes und den Versuchungen ausgesetztes" ist (Theologie, 322) bzw. daß "die Glaubensentscheidung ... die Vergangenheit erledigt hat", sie "muß jedoch als echte Entscheidung festgehalten, d.h. stets neu vollzogen werden" (323). Die Formel simul iustus et peccator taucht nicht mehr auf, auch der transempirische Charakter des neuen Seins ist weniger betont. Dennoch hat sich die Grundkonzeption, die 1924 erstmals sichtbar wurde, weitestgehend durchgehalten. Auf den Aufsatz "Christus des Gesetzes Ende", der Bultmanns deutlichste Bejahung des Simul enthält, geht Merk in diesem Zusammenhang nicht ein.

38   I. Die Wirklichkeit der neuen Gerechtigkeit

"Einerseits treten sich das geheiligte und das nichtgeheiligte Sein des Christen gegenüber als Reich der Geltung quoad Christum und Reich des Tatbestandes quoad nos. Jenes ist forensische, dieses empirische Wirklichkeit. Jenes ist das nie Sichtbare, dieses das allein Sichtbare. Andererseits treten sich das geheiligte und das nichtgeheiligte Sein des Christen auch gegenüber als zwei verschiedene Tatbestände beide mit konkreter Wirklichkeitsbreite. Dort hieß es: totus iustus – totus peccator. Hier heißt es partim iustus – partim peccator."[72]

Bei Bultmann ist für ein solches partim – partim kein Platz. Es würde den transempirischen Charakter der Rechtfertigung gefährden. Die eschatologische Dimension (was der "effektiven" Seite in der lutherischen Tradition entspricht) ist mit der forensischen als identisch gedacht. Damit ist es aber unmöglich, *neben* dem forensischen Totalaspekt noch einen effektiven Partialaspekt anzuerkennen.

Als Ergebnis läßt sich also festhalten: Bultmanns Paulusinterpretation steht in der Tradition Luthers, allerdings eines einseitig verstandenen, weil Bultmann den juridischen Charakter der Rechtfertigung stärker betont als Luther selbst.

c) Wilfried Joest

Die Auseinandersetzung zwischen Bultmann und Althaus mußte so ausführlich dargestellt werden, damit sichtbar werden konnte, in welch komplexen Verhältnis exegetische Einsicht und dogmatische Systembildung zueinander stehen und wie bei beiden Theologen die Entscheidung von einer Anthropologie getragen wird, die jeweils – allerdings in sehr unterschiedlicher Weise – der reformatorischen Tradition verpflichtet ist.

Es soll nun ein Theologe zu Wort kommen, der gerade als Lutheraner die ontologische Verankerung des Simul bei Luther von Paulus her kritisiert hat. 1955 veröffentlichte Wilfried Joest seinen grundlegenden und auch heute erhellenden Aufsatz "Paulus und das Luthersche Simul Iustus et Peccator"[73]. Althaus' These über den Unterschied zwischen Paulus und Luther im Sündenverständnis lehnt Joest ausdrücklich ab.

"Daß Luther mit dem, was er faktisch als Sünde im Christen beurteilt, im Recht ist, ist auch mir unzweifelbar - ich sehe allerdings .... hierin noch nicht einen wirklichen Unterschied zu Paulus, als ob dieser Dinge, die Luther Sünde nennt, noch nicht Sünde nennen würde."[74]

Die wirkliche Differenz zwischen dem Apostel und dem Reformator – und um eine solche handelt es sich, – liegt anderswo, nämlich in der prinzipiellen Bewertung und Einordnung der faktischen Sünde, die Paulus als faktische jedenfalls in seinen Gemeinden auch wahrgenommen hat:

---

72   Joest, Gesetz und Freiheit (erstmals erschienen 1951), 82.
73   Joest, Simul Iustus et Peccator.
74   a.a.O., 319, Anm. 156.

"Paulus gönnt der Gegenwart der Sünde, mag sie nun Gestalt der bekämpften und abgewiesenen ἐπιθυμία haben oder sich in Tatbeständen hervorbrechend konkretisieren, auf keinen Fall eine Seinsaussage, die sie irgendwie 'unterbrächte'. Er hat für sie unter allen Umständen nur die Kampfaussage übrig, durch die er die Christen, deren Sünde aufzudecken ist, sofort nach vorwärts weist, auf den Überwinder und die Überwindung hin."[75]

Bei Luther hingegen wird das, was Paulus sofort angreift, "ontologisch fixiert".[76]

Bei der Untersuchung der paulinischen Aussagen zum Thema geht Joest ganz anders vor als Bultmann. Nicht ein theologischer Gedanke wie etwa die Gerechtsprechung des gottlosen oder der relationale Charakter der Gerechtigkeit verlangt bestimmte Deduktionen, sondern die paulinischen Aussagen zur Dialektik und Unabgeschlossenheit der christlichen Existenz werden analysiert. Dabei fällt auf, daß etwa in 2. Kor 4,8-11; 6,4-10 eine Dialektik von Tod und Leben beim Christen begegnet, die nun gerade nicht auf die Dialektik von Sünde und Sündlosigkeit ausgedehnt wird. Paulus ist mit seinem Schweigen ernstzunehmen genauso wie mit seinem Kampf gegen die faktische Sünde etwa in der korinthischen Gemeinde. Ontisch kommt die Sünde also beim Christen vor, nicht aber als ontologische Theorie über die Sünde des Christen.[77] Joest kann dabei etwa von einem "praktischen" Simul sprechen, weil Paulus den Korinthern angesichts ihrer Sünde die Rechtfertigung nicht ab-, sondern zugesprochen habe. Es ist damit deutlich, daß es gerade die ontologische, das Sein des Christen prinzipiell und generell meinende Rede vom Simul ist, die Luther von Paulus abhebt. Joest hat mit seiner These einen entscheidenden Schritt getan. Hatten Bultmann und Althaus noch je auf ihre Weise gerade die prinzipielle Rede vom Simul verteidigt und entweder als sachliche Fortsetzung der apostolischen Theologie (Althaus) oder als ihre systematische Interpretation (Bultmann) bewertet, so erkennt Joest hier eine beginnende Entfernung Luthers von Paulus.

Man fragt sich, ob es sachgemäß ist, nach dieser Einsicht die Rede vom Simul iustus et peccator als solche festzuhalten. Es ist dabei nicht zu vergessen, daß Joest manche exegetische Kritik als unbegründet oder

---

75 a.a.O., 293.
76 a.a.O., 317.
77 "Ontologisch" ist hier natürlich anders verstanden als in der reformatorischen Antithese gegen die Ontologie bzw. die Seinsmetaphysik. Ging der reformatorische Kampf gegen die Anwendung von Begriffen wie Substanz, Akzidenz, qualitas inhaerens innerhalb der theologischen Lehre vom Menschen, so soll das Adjektiv "ontologisch" hier lediglich besagen: die prinzipielle Konstitution des Menschseins bzw. der christlichen Existenz betreffend im Unterschied zur ontischen (faktischen) Vorfindlichkeit.
78 Vgl. etwa: Paulus "hat bezeichnenderweise die Sünde des Juden eben nicht nur in seinen Übertretungen der Gebote, sondern auch in der inneren Art und Absicht seiner Gesetzeserfüllung aufgedeckt". Joest a.a.O., 286. Ebenso die Identifizierung des καυ-χᾶσθαι mit dem Gegenteil des Glaubens, also der Sünde. Joest, a.a.O., 285.

Luther nicht betreffend zurückweist. Ebenfalls ist nicht zu verkennen, daß er die lutherische Paulusinterpretation in wesentlichen Punkten verteidigt.[78]

Dennoch steht fest, daß Joest exegetische Einsichten ernst nimmt, daß er demgemäß eine nicht nur formale Differenz zwischen Paulus und Luther einräumt.

Wenn man also die Simul-Formel gebrauchen will – und Joest rät nirgends, dies zu unterlassen – so darf man sie nur im Sinne des paulinischen praktischen Simul verstehen. Offenbar ist bei Joest, der genau wie Althaus und Bultmann in der lutherischen Tradition steht, die Verhältnisbestimmung von Exegese und dogmatischem Urteil anders gelagert als bei diesen beiden Theologen.

d) Die Rezeption Joests

Allerdings sind Joests Überlegungen nicht ohne Widerspruch geblieben. Zunächst von der Bultmannschule her: Eberhard Jüngel erklärt 1962 in seiner Untersuchung "Paulus und Jesus":

"Joest hat gut herausgearbeitet, daß Luther mit seiner 'Simul-Formel' eine ontologische Bestimmung vornimmt. Leider hat Joest nicht erkannt, daß auch dem paulinischen Verhältnis von Indikativ und Imperativ eine ontologische Differenz (das Verhältnis der Existenz des Christen zu seinem Sein) zu Grunde liegt."[79]

Ein Jahr später ergänzt er:

"Insofern die vom Evangelium überholte Wirklichkeit des aus Glauben Gerechtfertigten dessen Vergangenheit bleibt, ist Luthers These, daß der Christ simul iustus et peccator sei, durchaus paulinisch."[80]

Nun bezweifelt niemand, daß Paulus eine "Spannung zwischen der sakramental begründeten Wirklichkeit des Seins in Christo und der der Anfechtung ausgesetzten Existenz des Christen"[81] kennt, mag man auch über die Terminologie und die Bedeutung des Sakraments für die Rechtfertigung streiten. Die Frage ist aber, ob aus dieser Spannung eine Existenzdialektik wird und ob eine ontologische Beschreibung dieser Dialektik mit der Simul-Formel angemessen ist. Ähnlich verhält es sich mit dem Argument der bleibenden Vergangenheit. Niemand bezweifelt, daß die Vergangenheit Vergangenheit bleibt. Die Frage ist vielmehr, ob die Vergangenheit Gegenwart bleibt. Genau das würde das Simul ja bedeuten. Mit anderen Worten: Joest hat nicht bestritten, daß die christliche Existenz sich dialektisch beschreiben läßt, etwa als Dialektik von Tod und Leben im Geist und Versuchung durch das Fleisch. Auch darf diese Dialektik ontologisch genannt werden, insofern sie die Konstitution des christlichen Lebens überhaupt meint. Nur eines hat Joest bestritten, daß diese ontologische

79   Jüngel, Paulus und Jesus, 66, Anm. 1.
80   Jüngel, Gesetz, 74, Anm. 91.
81   Jüngel, Paulus und Jesus, 65.

Dialektik eine zwischen Gerechtigkeit und Sünde ist. M.E. hat Jüngel über Joests Einsicht nicht hinausgeführt.

Eher kurios ist die Kritik Peter Stuhlmachers in seiner Dissertation "Gottes Gerechtigkeit bei Paulus" 1965:

Joest "sieht nicht, daß die Vorstellung vom christlichen Sein in zwei Zeiten die ganze paulinische Rechtfertigungslehre durchherrscht ... Ist dies aber der Fall, dann hat bei Paulus das simul ebensosehr den Charakter einer 'Kampfformel' wie einer 'Seinsformel' ..."[82]

Man mag die Schlußfolgerung bezweifeln, das Argument ist durchaus einleuchtend. Es überrascht nur, daß Stuhlmacher dann Joest als sachgemäße paulinische Fassung des Simul die Formel gegenüberstellt, die Christen seien "simul iusti et tentati",[83] als ob Joest nicht genau das behauptet hätte. Joest erkennt die Existenz des Christen in zwei Zeiten ausdrücklich an:

"Es gehört also für Paulus zu der Struktur des noch im Fleische gelebten Seins in Christo, daß es seiner Vollendung erst entgegengeht. Der Glaubende ist, solange er im Fleische lebt, im Transitus zu der Neuheit seines Lebens."[84]

Stuhlmacher wird wohl auch zugeben, daß der Christ den beiden Äonen nicht gleichermaßen zugehört, sondern Bürger des neuen ist und die Zugehörigkeit zum alten ein "noch" ist, eben das "noch" des Versuchtwerdens. Tatsächlich formuliert der Tübinger Exeget auch in seiner jüngsten Äußerung zum Thema (1985):

Luthers "Beschreibung des christlichen Seins als stets 'sündig und gerecht zugleich', die Scheu, von einer neuen und zeichenhaften Praxis der Gebote Gottes durch den einzelnen Christen und die Gemeinde Christi insgesamt zu sprechen, ... sind den Paulustexten gegenüber neu."[85]

Eine Ergänzung oder eine Korrektur an der Dissertation nimmt Stuhlmacher bereits 1967 mit "Erwägungen zum ontologischen Charakter der καινὴ κτίσις bei Paulus" vor, wo er zwar der Frage nach der Sünde des Christen nicht nachgeht, wohl aber betont: "Neuschöpfung ist bei Paulus ein ontologischer Begriff"[86]. Stellt dieser Aufsatz eine weitere Klärung der bereits in der Dissertation aufgestellten Thesen dar, so kann es sich bei der vorherigen Kritik an Joest nur um ein Mißverständnis handeln: Joests Einsicht, daß die Dialektik der christlichen Existenz zwischen altem und neuem Äon nicht in gleicher Weise als Dialektik des Seins in Sünde und Gerechtigkeit beschrieben werden darf, wird von Stuhlmacher als Leugnung der Dialektik der christlichen Existenz überhaupt mißverstanden. Jedenfalls darf man feststellen, daß Stuhlmacher sich inhaltlich der Position Joests spätestens mit dem Beitrag von 1985 weitgehend angenähert hat.

---

82 Stuhlmacher, Gottes Gerechtigkeit, 224, Anm. 1
83 ebd.
84 Joest, Simul iustus et peccator, 277.
85 Stuhlmacher, Paulus und Luther, 300.
86 Stuhlmacher, Erwägungen, 35.

e) Albrecht Oepke

Eine mittlere Auffassung in dieser Frage vertritt Albrecht Oepke in seinem Kommentar zum Galaterbrief.[87] Oepke setzt bei der Eigenart des paulinischen Zeitbewußtseins ein und bestimmt die "eschatologische Realität" als "Übergangs- und Schwebezustand zwischen diesem und dem zukünftigen Aion". Dann aber gilt:

"Das Neue ist schon da, aber noch nicht vollkommen. Der Gläubige verfügt nicht darüber, sondern steht nun erst recht in der Verantwortung. Aus ihr heraus soll er, nachdem sein Wille für Gott freigeworden ist, das Neue seinerseits aktualisieren..."[88]

Unabhängig von der exegetischen Beurteilung dieser Position wird hier bereits ein Problem sichtbar: Um sowohl einem magischen Verständnis des Indikativs als auch seiner idealistischen Aufhebung zu entgehen, werden neuschöpferisches Handeln Gottes und Ethik, Indikativ und Imperativ, letztlich additiv miteinander verknüpft. Die Frage taucht auf, ob hier nicht Gott als Subjekt der Rechtfertigung, der Christ aber als Subjekt der Heiligung gedacht wird, und ob eine solche Aufteilung, falls sie vorgenommen wird, vor Paulus bestehen kann.

f) Anders Nygren

Etwa gleichzeitig mit Oepkes Kommentar zum Galaterbrief veröffentlichte Anders Nygren seinen Römerbriefkommentar in deutscher Sprache.[89] In diesem 1951 erschienen Werk nimmt der schwedische Theologe nochmals die konsequent lutherische Deutung des Römerbriefes auf. So bezieht er Röm 7 wieder entschlossen auf den Christen und bezichtigt die Arbeiten Kümmels, Bultmanns und sogar Althaus' eines "pietistischen" Irrtums.[90] Dagegen sei zu betonen, daß "die Sünde noch immer eine Wirklichkeit" im Leben des Christen ist.

"Selbst wenn er durch Christus 'frei von der Sünde' geworden ist, so daß sie nicht mehr sein Herr ist, so steht er doch, solange dieses Leben dauert, unter den Bedingungen der Sünde. Er gehört einer Menschengemeinschaft an, die ihr Gepräge von der Sünde her bekommen hat; er steht als Sünder unter Sündern, nicht als sündloser Heiliger unter Sündern."[91]

Diese Paulusinterpretation Nygrens ruht auf zwei Voraussetzungen: Einmal unterscheidet Nygren bei Paulus Sündlosigkeit und Sündenfreiheit. Hinter dieser Unterscheidung steht ein verschiedenes Verständnis der Sünde selbst.
    Wird diese rein moralisch verstanden, so ist die Freiheit von ihr Sündlo-

87 Oepke, Galater.
88 a.a.O., 144.
89 Nygren, Römerbrief.
90 a.a.O., 210.
91 a.a.O., 218 f.

sigkeit als faktisches Fehlen aller Sündentaten. Wird aber die Sünde genuin apostolisch als Macht begriffen, dann ist die Freiheit von ihr eben Sündenfreiheit als Freiheit von der Herrschaft der Sünde. Nur letzteres Verständnis entspricht nach Nygren der Auffassung des Paulus.

Zum anderen aber differenziert Nygren nur wenig zwischen "Fleisch" und "Sünde". Das Dasein des Christen im Fleisch enthält für ihn als eine der wesentlichsten Bestimmungen die Wirklichkeit der Sünde.

"Der Christ ist einerseits 'frei von Sünde' und doch andererseits den Bedingungen der Sünde unterworfen; er ist nicht fleischlich gesinnt und doch drückt das Fleisch sein Gepräge all seinem Handeln auf."[92]

Durch die Verbindung dieser beiden Voraussetzungen ergibt sich Nygrens Interpretation des Daseins des Christen in beiden Äonen: Neben das Sein des Christen im Fleisch, in der Sterblichkeit tritt faktisch sein Dasein in der Sünde. Zwar gebraucht Nygren diese Wendung nicht, er könnte sie bei Paulus ja auch nicht belegen. Doch er rechnet die Sünde parallel zum Fleisch und zur Sterblichkeit zu den Bedingungen irdischer Existenz. Es liegt hier nochmals eine exegetische Arbeit vor, die den Ansprüchen lutherischer Dogmatik voll entspricht, die zugleich aber als "Findlingsblock" relativ einsam auf dem Feld der Exegese steht.

Damit soll die Übersicht über die Behandlung des Simul-iustus-et-peccator-Problems in der jüngsten evangelischen Exegese abgeschlossen sein. Zwar wären dazu auch noch die neuesten Kommentare zum Römerbrief von Käsemann[93] und Wilckens[94] heranzuziehen. Jedoch würden diese keinen wesentlichen Fortschritt in der exegetischen Diskussion des Problems erkennen lassen. Auf die hermeneutischen Überlegungen einzugehen, die etwa Wilckens anstellt,[95] ist hier nicht der Ort.

g) Ergebnis

Aus der referierten Diskussion ergibt sich m.E. folgendes Fazit: Vor allem Rudolf Bultmann und Anders Nygren haben in ihrer Exegese versucht, das lutherische Verständnis vom Wirken der Sünde im Leben des Christen zu untermauern. Sie kommen zu dieser Gemeinsamkeit trotz unterschiedlicher Auslegung von Röm 7. Sie müssen dazu zwei weitreichende theologische Entscheidungen treffen und verteidigen: 1. Der Tatcharakter der Sünde muß von ihrem Machtcharakter nicht nur unterschieden, sondern getrennt werden. Die Befreiung von der Sünde, von der Paulus redet, darf sich allein auf den Machtcharakter der Sünde beziehen. (Hier liegt der Schwerpunkt von

---

92 a.a.O., 219.
93 Käsemann, Römer.
94 Wilckens, EKK VI/1; EKK VI/2; EKK VI/3.
95 EKK VI/2, 22-33, 97-117.

Nygren, doch würde Bultmann ihm weitgehend zustimmen.) 2. Die Offenbarung der Gottesgerechtigkeit in Christus muß sofort in der Polarität von Glaubensgerechtigkeit einerseits und Gesetzes- bzw. Eigengerechtigkeit andererseits verstanden werden. (Hier ist zunächst an Bultmann zu denken, doch folgt ihm Nygren.)

Gemeinsam ist beiden die Interpretation der christlichen Existenz als Dialektik von Sünde und Gerechtigkeit auf der allgemein anerkannten Grundlage des christlichen Lebens im Schon und Nochnicht des eschatologischen Heils, im neuen und doch auch noch im alten Äon. Diese Ausweitung der Dialektik über den Gegensatz von Tod und Leben hinaus in den von Sünde und Gerechtigkeit entspricht auf der anderen Seite eine Konzentration der heilsgeschichtlichen Wende auf die individuelle Existenz des Christen. Während Nygren von vornherein nicht darüber zu reflektieren scheint und eher voraussetzt, daß die Grenze zwischen den Äonen nicht so sehr durch die Menschheit als durch den Menschen verläuft, gibt Bultmann eine Erklärung: Die Vergangenheit des Christen bleibt als seine Vergangenheit gegenwärtig. Luthers Simul entspricht das Zugleich von Vergangenheit und Gegenwart. Wichtiger aber ist noch, daß er die forensische Situation und das relationale Wirklichkeitsverständnis aus Luthers Rechtfertigungslehre als Paulus völlig angemessene Kategorien auffaßt und damit das Simul notwendig wird, andernfalls die "Gerechtigkeit" zur Qualität des Menschen würde.

C. Die Diskussion des Problems innerhalb der katholischen Exegese

Die folgende Nachzeichnung der Diskussion unter katholischen Exegeten greift nicht soweit zurück, wie es auf der evangelischen Seite geschah. Es soll genügen, 1945 einzusetzen und den Schwerpunkt etwa auf die Zeit ab 1960 zu legen, denn Gegenstand der Untersuchung ist die Behandlung kontroverstheologisch umstrittener Fragen in einer historisch-kritisch arbeitenden katholischen Bibelwissenschaft. Von einer solchen reden aber auch katholische Theologen erst seit der Enzyklika "Divino afflante Spiritu" von 1943 und vor allem seit der Konstitution "Über die göttliche Offenbarung" des 2. Vatikanischen Konzils.[96] Allerdings müssen sich das Referat

---

96 "Nach der Enzyklika, 'Divino afflante Spiritu' von 1943 ist die diese weiterführende Dogmatische Konstitution des Vaticanum II 'Über die göttliche Offenbarung' das wichtigste lehramtliche Dokument geworden, das auch der neutestamentlichen Exegese grünes Licht für die Handhabung der anerkannten historischen Methoden gab." Vögtle, Neutestamentliche Wissenschaft, 53; vgl. auch Hahn, Beiträge der katholischen Exegese.

und die Interpretation auch bei dieser begrenzten Zeitspanne auf ausgewählte und repräsentative Äußerungen beschränken.

a) E. Móscy

Ganz im Duktus der klassischen katholischen Sicht bleibt der Jesuit E. Móscy mit seinem Aufsatz "Problema imperativi ethici in iustificatione paulina", 1947 in der Zeitschrift des Päpstlichen Bibelinstitutes "Verbum Domini" erschienen.[97] Sein Ziel ist es, das Problem des "ethischen Imperativs" dadurch zu lösen, daß er den ethischen Sinn der "Gerechtigkeit" selbst herausarbeitet, wiewohl er einräumt: "iustitia paulina non est conceptus sensu stricto ethicus"[98]. Dennoch hat sie auch ethische bzw. moralische Beschaffenheit, denn nach Paulus ist iustitia die Antithese zur Erbsünde, sie bezeichnet die Relation, die der Mensch zu Gott haben soll, und zugleich den Zustand, in dem der Mensch (wieder) ein sittliches Leben führen kann.

Daß Paulus Gerechtigkeit und Sünde antithetisch versteht, geht für Móscy aus dem Römerbrief hervor, dessen zentrales Problem es ist, wie der Mensch aus einem Sünder zu einem Gerechten werden kann. Die protestantische Lösung kann nicht befriedigen:

"Protestantes hoc explicant per meram imputationem meritorum Christi, quae peccatorem in se relinquit peccatorem."

Demgegenüber gilt:

"At oppositio inter iustum et peccatorem apud S. Paulum est tam radicalis ut homo iustificatus non *possit* simul remanere peccator."[99]

Móscy begründet diese Entscheidung mit mehreren Argumenten. Das erste ist ein rein "systematisches": An die Stelle von Belegen aus dem Neuen Testament treten Zitate von Bellarmin und Vasquez. Die Wahrhaftigkeit Gottes würde es nicht zulassen, daß Gott einen Menschen gerecht nennt, der es nicht ist.[100] Der zweite Grund besteht in der Analogie zu Röm 5: So wie "in Adam" alle Sünder wurden und nicht nur als Sünder angesehen wurden, so werden in Christus "die Vielen zu Gerechten" (5,19). Der dritte Grund liegt in Eph 5,25 ff vor, der Wille des Herren, sich eine makellose Kirche zu heiligen. Zum vierten weist Móscy darauf hin, daß Paulus niemals sagt, der Gerechtfertigte bleibe ein Sünder (daß Röm 7 sich nicht auf den Christen bezieht, steht für katholische Exegese seit der Gegenreformation fest).

---

97   Moscy, Problema.
98   a.a.O., 209.
99   a.a.O., 210.
100 Hier wird sichtbar, wie sehr noch 1947 der forensische Charakter der Rechtfertigung mißverstanden werden konnte. Daß Gott wahrhaftig ist und sein Wort wirkt, was er sagt, hätte kein Reformator bestritten. Der Streit – gerade auch der exegetische – müßte vielmehr um den spezifischen Modus der Wirksamkeit des Gotteswortes gehen.

Schließlich zeige 1. Kor 6,11, daß die Sünde Vergangenheit ist. Nach diesem Argumentationsgang wendet sich Móscy seinem eigentlichen Ziel zu; er will zeigen, daß Indikativ und Imperativ einander nicht widersprechen, daß

> "'imperativi' qui 'indicativum' praecedunt exigunt ut homo seipsum ad hanc novam vitam a Deo recipiendam disponat, 'imperativi' autem, qui 'indicativum' sequuntur, postulant, ut homo illam vitam vivat, quae ei donata est."[101]

Hier interessiert die Ablehnung des Sünderseins des Christen, die zwar im Rahmen katholischen Systemdenkens ausgesprochen wird, aber durchaus den Anspruch der Schriftgemäßheit erhebt. Es ist gewiß kein Zufall, daß die Sündenfreiheit des Christen betont wird im Zusammenhang mit der Darstellung der Rechtfertigung als Ermöglichung sittlichen Lebens. Es zeigt sich offenbar ein katholisches Anliegen: Die Sünde ist durch die Gerechtigkeit Gottes überwunden, ein sittliches, d.h. Gottes Geboten entsprechendes Leben ist möglich.

Móscy versteht Rechtfertigung als einen "status" bzw. eine "qualitas moralis"[102], die – geschenkweise von Gott verliehen – bewahrt werden muß. "Esto iustus, quia iustus factus es."[103] Dabei ist der Blick aber nicht so sehr auf die Gefährdung durch die Sünde gerichtet. Nachdem Móscy gezeigt hat, daß der Gerechtfertigte kein Sünder bleiben kann, verliert er über die Gefährdung des Christen durch die Sünde kein Wort mehr. Bewahrt werden muß die Gerechtigkeit durch die Ein- und Ausübung. Gerade dies kritisiert ein katholischer Exeget wie Karl Kertelge:

> "Móscys Formulierung ist eine Folge seiner Interpretation des Rechtfertigungsbegriffs im Sinne des griechischen Seinsbegriffs. Seine Sicht des Problems ist (zu einseitig) an einer Auseinandersetzung mit dem Rechtfertigungsbegriff des orthodoxen Protestantismus interessiert."[104]

Es lohnt sich offenbar, der weiteren Entwicklung der katholischen Position in dieser Frage nachzugehen.

b) Alfons Kirchgässner

Die nächste Station wird erreicht mit Alfons Kirchgässners Studie "Erlösung und Sünde im Neuen Testament" aus dem Jahr 1950.[105] Sie versteht sich explizit als Auseinandersetzung mit Luthers Formel simul iustus et peccator.[106]

---

101 a.a.O., 269.
102 a.a.O., "status" passim, "Qualitas moralis", 210.
103 a.a.O., 205.
104 Kertelge, Rechtfertigung, 253, Anm. 9.
105 Kirchgässner, Erlösung und Sünde.
106 a.a.O., 3.

Nachdem der Autor die Geschichte der protestantischen Forschung referiert hat, will er sich mit seiner Paulusinterpretation nach zwei Seiten abgrenzen: Sowohl gegen die klassische Auffassung von der bleibenden Sündhaftigkeit des Christen wie gegen eine mystische Deutung, die die Sündlosigkeit des Christen als Nichtsündigenkönnen versteht. Seine Darstellung der paulinischen Tauflehre nach Röm 6 faßt er so zusammen:

"Die Taufe ist geschildert als Mittel in der Hand Gottes bzw. Christi, durch das der frühere Zustand des Sündenzwangs und der Schuld beseitigt und ein neues Leben geschenkt wird. Sie ist Teilnahme an dem Sterben und Auferstehen Christi. Die Aktivität des Menschen tritt dabei zurück. Die Idee eines non posse peccare liegt nicht vor, vielmehr die eines posse non peccare und non debere peccare, aus der die ethische Verpflichtung erwächst."[107]

Deutlicher könnte der Verfasser sein theologisches Interesse wohl kaum zum Ausdruck bringen. Sowohl eine bleibende Sündhaftigkeit wie eine ungefährdete Sündlosigkeit würden den ethischen Sinn der Rechtfertigung zerstören. Die Entsündigung des Christen geschieht zwar sakramental in der Taufe, aber nicht auf eine magische Weise, so daß Sakrament und Ethik in Konkurrenz zueinander geraten würden.

Deshalb ist zu beachten, "daß Paulus nur von der Beendigung der Sündenherrschaft spricht und im übrigen an den Willen appelliert, in dem Wissen, daß jene (die Sünde) weiter einen gefährlichen Einfluß ausübt und der Christ imstande ist, sie, die ja keineswegs getötet ist, wieder in die Herrschaft einzusetzen. Dadurch, daß einer sündigt, wird er wieder Sklave der Sünde..."[108]

Das Zitat läßt anklingen, inwiefern diese Zuordnung von Sakrament und Ethik problematisch ist. Das Verhältnis von Wirklichkeit und Möglichkeit in der Rechtfertigung ist unklar. Einerseits verleiht die Taufe wirkliche Freiheit von der Sünde, ein Zugleich von Gerechtigkeit und Sünde ist prinzipiell ausgeschlossen. Andererseits gewährt sie doch erst die Möglichkeit eines Gott wohlgefälligen Lebens; deshalb ist die Rede vom "Appell an den Willen" kennzeichnend. Man kann sogleich fragen, ob die paulinischen Imperative damit sachgemäß beschrieben sind. Doch muß die prinzipielle Unklarheit noch deutlicher herausgearbeitet werden. Das Schwanken zwischen Wirklichkeit und Möglichkeit zeigt sich vor allem, wenn es um den empirischen bzw. transempirischen Charakter der Rechtfertigung geht. Einerseits soll gelten:

"Der dialektische Ausweg eines 'Sünder und zugleich Nicht-Sünder', die Unterscheidung zwischen einer transzendenten, von Gott als solcher beurteilten Sündhaftigkeit und einer empirischen, vor Menschen sichtbaren Sündhaftigkeit ist unmöglich."[109]

Andererseits herrsche bei Paulus doch ein "Idealismus".

Paulus "ist weit davon entfernt, sich von der uns geläufigen Erfahrung bestimmen zu

---

107 a.a.O., 85.
108 a.a.O., 80.
109 a.a.O., 151 f.

lassen, daß der durchschnittliche Christ weiter Sünde tut. Ihr gegenüber stellen seine Aussagen einen ordo idealis auf ... als Hochziel, zu dem die Empirie emporgerissen werden muß und auch kann"[110].

Bei dieser Bestimmung verwundert es nicht, daß das Verständnis des Indikativs als eines verstärkten Imperativs ausdrücklich abgewehrt werden muß. Man möchte Kirchgässner fragen: Ist der Christ nun "normalerweise" empirisch sündlos oder muß die Empirie des Christen zur Sündlosigkeit erst "emporgerissen" werden? Ist die Freiheit von der Sünde sakramental von Gott geordnete Wirklichkeit oder des Christen ethische Möglichkeit? Er würde vermutlich antworten: Sakramental ist dem Christen die Freiheit vom Sündigenmüssen geschenkt, er selbst wird aktiv, indem er von der Entsündigung Gebrauch macht. Problematisch an dem so beschriebenen Verhältnis von Wirklichkeit und Möglichkeit ist letztlich der Subjektwechsel. Ist Gott das Subjekt des Sakraments, so der Christ das Subjekt der Ethik. Nicht umsonst nimmt Kirchgässner das Stichwort "Synergismus" für Paulus auf.[111] Dabei geschieht eine eigenartige Umkehrung. Die von Gott gesetzte Wirklichkeit, die Entsündigung, wird für den Christen zur Möglichkeit, nämlich zur Möglichkeit sündlosen Lebens. Echte Verwirklichung geschieht dann erst in der christlichen Praxis. Wiederum möchte man fragen, was es mit der Betonung der sakramentalen Wirklichkeit der "Entsündigung" auf sich hat, wenn die eigentliche Verwirklichung erst noch hinzutreten muß. Aber vermutlich liegt gerade hier der Punkt, wo das genuin Katholische an Kirchgässners Ansatz sichtbar wird: Die Wirklichkeit des Sakraments ist eben die Eröffnung der wirklichen Möglichkeit zu sittlicher Praxis. Natürlich ist die Ermöglichung der Ethik nicht die ganze Wirklichkeit des Indikativs. Spitz formuliert: Ethik ist nicht alles, aber ohne Ethik ist alles nichts.

"Selbstverständlich deckt sich der Inhalt des Indikativs nicht mit ethischer Tadellosigkeit, sondern geht weit darüber hinaus. Aber soweit diese nicht vorliegt, gilt der Indikativ eben auch nur mit Einschränkung."[112]

Zusammenfassend wird man sagen dürfen: Kirchgässner hat viele exegetische Beobachtungen an den paulinischen Texten aufgenommen, etwa den eschatologischen Charakter der Rechtfertigung, den Wechsel der Äonen als Bestimmung christlicher Existenz, die Eigenart paulinischer Pneumavorstellung. Aber er hat dabei die katholische Systematik nicht prinzipiell verlassen, sondern die Aussagen des Apostels in diese eingezeichnet.

---

110 a.a.O., 154.
111 a.a.O., 147. Zumindest für Kirchgässner ist also Kertelges Verwahrung zweifelhaft: Die Vokabel Synergismus "muß jedoch als sehr ungeeignet zurückgewiesen werden, um das anthropologische Anliegen, das besonders von katholischen Exegeten bei der Auslegung der paulinischen Texte vertreten wurde, zum Ausdruck zu bringen". Kertelge, Rechtfertigung, 309.
112 Kirchgässner, Erlösung und Sünde, 155.

c) Alfred Wikenhauser

Ähnliches wie bei Kirchgässner gilt von Alfred Wikenhauser, dessen 1956 erschienene Darstellung der "Christusmystik des Apostel Paulus"[113] über die Position Kirchgässners nicht hinausgeht. Wikenhausers Formulierung ist eher noch eindeutiger:

"Der Sinn der sakramentalen Handlung ist für Paulus eben der, daß das neue Leben grundgelegt, der Mensch aus der Sphäre der Sünde und des Fleisches herausgenommen ist, nicht aber, daß der Christ damit eine ethisch vollkommenere Persönlichkeit geworden ist. Was in der Taufe objektiv grundgelegt ist, muß nun im Christenleben zur ethischen Auswirkung kommen."[114]

Damit wird ein weiterer Aspekt dieser katholischen Position hervorgehoben. Die Befreiung von der Sünde eröffnet einen Raum, den der Christ erst noch zu füllen hat. Sündenvergebung ist nicht identisch mit der Einführung in das neue Leben, sie ist rein negativ. Deshalb muß der Negation der Sünde die Position, d.h. die "ethische Auswirkung" erst noch folgen. Für das Simul folgt daraus: Es muß von dem angedeuteten katholischen Verständnis aus abgelehnt werden, weil es den Raum, den der Christ durch seine Aktivität erst noch bestimmen kann und soll, als bereits bestimmt kennzeichnet. Würde das simul iustus et peccator gelten, so wären Sünde und Gerechtigkeit Mächte, die die Existenz des Christen von der Taufe bis zum Tod bestimmen. Das aber bedeutete, daß die Akte des Christen als Gestaltung und Bestimmung der eigenen Existenz wegfielen. Demgegenüber wollen die genannten katholischen Autoren den Raum für die christlich-sittliche Selbstgestaltung des Lebens offenhalten. Die Befreiung von der Macht der Sünde wird deshalb ausgelegt als die Eröffnung dieses Gestaltungsraumes. Die Rückfrage an Paulus wird lauten müssen, ob auch bei ihm die Freiheit von der Sünde verstanden wird als Eröffnung des Raumes eigener sittlicher Lebensgestaltung.

d) Heinrich Schlier

Kann man bei den Arbeiten Kirchgässners und Wikenhausers vielleicht noch fragen, ob sie schon in den katholischen Aufbruch zur historisch-kritischen Exegese hineingehören, so ist eine solche Frage bei Heinrich Schlier ausgeschlossen. Seine Zugehörigkeit zur Bultmannschule zeigt sich bereits in der Widmung seines Kommentars zum Galaterbrief[115] und dann

---

113 Wikenhauser, Christusmystik. Die zweite Auflage von 1956 ist gegenüber der ersten wesentlich erweitert und verbessert.
114 a.a.O., 102 f.
115 Schlier, Galater. Schlier nennt Bultmann den Mann, "der meinen wissenschaftlichen Lebensweg seit dem ersten Referat in seinem Neutestamentlichen Seminar bis heute lehrend und klärend begleitet hat, und dessen großes Wissen, unbestechliche Kritik und theologische Energie Ansporn und Hilfe für eine ganze Generation von Theologen ist." a.a.O., 7 (Vorwort zur 10. Auflage).

wieder in vielen exegetischen Details wie auch in dem Aufriß der paulinischen Theologie als ganzer. Es wird sich zeigen, daß Schlier diese Prägung bis in sein letztes Werk, die "Grundzüge einer paulinischen Theologie"[116], hinein nicht verloren hat.

Umso mehr Aufsehen erregte sein Übertritt zur katholischen Kirche im Oktober 1953, der bereits 1952 seine Emeritierung als Professor für Neues Testament der Evangelisch-Theologischen Fakultät der Universität Bonn vorausgegangen war. Entscheidende Anfragen an evangelische Theologie und insbesondere an evangelische Exegese des Neuen Testaments gingen von der Begründung aus, die Schlier für seine Konversion gab: "Das Neue Testament ließ mich allmählich fragen, ob das lutherische Bekenntnis und erst recht jener von ihm weit abgewichene neuere evangelische Glaube mit seinem Zeugnis übereinstimme, und es macht mich nach und nach gewiß, daß die Kirche, die es vor Augen hat, die römisch-katholische Kirche ist ... Was mich zur Kirche wies, war das Neue Testament, so wie es sich unbefangener historischer Auslegung darbot."[117] Der Anspruch Schliers war also, daß sein Weg nichts zu tun hatte mit manchen Konversionen im 19. und 20. Jahrhundert, deren Wurzeln letztlich in einer romantischen Weltanschauung lagen. Vielmehr war er auf einem genuin protestantischen Weg zum Katholizismus gelangt, nämlich durch das Ernstnehmen des Schriftprinzips.

Die Frage, die der evangelischen Exegese damit gestellt war, formulierte pointiert Walther Fürst: "Ist das Neue Testament doch katholisch?"[118]

Wie berechtigt eine solche Fragestellung ist, zeigt sich etwa daran, daß einerseits Erich Dinkler den Galaterkommentar Schliers als "derzeit beste Exegese und Erläuterung dieses Buches" bezeichnet,[119] Schlier andererseits von katholischer Seite bestätigt wird, er habe "auch den Gal wieder von einem katholischen Ansatz her ausgelegt"[120].

An der Behandlung der Simul-Frage in diesem Kommentar wird das gekennzeichnete Problem konkret. Einen Exkurs zur Frage "Indikativ und Imperativ bei Paulus"[121] beginnt Schlier damit, daß er sowohl eine Lösung ablehnt, die Sündlosigkeit und Sünde auf verschiedene Personen verteilt und

---

116 Schlier, Grundzüge.
117 Schlier, Rechenschaft, 274 f.
118 Fürst, Ist das Neue Testament doch katholisch? Vgl. zu Schlier insgesamt auch: Schneider, Wort Gottes. Diese Arbeit ist auf weite Strecken allerdings eine unkritische Paraphrase von Schliers Werken, aus der für das exegetische und ökumenische Gespräch nicht sehr viel zu gewinnen ist. Pars pro toto mögen dies zwei Zitate veranschaulichen: "Ist das Evangelium nur Aufforderung zum neuen Lebenswandel im Glauben an Christus, oder ist es auch Verkündigung einer neuen Schöpfung, d.h. eines neuen Seins, in dem dieser neue Lebenswandel gründet. Für Schlier ist das zweite der Fall, für die Mehrzahl der protestantischen Theologen das erste." a.a.O., 45. "Nun stellt sich die Frage, was mit dem 'Wort Gottes' in diesen Schriften gemeint, welches der Umfang und der Sinn dieses Begriffs im theologischen Denken von Schlier ist." a.a.O., 47. Auf diese Frage folgt die Antwort: Schliers Begriff vom Wort Gottes ist identisch mit dem der Schrift selbst.
119 Dinkler, Galater, 175.
120 Haible, Kanon 12.
121 Schlier, Galater, 264-267.

zu der ein realistisch-magisches Verständnis der Taufe gehört, als auch den idealistischen Ansatz, der aus dem Indikativ einen verstärkten Imperativ macht. Komme aber beides nicht in Frage, so liege die nächste Möglichkeit "in der modernen Ausprägung der Theorie des simul iustus et peccator"[122]. Diese Theorie faßt Schlier nun mit unverkennbarem Blick auf Bultmann, allerdings ohne ihn ausdrücklich zu nennen, so zusammen:

"Wer glaubt, ist in einem seiner Vergangenheit, eben der σάρξ und der ἁμαρτία, enthoben und ist doch, da er ihr nur im Glauben, deutlicher: im jeweiligen Augenblick 'existentiellen' Glaubens enthoben ist, auch wiederum nicht enthoben, sondern der Wirklichkeit und dem Andrang des Fleisches und der Sünde anheimgegeben und so zur Überwindung seiner Vergangenheit aufgefordert."[123]

Die Pointe legt Schlier also auf den Mangel an Kontinuität, auf den "Augenblick", in dem der Glaube die Vergangenheit hinter sich läßt. Das "iustus" wird zum oszillierenden Punkt auf der Geraden des "peccator". Damit mag Bultmann überinterpretiert sein. Einen Anhalt bietet seine Auslegung dafür jedenfalls. Es wurde schon festgestellt, daß Bultmann zwar für den Totalaspekt – dem die Oszillation entspricht – nicht aber für den Partialaspekt des Simul Raum hat. Genau hier setzt Schlier mit seiner Kritik an. Kann man von Vergangenheit reden, solange diese Vergangenheit nur punktuell vergangen, sonst aber bleibende Gegenwart ist?

"Gibt es bei solcher Interpretation überhaupt Vergangenheit? ... Die ihr Fleisch gekreuzigt haben, sie haben es ja nur jeweils im Glauben getan und können es jeweils im Glauben wieder tun. Sie haben es aber nicht einmal und einmal für allemal getan. Und das von ihnen gekreuzigte Fleisch ist ja nur das jeweils im Glauben gekreuzigte und zu kreuzigende und also als gekreuzigtes nicht und nie vorhandenes Fleisch."[124]

Damit aber ist diese Theorie für Schlier in Widerspruch zu Paulus getreten. Denn – so Schlier – die paulinischen Aoriste des Gekreuzigt- bzw. Gestorbenseins meinen ein einmaliges Geschehen in der Vergangenheit und begründen ein Sein, das zwar kein ungefährdeter Besitz ist, aber eben doch kontinuierlichen Charakter hat. In der Sicht des Paulus ist der Christ durch die Taufe gültig und effektiv in ein neues Sein versetzt. Dies betont Schlier so sehr, daß er formulieren kann, der Imperativ gelte nicht dem "der noch ἐν σαρκί ist; sondern dem, der das Fleisch getötet hat und ἐν πνεύματι ist"[125]. Ich kann nicht umhin, schon hier einmal nach Paulus selbst zurückzufragen. Schlier spielt an der genannten Stelle auf Röm 8,8 f an. Dabei bedenkt er aber nicht, daß das Nicht-im-Fleische-Sein des Christen im Kontext von Röm 8,4 f und 8,13 zu verstehen ist, also als eine Existenz, die nicht mehr κατὰ σάρκα sich vollzieht. An anderer Stelle kann Paulus durchaus sagen, er lebe ἐν σαρκί (Gal 2,20). Zweifellos gebraucht Paulus den Ausdruck σάρξ nicht völlig konkordant, doch läßt sich unterscheiden zwischen einem

---

122 a.a.O., 266.
123 ebd.
124 ebd.
125 a.a.O., 267.

Leben κατὰ σάρκα, das die Orientierung des Menschen am rein Menschlichen und nicht am Geistlichen meint, und einem entsprechenden Leben ἐν σαρκί, das ein Leben ohne das πνεῦμα ist, einerseits und einem Leben εὐ σαρκί andererseits, das lediglich die Existenz diesseits von Parusie und Auferstehung meint. Wenn Paulus Gal 2,20 sagt: ὃ δὲ νῦν ζῶ ἐν σαρκί, ἐν πίστει ζῶ..., so wird deutlich, daß Paulus von der Existenz als Geschöpf spricht, die aber gerade keine geistlose Existenz ist, sondern ein Leben in der Sphäre Christi, in dem durch die Hingabe Christi eröffneten Heilsraum. Weil Schlier nicht scharf unterscheidet zwischen dem Im-Fleisch-Sein als geschöpflicher Existenz und dem Im-Fleisch-Sein als geistloser Existenz, deshalb wird seine Argumentation hier problematisch. Er sieht deutlich, daß sich nun erst recht die Frage stellt, welche Bedeutung der Imperativ dann noch haben kann. Er weiß selbstverständlich, daß der Christ nicht gefeit ist gegen die Sünde und daß deshalb der Imperativ zunächst einmal eine Warnung vor dem Rückfall in die Sünde ist. Aber diese Bedeutung tritt ganz zurück. Vielmehr geht es darum, daß der Christ sein sakramental verliehenes Sein "in seinem Handeln bewahren und insofern immer neu gewinnen muß". Er soll dieses Sein "ethisch-praktisch dokumentieren und ... festigen"[126].

Die vorliegende Tendenz wurde bei katholischen Autoren mehrfach deutlich: Das Bezugsfeld, in dem das Verhältnis von Indikativ und Imperativ ausgelegt wird, ist nicht oder kaum die Bedrohung durch die Sünde, es ist vielmehr die Aus- und Einübung der Gerechtigkeit in der sittlichen Praxis des Christen. Daß der Christ sein Sein selbst gewinnen kann, wenn auch nur, indem er es in seiner Praxis bewahrt, zeigt deutlich, daß bei aller Betonung des paulinischen Aorists, bei allem Geschehensein der Rechtfertigung, bei aller sakramentalen Wirklichkeit der Taufe, dennoch diese Wirklichkeit für den Christen allererst Möglichkeit ist.

Und wieder gilt: Gerade weil die Wirklichkeit der Rechtfertigung bzw. der Erlösung für den Christen zur Möglichkeit der "Verwirklichung" wird, deshalb muß das simul iustus et peccator als der Verkündigung des Paulus unangemessen zurückgewiesen werden. Der kontinuierliche Heilsstand ist die Basis für die ethische Praxis des Christen, eine Dialektik, die bis an die Grundlage christlicher Existenz reicht, ist prinzipiell ausgeschlossen.

In einem späteren Aufsatz über "Ein Prinzip des Katholischen" vertieft Schlier die Ablehnung der Dialektik:

"Das Ja Gottes ist gesprochen und kein Nein kann es aufheben. Die Dialektik der Welt hat hier ein Ende, und soweit sie weitergeht, dient sie nur noch dazu, das gesprochene Ja als solches positiv oder negativ herauszustellen."[127]

Die "entschiedene Entschiedenheit" als Prinzip des Katholischen reicht hinein in das Schriftverständnis – sie lehrt, den Kanon ernstzunehmen, sie

126 ebd.
127 Schlier, Das bleibende Katholische, 302.

reicht hinein in die Ekklesiologie – es geht um die authentische Vermittlung des Christuszeugnisses im kontinuierlichen "amtlichen" Dienst der Kirche, und sie reicht hinein in die Anthropologie – das "unauslöschliche Siegel" der Taufe und seine Wirkungen in der christlichen Existenz stehen im Mittelpunkt. Indem Schlier nach dem Prinzip des Katholischen fragt, kann er nicht umhin, dies zu interpretieren in der Antithese zum Protestantismus, der offenbar seinen Ausdruck in der "Dialektik des Lebens" findet. Von da aus fällt ein Licht zurück auf die Paulusauslegung: Eine Dialektik von Gerechtigkeit und Sünde wäre für Schlier unpaulinisch und unkatholisch zugleich.

Darüber hinaus aber ist jede Dialektik christlicher Existenz suspekt. So kann das Verhältnis von Indikativ und Imperativ nicht als Dialektik ausgelegt werden, etwa als die der Existenz von zwei Äonen, sondern es muß den Charakter der Ergänzung haben: Der sakramentale Indikativ wird ergänzt durch den ethischen Imperativ. Auf dem Fundament des Indikativs soll der Bau der Ethik entstehen.

Allerdings muß nun auf die Kritik hingewiesen werden, die Schliers Thesen auch unter katholischen Exegeten gefunden haben. Beispielhaft sei wieder Karl Kertelge genannt. Er bezweifelt grundsätzlich, daß die Taufe für die paulinische Rechtfertigungsverkündigung eine so große Bedeutung hat, wie Schlier meint.

Deshalb fragt er: "Wird mit der Betonung der Taufe als Grund und Mittel der Rechtfertigung der bei Paulus vorliegende forensische und eschatologische Aspekt der Rechtfertigungsaussage, der auch von Schlier anerkannt wird, nicht wieder unwirksam?"[128] Gegen Schliers Auffassung, in der Taufe sei jegliche Dialektik des Lebens an ihr Ende gelangt, stellt Kertelge seine Formulierung, "daß der Gerechtfertigte der bleibenden Bedrohung durch die Sünde nicht machtlos ausgeliefert ist, sondern daß er ihr die Wirkkraft seiner Existenz entgegenzusetzen vermag."[129]

Auch Kertelge würde offenbar nicht ohne weiteres die christliche Existenz eine dialektische nennen. Jedenfalls aber gibt es noch andere Möglichkeiten katholischer Theologie und Exegese als die Verneinung aller Dialektik.

e) Otto Kuss

Einen ganz anderen Ansatz als Schlier wählt Otto Kuss in seinem umfangreichen Kommentar zum Römerbrief.[130] Schon das folgende Zitat macht dies deutlich:

"Der Dialektik seiner zwischen Zukunft und Vergangenheit sich verwirklichenden Existenz entsprechend wird der Glaubende und Getaufte also ganz gewiß wesentlich von der auf das stärkste in die Gegenwart hineinwirkenden eschatologischen Zukunft bestimmt, er ist aber doch auch wieder noch nicht schlechthin absolut der unheilvollen

---

128 Kertelge, Rechtfertigung, 241.
129 a.a.O., 262.
130 Kuss, Römerbrief.

Vergangenheit entronnen... Der Glaubende und Getaufte existiert ... in zwei Äonen gleichzeitig."[131]

Damit sind Kuss' Kategorien, in denen er dem Problem der Sünde des Christen nachgeht, genannt. Das Verhältnis von Indikativ und Imperativ interpretiert er gerade nicht als die Beziehung von sakramentaler Grundlage und ethischem Aufbau, nicht als Ein- und Ausübung der von Gott verliehenen Gerechtigkeit. Es steht vielmehr im engsten Zusammenhang mit dem paulinischen "Schon und Nochnicht", d.h. mit der Existenz des Christen im neuen Äon, die dennoch dem alten Äon nicht völlig entronnen ist. Noch gibt es Sünde, Tod, Fleisch und Gesetz, noch gibt es die Notwendigkeit der "Bewährung" – so lautet Kuss' Stichwort:

"Der Indikativ gibt Zeugnis davon, daß der neue Äon da ist, der Imperativ entspricht der harten Tatsache, daß die Mächte des alten Äon noch tätig sind. Weil mit Kreuzestod und Auferstehung Jesu Christi dem Menschen das Heil geschenkt wurde, herrscht jetzt der Indikativ der Heilszusage ... weil aber andererseits die Parusie und damit die Vollendung noch ausstehen, bleibt der Imperativ notwendig."[132]

Damit ist gegenüber Schlier nicht nur ein neuer Akzent gesetzt. Vielmehr ist das Bezugsfeld, in dem Indikativ und Imperativ ausgelegt werden, ein völlig anderes. Von dem Gedanken des Seins, das ein bestimmtes Tun hervorbringt, ist Kuss übergegangen zur Geschichtlichkeit christlicher Existenz im Sinne des Lebens "zwischen den Zeiten". Anders formuliert: Er interpretiert Paulus nicht mehr im Rahmen einer (sakramentalen) Ontologie, sondern er erfaßt dessen eschatologische Dynamik. Dann aber lautet das entscheidende Stichwort nicht mehr "Verwirklichung" – obwohl Kuss diesen Begriff durchaus gebraucht – sondern "Bewährung", nämlich angesichts der Macht der Sünde, die zwar dem alten Äon angehört, aber gerade deshalb noch präsent ist. Der Heilsstand des Christen soll nicht zuerst vertieft werden, sondern bewahrt.

Es überrascht deshalb nicht, daß sich bei Kuss keine explizite Ablehnung des Simul findet. Dies geschieht sicherlich nicht aus Respekt vor Luther. Im Zusammenhang mit der Prädestinationslehre kann Kuss sagen, daß Paulus "keineswegs so einlinig argumentiert, wie das die Ideologie Luthers glauben machen möchte."[133] Der Grund für diese Zurückhaltung liegt m.E. eben in dem Übergang von der Ontologie, d.h. aber der Anthropologie, als dem Ort, an dem die Rechtfertigungsverkündigung des Apostels entfaltet wird, zur Eschatologie. Gefragt wird nun nicht mehr in erster Linie nach der Wirksamkeit der Gnade im Menschen, sondern nach dem Ort des Menschen im eschatologischen Handeln Gottes. Dieser Ort ist die Existenz zwischen den Äonen, wo der Christ zwar "in Christus", aber der radikalen Gefährdung durch die Sünde nicht entkommen ist.

131 a.a.O., 483.
132 a.a.O., 411 f.
133 a.a.O., 873.

Damit ist zugleich gesagt, daß Kuss Luthers Formel auch nicht zustimmen kann, wenigstens nicht insofern sie das Zugleich von Sünde und Gerechtigkeit *im* Menschen meint. Nicht um das "Simultaneum" (Althaus) von Sünde und Gerechtigkeit im Menschen geht es, sondern um das Sein des Menschen im "Simultaneum" von altem und neuem Äon, in dem einerseits die Zugehörigkeit des Christen zum neuen Äon in der Taufe entschieden ist, andererseits diese Zugehörigkeit durch die Sünde gefährdet bleibt.

Man wird urteilen dürfen, daß Kuss im Vergleich zu Kirchgässner, Wikenhauser und Schlier die eschatologische Dimension der apostolischen Verkündigung wesentlich klarer erfaßt hat. Nicht als ob die früheren katholischen Exegeten von der Äonenwende und überhaupt von Eschatologie nichts gewußt hätten. Aber erst Kuss ist dem Problem von Indikativ und Imperativ und damit der Frage nach der Sünde des Christen konsequent im Rahmen der paulinischen Eschatologie nachgegangen.

f) Karl Kertelge

An die Einsicht Kuss' knüpft Karl Kertelge ausdrücklich an. Seine 1964 in Münster eingereichte und 1967 gedruckte Dissertation "Rechtfertigung bei Paulus"[134] ist die erste katholische Monographie zu diesem Thema seit den Studien Bartmanns (1897) und Tobacs (1908).[135] Mehrfach wurde schon darauf hingewiesen, daß Kertelge an der Eintragung klassisch-katholischer Systematik in die Exegese öfters Kritik übt. Zur Frage von Indikativ und Imperativ formuliert Kertelge:

"Solange dieser alte Äon mit seinem versucherischen Andrang noch anhält, bedarf der Christ der Mahnung zur Wachsamkeit gegenüber der Bedrohung durch die Sünde, obwohl er die Macht des alten Äons durch die Erlösung grundsätzlich schon entzogen ist. Die ethischen Imperative ... haben die Situation des Gerechtfertigten im Auge, der die ihm zuteilgewordene Rechtfertigungsgabe nur bewahrt, wenn er die neue Seinsweise auf 'Bewährung' annimmt. Die Bewährung selbst ist gekennzeichnet von dem schon erlangten Heil und der noch ausstehenden Vollendung."[136]

Es tauchen also die Elemente, die bereits bei Kuss begegneten, wieder auf: der eschatologische Kontext, die Bedrohung durch die Gegenwart des alten Äon, die Notwendigkeit der Bewährung, die aber nicht den Charakter des Werkes annimmt. Die Formel "Gerecht und Sünder zugleich" lehnt Kertelge aber ausdrücklich ab.[137] Er versteht sie als historisch bedingt durch die falsche Alternative "von nur imputierter Gerechtigkeit und ontischer Verän-

---

134 Kertelge, Rechtfertigung.
135 Bartmann, St. Paulus und St. Jakobus; Tobac, Justification; Hinweise in: Kertelge, Rechtfertigung, 1, Anm. 3.
136 Kertelge, Rechtfertigung 255.
137 Vgl. a.a.O., 259.

derung des Menschen"[138]. Paulus denke aber weder in den Kategorien griechischer Seinsphilosophie noch gehe es ihm um rein äußerliche Geltung.

"'Gerechtigkeit' ist eine Kraft, die sich dem Menschen mitteilt und in ihm wirkt, ohne eine naturhafte Eigenschaft des Menschen zu werden."[139] Zweifellos sieht Paulus "den Gerechtfertigten als den gerechtfertigten Sünder ... Aber das Wesentliche seiner Aussage über den Gerechtfertigten ist nicht, was er war, sondern was er geworden ist"[140].

Das Leben im neuen und alten Äon zugleich führt beim Christen also nicht zu einer Dialektik von Sünde und Gerechtigkeit, auch nicht von Vergangenheit und Gegenwart. Wohl gibt es eine Dialektik von neuem und altem Äon. Aber Paulus sieht den Gerechtfertigten als Angehörigen des neuen Äon. Die Dialektik der Äonen hat kein Spiegelbild in der Dialektik von Sünde und Gerechtigkeit, denn die Gefährdung durch die Sünde ist nicht zu verwechseln mit ihrer Herrschaft. Nur wenn die Sünde noch so etwas wie einen relativen Herrschaftsanspruch hätte, dürfte man von Dialektik reden. Deutlich ist, daß die Ablehnung der Dialektik hier nicht im Namen eines katholischen Prinzips geschieht. Der Ansatzpunkt ist vielmehr das Verständnis der paulinischen Soteriologie, in der die Geltung des rechtfertigenden Urteils Gottes von der Wirksamkeit der Gnade nicht zu trennen ist.

In der neuen Existenz des Christen "beginnt sich die Macht der Gabe Gottes auch schon auszuwirken, so daß der Gerechtfertigte jetzt kann, was er soll"[141].

Man wird im Blick auf Kuss und Kertelge sagen dürfen, daß das katholische Schema zumindest in einer Hinsicht durchbrochen ist: Es geht bei der Rechtfertigung nicht mehr um sakramentale Verleihung der Gerechtigkeit und ihr folgende ethische Ein- und Ausübung, sondern es geht um das Leben des Christen im neuen Äon und seine Bedrohung vom alten her.

Dennoch bleibt so etwas wie ein katholischer Restbestand, nämlich wenn es um das Verhältnis von Wirklichkeit und Möglichkeit bei der Rechtfertigung geht. Die Verneinung des Simul hat bei den katholischen Autoren, wie gesagt, als Korrelat eine verstärkte Betonung der Verantwortung für die ethische "Verwirklichung" – so die älteren Autoren – bzw. für die "Bewahrung" – so Kuss und Kertelge – des Heils. So gewinnen die Imperative für Kuss aber auch die Bedeutung,

"daß es sich grundsätzlich 'trotz allem' noch um ein Risiko handelt, das Tod oder Leben bedeutet."[142]

Kertelge formuliert:

138 a.a.O., 260.
139 ebd.
140 ebd.
141 a.a.O., 262.
142 Kuss, Römerbrief, 413.

"Da der Gehorsam des Gerechtfertigten zugleich auch immer eine Überwindung des 'Gehorsams' gegen die Sünde ist (vgl. Rö 6,12 f), wird die Rechtfertigung dem einzelnen nie in unbedingter Gewißheit zuteil. Vielmehr bleibt die eigentlich rettende Kraft der Gerechtigkeit Gottes verborgen."[143]

Es geht Kertelge dabei um die "heilsentscheidende Bedeutung" des Gehorsams, nicht neben, sondern innerhalb der Gnade Gottes. Im Zusammenhang von Rechtfertigung und Heiligung wird auf diese Problematik zurückzukommen sein. Jetzt halte ich nur fest, was damit über die Sünde des Gerechtfertigten gesagt ist. Die frühere Sünde des Gerechtfertigten ist überwunden, aber doch nicht so, daß es nun eine Heilssicherheit gäbe. Vielmehr gefährdet die Sünde weiterhin das Heil auch des Christen. Noch einmal wird deutlich, daß die katholische Ablehnung des Simul nicht den Sinn hat, den Christen über seinen Heilsstand zu beruhigen, sondern die Wirklichkeit der Rechtfertigung als Eröffnung der Möglichkeit sittlichen Lebens des Christen bzw. seines neuen Gehorsams darzustellen. Wenn aber die Wirklichkeit der Rechtfertigung in der Möglichkeit des Christen zum Gehorsam anschaulich wird, dann ist es nur folgerichtig, auch von der Möglichkeit des Heilsverlustes zu reden, wie Kuss und Kertelge es tun. Es fragt sich nur, ob diese Folgerichtigkeit dem paulinischen Denken angemessen ist. Peter Stuhlmacher etwa betont, daß Röm 8,35-39 und Röm 11,32 in eine andere Richtung weisen.[144]

Festzuhalten bleibt zunächst, daß Kuss und Kertelge wesentlich stärker als frühere Autoren den eigenen Ansatz der Theologie des Paulus zur Geltung kommen lassen, besonders die eschatologische Struktur seines Denkens. Wie sich gezeigt hat, heißt das aber nicht, daß bei diesen Autoren keine spezifisch katholische Auslegung mehr gegeben wäre.

g) Josef Blank

Einen völlig anderen Eindruck gewinnt man bei Josef Blank. Über seine Kontroverse mit Ulrich Wilckens urteilt Eduard Schweizer: Er erkenne "mit Staunen, daß in der für die Reformation so zentralen Frage der Werkgerechtigkeit die Fronten vertauscht sind"[145]. Soweit ich sehe, ist Blank der einzige katholische Neutestamentler, der Luthers simul iustus et peccator für Paulus gelten läßt. In seiner Auslegung von Röm 7 formuliert er:

"Das 'Ich' ist dann in der Tat der neu sich selbst verstehende Mensch, der Christ, der sich als geretteten Sünder und in diesem Sinne als simul iustus et peccator erkennt."[146]

143 Kertelge, Rechtfertigung, 285. Vgl. die Kritik in der Rezension von Stuhlmacher, wo er Kertelges Satz eine "Röm. 8,35-39; 11,32 (zwei Stellen, die im Buche nicht diskutiert werden) eklatant widerstreitende, weil Gottes Heilswerk über Gebühr verunsichernde Schlußfolgerung" nennt. Stuhlmacher, Rezension Kertelge, 759.
144 Vgl. die vorige Anmerkung.
145 Schweizer, NZZ.
146 Blank, Gesetz und Geist, 107.

Natürlich steht auch Blank in dem exegetischen Konsens, daß Röm 7 von dem vorchristlichen Menschen handelt. Damit ist die Frage gestellt, inwiefern dann der Christ aufgrund dieses Textes als gerecht und Sünder zugleich beurteilt werden kann. Die Antwort, die Blank gibt, liegt ganz in der Linie von Bultmann.

"Die Frage, welcher Herrschaft der Mensch sich unterwerfen will, der Gesetzesherrschaft, die den Menschen in tödlicher Weise versklavt, oder der befreienden zur Freiheit ermächtigenden Herrschaft des Kyrios, ist nicht ein für allemal entschieden – obwohl sie das, wie der Glaube weiß, in Christus durchaus grundsätzlich ist, sondern sie ist, als christologisch entschiedene, doch zugleich immer neu zur Entscheidung aufgegeben."[147]

Die Rede von der immer neuen Entscheidung, die Ablehnung eines aus der christologisch gefallenen Heilsentscheidung abzuleitenden Heilszustandes des Christen ist das erste Element, das an Bultmann erinnert. Damit im Zusammenhang steht ein zweites Element: Röm 7 handelt nicht nur von der "Problematik des Menschen unter dem Gesetz"[148], sondern es geht in ihm um Wahrheit über den Menschen überhaupt, insofern als von der Erlösung in Christus her eine neue Sicht auf den Menschen möglich wird.[149] Das dritte Element der Gemeinsamkeit besteht in der Rede vom Christen als vom "gerechtfertigten Sünder", wobei das Sündersein zwar die Vergangenheit des Christen meint, aber die bleibend gegenwärtige Vergangenheit. Rechtfertigung ist stets Rechtfertigung des Gottlosen und dies nicht als einmaliger Akt, sondern als das bleibende und stets neue Handeln Gottes am Menschen.

Mit diesen drei Bestimmungen steht Blank allerdings nicht allein in nächster Nähe zu Bultmann, sondern zu Luther selbst, zumindest dann, wenn man anerkennt, daß Luthers Rede vom Simul als die Anwendung des sola fide auf den gerechtfertigten Christen zu verstehen ist.

Dem kann Blank offenkundig zustimmen, und doch wäre er mißverstanden, wenn man behauptete, er sei mit seiner Exegese einfach in die lutherische Tradition eingetreten. Der eigentümliche Akzent Blanks liegt an anderer Stelle. Er sieht die Aufgabe, der Paulus sich in Röm 7 stellt, darin, die "Objektivation des Bösen" zu verhindern, d.h. dem Versuch entgegenzutreten, die Sünde in etwas Sächliches zu verlegen, etwa das Gesetz.

"Das Böse hat keine derartige Objektivität, sondern es ist eine menschliche Angelegenheit, sein Ursprung liegt nirgendwo anders als beim Menschen selber, beim 'Subjekt' ... Damit ist auch klar, warum im Kap. 7 sachlich notwendig vom 'Ich' geredet wird und geredet werden muß, weil vom Bösen und von der Sünde wahr nur gesprochen werden kann, wenn ich von mir selber rede, wenn ich 'Ich' sage."[150]

147 a.a.O., 105.
148 a.a.O., 106.
149 Auch Kertelge betont, es gehe in Röm 7 um die Verfaßtheit des Ich, aber eben um die "Verfaßtheit des Ich unter dem Gesetz". Kertelge, Überlegungen, 109.
150 Blank, Gesetz und Geist, 111.

Dann aber, wenn das Böse Sache des Menschen selbst ist, wenn er es nirgends anders finden kann als bei sich, dann ist die Rechtfertigung vor allem die gnädige Ermöglichung der Selbstunterscheidung von Ich und Sünde. Eine radikale Identifizierung von "Ich" und "Sünde" würde in die völlige Selbstnegation treiben. So aber gilt:

"Die iustificatio impii tilgt meine eigene Geschichte nicht einfach aus. Gerade indem der Glaubende sich selbst als einen befreiten Sünder erkennt, kann er sich auch mit seiner eigenen Vergangenheit identifizieren und mit ihr kritisch sich auseinandersetzen. Er darf sich akzeptieren, um vom Geist neu sich bestimmen zu lassen."[151]

So erhält das simul iustus et peccator bei Blank seine theologisch-anthropologische Funktion. Es wehrt einerseits der Versachlichung des Bösen, andererseits der völligen Identifizierung von Ich und Sünde und ermöglicht so Identität des Menschen unter dem Evangelium. Der Christ braucht seine Vergangenheit nicht zu leugnen oder zu verdrängen. In dem Simul sind Vergangenheit und Gegenwart so verbunden, daß kritisch-unterscheidende Identität eröffnet wird. Der anthropologische Sinn dieser Konzeption leuchtet sofort ein. Wenn man in dem Sinn, der schon verschiedentlich angedeutet wurde, vor allem das Vergangensein der sündigen Vergangenheit betont, dann liegt für modernes psychologisches Verständnis die Gefahr nahe, daß diese Vergangenheit verdrängt und verschwiegen wird. Indem diese Vergangenheit aus der Bestimmung des christlichen Ich ausgeschieden wird, wird Identität unter Umständen gerade verhindert.

Dennoch wird man fragen müssen, ob Paulus auch nur annähernd in solchen Kategorien gedacht hat, ob Blanks Argumentation nicht eher nur Folge eigener, weiterführender, hermeneutischer Überlegungen ist. War es Paulus' Anliegen bei der Verteidigung des Gesetzes, eine Objektivation des Bösen zu verhindern? Wollte er seine Erkenntnis von der Überwindung der Sünde durch das Pneuma Christi wirklich sichern vor einer falschen Konstitution christlicher Identität? Die Frage nach der Identität des christlichen Individuums scheint mir bei Paulus keine oder eine ganz geringe Rolle zu spielen. Wo Paulus von seiner vorchristlichen Vergangenheit spricht (etwa Gal 1,13 f; 1.Kor 15,9 f; Phil 3,3-7), da geschieht es immer so, daß die Verkündigung des Evangeliums in der Gegenwart und der Anspruch des Paulus auf apostolische Vollmacht verteidigt werden. Die "sündige" Vergangenheit (von "Sünde" spricht Paulus in diesem Zusammenhängen zumindest nicht ausdrücklich) belastet bzw. bestimmt des Paulus' gegenwärtige Identität gerade nicht. Wenn er in Röm 7 zwischen Sünde und Gesetz unterscheidet, so ist das Bezugsfeld dieser Unterscheidung m.E. das Verhältnis von Christus und Gesetz und nicht die Konstitution des "Ich".

Schweizer hat sicherlich Recht, wenn er von einer Vertauschung der Fronten redet. Blanks Konzeption hat eine erstaunliche Nähe zu der Bultmanns und zur Sicht lutherischer Theologie, wie sie etwa bei Anders

151 a.a.O., 106 f.

Nygren sichtbar wurde. Dennoch sei die Frage riskiert: Bleibt Blank nicht
darin der katholischen Tradition treu, daß er die Rechtfertigung vor allem in
ihrer Wirkung auf das Sein des einzelnen beschreibt (wenn er auch die
ontologischen Kategorien dieser Tradition auf den Kopf stellt), aber weniger am Ort des Christen im rechtfertigenden Handeln Gottes interessiert ist?
Ernst Käsemann hat gegen Bultmann selbst den Verdacht geäußert, daß eine
als Anthropologie ausgelegte Theologie tendenziell katholisch ist.[152] Damit
wird aber auch deutlich, daß dieses "katholische Element" bei Blank, wenn
überhaupt, zumindest nicht konfessionell römisch-katholisch ist.

Mit Josef Blank soll diese kurze Übersicht abgeschlossen sein. Soweit ich
sehe, gibt es in der katholischen Exegese keine Stellungnahme zur Simul-
Frage, die sachlich über ihn hinausführt.

Die gewonnenen Einsichten müssen nun kurz zusammengefaßt werden.

h) Ergebnis

Wir sehen, daß der Ort, an dem die Simul-Frage auftaucht, das Verhältnis
von Indikativ und Imperativ bei Paulus ist, ganz ähnlich wie in der evangelischen Diskussion. Dabei verfolgen die älteren katholischen Autoren bis
einschließlich Heinrich Schlier zwei miteinander verbundene Tendenzen:
Einmal wird der Indikativ verstanden als (sakramentale) Verleihung neuen
Seins und der Imperativ als ethische Ausübung und zugleich Einübung
dieses Seins. Zum anderen ist die Wirklichkeit der Rechtfertigung für den
Christen allererst die Möglichkeit sittlicher Praxis. Paradoxerweise drängt
also die Wirklichkeit zur "Verwirklichung". Daraus ergibt sich für die Frage
der Sünde des Christen eine doppelte Konsequenz: Wo die Verwirklichung
des neuen Seins im Mittelpunkt steht, kommt die Sünde als Wirklichkeit
beim Christen kaum noch in den Blick. Wo es aber um die Eröffnung der
Möglichkeit ethischer Verwirklichung geht, kann das Simul nur zurückgewiesen werden, weil es das Leben, das erst noch ethisch bestimmt werden
soll, als bereits – durch Sünde und Rechtfertigung zugleich – bestimmt
kennzeichnen würde.

Der erste Gedankengang – das Sein, das ein Sollen impliziert - tritt bei
Kuss und Kertelge entschieden zurück. Kertelge setzt sich sogar ausdrücklich dagegen ab. Die Einsicht, daß christliche Existenz nach Paulus vor
allem eschatologische Existenz ist, läßt jenen Gedanken nicht mehr zu.
Stattdessen gilt es für den Christen, sich angesichts der Versuchung zu
bewähren, sein neues Sein zu bewahren, da der alte Äon noch nicht
vergangen ist. Die Sünde wird wesentlich stärker als reale Bedrohung des

---

152 Käsemann, Perspektiven, 27. "Man wird sogar höchst sorgsam zu prüfen haben, ob
eine als Lehre vom Menschen dargestellte Theologie etwas anderes sein kann als
Sonderform einer an der Ekklesiologie orientierten Soteriologie. Die vielfache Zustimmung, die Bultmanns Entwurf gerade im Katholizismus ... gefunden hat, wäre unter
Umständen als Indiz dafür zu werten."

Christen erkannt, aber eben als Bedrohung und nicht als ständige Bestimmung seiner Existenz. Deshalb ist die Zuordnung von Wirklichkeit und Möglichkeit weiterhin eine wesentliche Denkkategorie. Die Wirklichkeit der Rechtfertigung schafft die Möglichkeit der Bewährung und des Scheiterns an dieser Bewährung.

Bei Josef Blank findet sich schließlich ein zunächst völlig unkatholischer Ansatz. Die Identität des Christen verlangt, daß die Vergangenheit akzeptiert wird. Dies aber geschieht im Gedanken des simul iustus et peccator. Dabei wird ausdrücklich der lutherische Gedanke aufgenommen, daß der Christ ein Sünder, der der Rechtfertigung bedarf, nicht nur war, sondern ist und bleibt. Es muß offen bleiben, inwieweit Blanks Ansatz noch ein genuin katholischer ist. Möglicherweise liegt das Katholische in dem Interesse an der Wirkung der Gnade auf das Sein des einzelnen, wenn diese Wirkung auch nicht mehr in den ontologischen Kategorien der Tradition ausgesagt wird, auch nicht mehr im Schema von Wirklichkeit und Möglichkeit.

Sieht man einmal von der Sonderstellung Blanks ab, so ist die Signatur des Katholischen jedenfalls bei allen genannten Autoren deutlich zu erkennen. Ebenso deutlich aber ist die Hinwendung von dem ontologischen Ansatz katholischen Systemdenkens zur eschatologischen Struktur paulinischer Theologie.

D. Paulus und das Simul

Bei der Darlegung der Forschungsgeschichte sollte deutlich geworden sein, daß es um mehr geht als die Auseinandersetzung zweier konfessionell differierender anthropologischer Auffassungen, die an den Paulustexten nur ihr jeweiliges Material finden. Der Streit ist tatsächlich ein Ringen um die sachgemäße Auslegung der Paulustexte. Insofern war Paulus immer schon in das Gespräch einbezogen. Dennoch soll hier ausdrücklich nochmals nach Paulus selbst zurückgefragt werden. Dies ist notwendig, weil grundsätzlich deutlich sein muß, daß eine dem Schriftprinzip verantwortliche Theologie sich auch um psychologisch noch so plausibler oder theologisch noch so systemgerechter anthropologischer Auffassungen willen nicht von der Arbeit am Text dispensieren kann.[153] Zum anderen sind es ja konkrete

---

153 Von daher wären etwa auch Fragen an Eilert Herms zu stellen, der sich in seiner Beurteilung der "ökumenischen Bewegung der römischen Kirche" ständig auf "die reformatorische Theologie", die "reformatorische Dogmatik", die "reformatorische Überzeugung", den "reformatorischen Begriff von Offenbarung", die "fundamentaltheologische Überzeugung der reformatorischen Theologie" bezieht, ohne auf die Schrift nennenswert zu rekurrieren. Herms ist zu fragen, ob diese "reformatorische Grundüberzeugung" jenseits der Schriftauslegung (bzw. vor aller Exegese) liegt und welche Verbindlichkeit sie dann hat. Vgl. Herms, Einheit und Christen, passim.

Paulusstellen, die in der Diskussion des Simul zur Debatte stehen und nicht etwa nur ein allgemeines Verständnis paulinischer Anthropologie oder Soteriologie.

a) Texte, die zugunsten des lutherischen Simul angeführt werden

α) Röm 8,10

Peter Stuhlmacher nennt Röm 8,10 als zentralen Beleg dafür, daß "die Front zwischen ἁμαρτία und δικαιοσύνη, Gott und dem Herrn dieser Welt mitten durch den Getauften hindurch"[154] geht. εἰ δὲ Χριστὸς ἐν ὑμῖν, τὸ μέν σῶμα νεκρὸν διὰ ἁμαρτίαν τὸ δὲ πνεῦμα ζωὴ διὰ δικαιοσύνην. Bei der Interpretation dieser allgemein als schwierig anerkannten Stelle wird man zunächst davon ausgehen dürfen, daß εἰ hier keine Bedingung bezeichnet, sondern die real gegebene Voraussetzung benennt. Dann aber ist nach der Bedeutung des διὰ zu fragen. Diese Präposition kann beim Akkusativ sowohl den Grund als auch das Ziel angeben und dann bereits die spätere Bedeutung "für" annehmen.[155] Hans Lietzmann versteht das erste διὰ hier kausal, das zweite final und verdeutlicht: "propter peccatum commissum, propter iustitiam exercendam."[156] Folgt man Lietzmann, so ist die Interpretation der Stelle entschieden: Die Sünde hat den Tod im Gefolge, Gottes lebenerweckender Geist aber befähigt zur Übung der Gerechtigkeit (hier nicht verstanden als Gottes Heilsgabe, sondern als "gottwohlgefälliger Wandel nach dem Geist in leiblicher Dienstbarkeit"[157]). Dagegen spricht zweierlei: Die antithetische Parallelität des Satzbaus läßt es als sehr fraglich erscheinen, ob die Präposition verschiedene Bedeutung hat. Sünde und Gerechtigkeit sind polare Begriffe und kommen in gleicher Hinsicht in Betracht, nämlich entweder als Grund oder als indirektes Objekt von Tod und Leben. Zum anderen ist die Parallelität unseres Textes zu Röm 6,11 und auch Gal 2,19 in der Lietzmannschen Deutung nicht berücksichtigt. Der Gegensatz ist, zieht man diese beiden Stellen heran, nicht allein der von Tod und Leben, auch nicht der von Sünde und Gerechtigkeit, sondern präzis von Totsein im Blick auf die Sünde und Leben im Blick auf Gottes Gerechtigkeit. Tot aber ist der Leib für die Sünde durch die Taufe, wie der ganze Zusammenhang Röm 6,1-11 zeigt. Von hier aus wird auch verständlich, warum Paulus dem πνεῦμα nicht die σάρξ gegenüberstellt, sondern das σῶμα. Dies gab verschiedentlich zu der Vermutung Anlaß, πνεῦμα bezeichne hier

---

154 Stuhlmacher, Gerechtigkeit Gottes, 224.
155 Vgl. Blass/Debrunner/Rehkopf, 222, 2a.
156 Zitiert bei Käsemann, Römer, 216. Der kausalen Deutung des ersten διϲ folgt zunächst auch Wilckens, EKK VI/2, 132, wegen seiner Deutung vom Tun-Ergehen-Zusammenhang her.
157 Käsemann, Römer, 216.

nicht den Geist Christi, und sei anthropologisch zu verstehen,[158] weil ja auch σῶμα ein anthropologischer Begriff sei. Solche Überlegungen werden unnötig, wenn man aus Röm 6,6 erfährt, daß das, was in der Taufe "gekreuzigt" worden ist, der "alte Mensch" bzw. der "Leib der Sünde" ist, um der Sünde nicht mehr zu dienen. Kurz: Weil der Sündenleib in der Taufe getötet wurde, deshalb kann Paulus Röm 8,10 sagen, daß der Leib tot ist im Blick auf die Sünde.[159] Das πνεῦμα von V 10 ist nichts anderes als der Geist Christi, wie schon die Einrahmung durch V 9b und V 11 zeigt, wo vom Geist Christi bzw. Gottes die Rede ist. Der Geist ist die konkrete Form der Einwohnung Christi im Christen. So kann Paulus V 9a sagen, daß Gottes Geist in den Christen wohnt und ohne Spannung dazu in V 10 formulieren. "Wenn aber Christus in euch ist."

Es wird also in 8,10 in einem anderen Kontext ausgeführt, was in 6,6.11 schon gesagt ist: Durch die Taufe ist der Sündenleib getötet worden, der Christ aber hat durch Christi Geist Anteil am Leben Christi, das eo ipso ein Leben im Blick auf die Gerechtigkeit ist. Damit ist klar, daß auch hier die Sünde "für uns Vergangenheit und das Leben Gegenwart"[160] ist. Untermauert wird dieser Befund noch dadurch, daß der ganze Zusammenhang Röm 8,1-11 als Antithese zu 7,7-25 zu sehen ist, also als Antithese zur elenden Verfassung des Menschen unter dem Gesetz. Dies erklärt den spezifisch anderen Akzent gegenüber Röm 6. Ging es in Röm 6 auch darum, daß die Taufe auf Christus uns zum Wandel "in einem neuen Leben" auffordert, so will Paulus in 8,1-11 unter dem νῦν von V 1 auf die Gegenwart Christi im Geist hinaus: "Wir leben nun nicht mehr nach dem Fleisch, sondern nach dem Geist."[161]

Mag dieser Vers auch schwer zu verstehen sein, als Beleg für das lutherische Simul eignet er sich jedenfalls nicht[162] und Joests Urteil wird bestätigt, daß es sich hier "gar nicht um eine Aussage gleichzeitig dialektischer Art handelt"[163].

---

158 Vgl. Schlier, Römerbrief, 247; Kertelge, Rechtfertigung, 155 f.
159 Es leuchtet mir nicht ein, daß Paulus hier vom σῶμα spricht, weil es ihm "um die leibliche Dienstbarkeit des Täuflings der Gerechtigkeit gegenüber geht", wie Stuhlmacher meint (Gerechtigkeit Gottes, 224). Er gibt dafür auch keine weitere Begründung.
160 Wilckens, EKK V/2, 133.
161 Vgl. auch Dahl, In welchem Sinne, 293. "Das neue, durch Gerechtsprechung und Wandel der Herrschaft als Möglichkeit gegebene Leben wird nur durch die Gegenwart Jesu Christi und seines Geistes verwirklicht. Ohne Christus und den Geist wäre auch der Getaufte immer noch der Sünde und dem Tode preisgegeben. In diesem Sinne darf wohl das 8.10 vorliegende 'simul' interpretiert werden."
162 So auch Bultmann, Theologie, 201.
163 Joest, Simul iustus et peccator, 291.

β) Gal 5,17 und 6,8

Als zweiten Beleg nennt Stuhlmacher Gal 6,7 ff. Wahrscheinlich denkt er vor allem an 6,8: ὃ σπείρων εἰς σάρκα ἑαυτοῦ ἐκ τῆς σαρκὸς θερίσει φθοράν, ὃ δὲ σπείρων εἰς τὸ πνεῦμα ἐκ τοῦ πνεύματος θερίσει ζωὴν αἰώνιον. Dieser Vers ist aber nur zu interpretieren im Zusammenhang von Gal 5,13-6,10. Hier findet sich auch ein Satz, der zumindest auf den ersten Blick noch viel eher als Beleg für das Simul bei Paulus erscheinen könnte - Gal 5,17: ἡ γὰρ σὰρξ ἐπιθυμεῖ κατὰ τοῦ πνεύματος, τὸ δὲ πνεῦμα κατὰ τῆς σαρκός, ταῦτα γὰρ ἀλλήλοις ἀντίκειται, ἵνα μὴ ἃ ἐάν θέλητε ταῦτα ποιῆτε. Man hat immer wieder auf die Parallelität dieser Stelle zu Röm 7,7-25 hingewiesen. Nun ist aber zunächst festzuhalten: Der Galatertext steht im Zusammenhang der Paränese, die mit 5,13 einsetzt. In dieser Paränese spricht Paulus die galatischen Christen auf das πνεῦμα an, das in ihnen wirksam ist: 5,16.25.28. Wie vor allem V 25 zeigt, ist das εἰ auch hier nicht das Zeichen einer hypothetischen Bedingung ("Wenn ihr den Geist hättet, dann..."), sondern es nennt die Voraussetzung, die die Folgerung trägt, auf die es Paulus ankommt ("Weil ihr den Geist habt, deshalb...")[164].

Schon der paränetische Kontext markiert die Differenz zu Röm 7, mehr noch der Bezug auf den Geist, von dem dort nicht die Rede ist. (Insofern wäre die Sachparallele eher in Röm 8 zu suchen.) Darüber hinaus gibt Gal 5,17 als Begründung für die Zusage von V 16 an, daß die "im Geist Lebenden" "das Begehren des Fleisches" nicht erfüllen. Auch Althaus sieht hier eine "Zuversicht" ausgesprochen:

"Der Wandel in der Bestimmtheit durch den Geist läßt für die Befriedigung der Begehrungen des alten Menschen keinen Raum mehr, denn Fleisch und Geist stehen ihrem Wesen nach widereinander."[165]

Die Pointe der Rede von Geist und Fleisch Gal 5,13 ff ist also gerade nicht, daß der Christ dem "Ansturm" beider ausgesetzt ist, schon gar nicht, daß das Fleisch ihn unausweichlich in die Sünde treibt, vielmehr lautet sie: Im Geist ist der Christ in der Lage, das Fleisch zu besiegen. (Besonders deutlich – und im Perfekt – wird dies in V 24 formuliert.) Althaus[166] und Bultmann[167] sehen dennoch in Gal 5,17 eine Sachparallele zu Röm 7, insbesondere 7,15.19. Das, was die Christen wollen, ist das Gute, dessen Verwirklichung vom Fleisch gehindert wird. Natürlich erkennen beide den Unterschied zum Römerbrief an: Im Galaterbrief sind Christen angeredet, denen im Geist die Freiheit von der Sklaverei des Fleisches gegeben ist. Den Schwerpunkt aber legen sie darauf, daß man Gal 5,17 "tatsächlich im Lichte von Röm 7

---

164 Vgl. Blaß/Debrunner/Rehkopf, 372. "εἰ mit Indikativ der Wirklichkeit" ... "oft sehr nahe an kausales 'da' streifend".
165 Althaus, ... Daß ihr nicht tut, was ihr wollt, 15.
166 In dem zuletzt genannten Aufsatz, Anm. 165.
167 Bultmann, Christus des Gesetzes Ende, 46, Anm. 6.

lesen"[168] muß – was nichts anderes heißt, als Röm 7 eine gewisse Geltung auch für den Christen zuzusprechen.[169] Gilt aber Röm 7 für den Christen – wenn auch indirekt – dann gilt auch das Simul. Franz Mußner widerspricht zwar dieser Auslegung, ist aber erstaunlicherweise sachlich nicht allzuweit von ihr entfernt, wenn er formuliert:

"Der Mensch aber ist der Kampfplatz, auf dem sich die Auseinandersetzungen zwischen Pneuma und Sarx abspielen."[170]

Das will Paulus so m.E. gerade nicht sagen. Eine einfache Beobachtung mag hier weiterführen: Zwar sind die Christen nach V 18 Objekt der Regierung des Geistes, nirgends aber werden sie sachlich oder auch nur grammatisch zu Objekten der Regierung des Fleisches. Vielmehr ist das Fleisch Objekt der Beherrschung: Die Christus angehören, haben es gekreuzigt (5,24) und sollen ihm nun nicht aufs Neue Raum geben (5,13).[171] Dies bedeutet nicht, daß das Fleisch für den Christen ungefährlich wäre oder gar eine zu vernachlässigende Größe. Paulus warnt die Christen intensiv vor der Verführung durch das Fleisch: Wer die Werke des Fleisches tut, wird "das Reich Gottes nicht erben" (5,21), wer auf das Fleisch vertraut, wird "Verderben ernten" (6,8). Ganz falsch wäre es, sich in Sicherheit zu wiegen. Gerade, wer πνευματικός ist, soll darauf achten, daß er "nicht versucht" wird (6,1). Kurz: Das Fleisch und die Versuchung durch das Fleisch sind für den Christen greifbare Realitäten. Aber die Pointe des Apostels ist nun eben nicht "Ihr seid dem Fleisch ausgeliefert". Er sagt nicht: "Ihr Christen seid der Kampfplatz, auf dem Fleisch und Geist miteinander ringen." Er sagt vielmehr: "Ihr steht in der Versuchung durch das Fleisch, aber kraft des Geistes könnt ihr in dieser Versuchung bestehen." Seine Pointe ist das Bestehen im πειρασμός durch das Fleisch. (Vgl. in der Paulusschule Eph 6,10). Der πειρασμός von Gal 6,1 ist "die ständige Gefährdung des Gläubigen jetzt in der Welt ... ist geradezu Charakteristikum seiner Existenz als Gläubiger in der Welt"[172]. Gal 5,17a sagt dann nichts anderes als die Unvereinbarkeit von Geist und Fleisch. Im Kontext von 5,13 ff hat diese Aussage tröstlichen Charakter. Sie sagt dem Christen zu, daß er bestehen kann, weil der Geist Christi gegen das Fleisch streitet.

168 Althaus, ... Daß ihr nicht tut, was ihr wollt, 17.
169 Althaus' Anliegen geht auch hier eher darauf aus, in dem "Wollen" die Konstanz der Geschöpflichkeit des Menschen vor und unter der Gnade zu betonen.
170 Mußner, Galaterbrief, 377. Auch Mußner weiß, daß dies nicht der Skopus der Perikope ist. Dennoch bleibt seine Formulierung problematisch.
171 Vgl. Schweizer, Art. σάρξ, 131. "In Phil 3,3; R 8,13 f; Gl 4, 23; 5,18 ist eine instruktive Beobachtung am Text zu machen: Das πνεῦμα bzw. die ἐπαγγελία Gottes wird im instrumentalen Dativ oder mit instrumentalem διά eingeführt, während Paulus dies beim Gegenbegriff σάρξ meidet. Die σάρξ ist also nicht eine in gleicher Weise wie das πνεῦμα wirkende Macht. Nie erscheint sie als Subjekt eines Handelns, wo sie nicht im Schatten einer Aussage über das Handeln des πνεῦμα steht."
172 Kuhn, πειρασμός, 202.

Doch will Wilfried Joests Hinweis beachtet sein: "Die Gegenwart der versuchenden Macht ist eine Gegenwart im versuchten Ich, nicht außerhalb seiner." Es ist die σάρξ des Christen, die hier zur Diskussion steht.[173] Dagegen ist einzuwenden: Zunächst ist vom "Fleisch" in unserer Perikope durchaus absolut die Rede (5,13.16.17.19). Vom Fleisch des Christen wird nur gesagt, daß es gekreuzigt ist (5,24) bzw. daß man darauf nicht vertrauen soll (6,8). Wichtiger aber ist noch, daß in 5,19 die "Werke des Fleisches" vom "Fleisch" unterschieden werden. Analog etwa zur Sünde muß auch beim Fleisch differenziert werden zwischen seiner transsubjektiven Dimension – das Fleisch als Macht – und der subjektiven Dimension – die Werke des Fleisches. Zweifellos ist das Fleisch gegenwärtig bedrohende Macht. Ebenso aber gilt, daß die Werke des Fleisches nicht die aktuelle Wirklichkeit des Christen sind, wenn sie es auch je und je wieder werden können und zwar dann, wenn er auf seine eigenen Möglichkeiten setzt, auf das "Irdisch-Natürliche" (Bultmann), und nicht auf den Geist. In 6,8, wo "Fleisch" zum negativen Gegenstand des Vertrauens wird, hat der schillernde Begriff nochmals eine andere Bedeutung als in 5,24 und an den Stellen, wo er absolut gebraucht ist. Joest hat freilich darin Recht, daß die Versuchung nirgends anders ansetzt als im Menschen selbst. Dies scheint auch der besondere Akzent des Paulus im Vergleich zu Versuchungsaussagen wie 1. Petr 5,8 oder Luk 22,31 f zu sein. Aber die Rede von der Versuchung behält nur dann ihren Sinn, wenn das Fleisch gerade nicht die dauernde innere Bestimmung des Menschen wird.

Was bedeutet dann V 17b "... daß ihr nicht tut, was ihr wollt"? Berücksichtigt man, daß der ganze Vers V 16 begründet, also das Vertrauen auf die Nichtdurchsetzung des Fleisches, daß andererseits V 17a die Unvereinbarkeit von Fleisch und Geist einschärft, so kann die Aussage von V 17b nicht mehr fraglich sein: "Ihr Christen bestimmt euch nicht selbst, verwirklicht euch nicht selbst, ihr werdet entweder vom Fleisch oder vom Geist bestimmt." Das heißt: Hier wird die Zuversicht auf die Führung durch den Geist nochmals dadurch verstärkt, daß sie der Verfügung des Christen entzogen ist. Die Interpretation im Sinne von Röm 7,19 stellt in gewisser Hinsicht eine petitio prinicpii dar. Sie setzt nämlich voraus, daß auch hier der Skopus die Differenz von Wollen und faktischem Tun ist. Dann liegt es nahe, den Willen als Willen zum Guten zu interpretieren, der durchs Fleisch an seiner Erfüllung gehindert wird. Damit wäre aber der Zusammenhang gesprengt. Weder würde V 17 die Aussage von V 16 begründen, noch würde V 18 sinnvoll anschließen. Deshalb bietet sich eine andere Akzentuierung an: Fleisch und Geist sind gegeneinander, so daß ihr nicht tut was ihr wollt, sondern was der Geist will, der euch bestimmt und die Werke des Fleisches

---

173 Joest, Simul iustus et peccator, 288 f; der folgende Hinweis 289, Anm. 67 (gegen Schliers Interpretation).

ausschließt. Parallelen zu dieser Aussage finden sich etwa Röm 9,16 und Phil 2,13. Sie fügt sich auch bruchlos an die Entgegensetzung von Geist und Fleisch in Gal 3,3 an.

Deutlich wird nochmals, daß die Leitung durch den Geist kein unverlierbarer Besitz ist, daß die Christen gefährdet bleiben vom Fleisch, daß, wer meint zu stehen, darauf achten soll, daß er nicht falle (1. Kor 10,12 – vgl. den ganzen Zusammenhang von 1. Kor 10,1-13). Deutlich ist aber ebenso, daß Paulus gerade angesichts der Gefährdung das Vertrauen auf den Geist stärken will. Das Fleisch als Macht ist Gegenwart, das Fleisch als den Christen bestimmende Macht ist Vergangenheit und die Sorge des Apostels richtet sich darauf, daß es in dieser Hinsicht Vergangenheit bleibt. Weder Gal 5,17 noch 6,7 ff sagen etwas anderes; als Beleg für das Simul kommen also beide Stellen nicht in Betracht. Denn das Simul meint ja nicht ein Zugleich von Geist und Fleisch als Mächte in diesem vergehenden Äon, sondern ein aktuelles Zugleich im Christen.

γ) Andere Stellen

Kirchgässner nennt noch einige weitere Stellen, die "besonders von reformatorischen Auslegern" als Belege für das Simul angeführt werden: 2. Kor 5,20; 7,10 und Röm 8,34.[174] Auch sie sollen kurz betrachtet werden, obgleich Kirchgässner keinen Hinweis gibt, wo in der evangelischen Literatur diese Stellen eine Rolle spielen.

2. Kor 5,20 gehört hinein in Paulus' Verteidigung seines Apostolats und gibt eine Zusammenfassung der apostolischen Missionsverkündigung. Paulus bittet jeden Menschen, sich mit Gott versöhnen zu lassen. Eine Aufforderung an die korinthischen Christen, sich aufs Neue oder je und je neu versöhnen zu lassen, läßt sich daraus nicht ablesen. Der Kontext sagt eher das Gegenteil des Simul: Wer in Christus ist, gehört zur neuen Schöpfung (V 17), die Versöhnung ist in ihm geschehen (V 19), in ihm sind die Christen Gerechtigkeit Gottes geworden (V 21).

2. Kor 7,1.10 haben ihren Ort in der Auseinandersetzung des Paulus mit der korinthischen Gemeinde, der er konkrete Schuld durchaus vorzuwerfen hat: ihre Spaltungen (1. Kor 3,1 ff), Unzucht (1. Kor 5,1 ff), die Austragung von Konflikten vor heidnischen Gerichten (1. Kor 6,1 ff), Mißstände beim Gottesdienst (1. Kor 11,17 ff), Verleumdung des Apostels (2. Kor 10,10 f) und anderes. Angesichts solcher Erscheinungen, die für den Apostel offenbar die Qualität der Sünde haben, sagt er aber nicht: "Das gehört zur Wirklichkeit dieses Äons. In dieser Zeit kann Kirche keine Gemeinschaft der Reinen sein." In der Sprache späterer Epochen bis hin zu CA VIII: "Die irdische Kirche ist ein corpus permixtum." Vielmehr sagt er: Solche Ärgernisse soll es in der Gemeinde nicht geben. Darauf beziehen sich 7,1

---

174 Kirchgässner, Erlösung und Sünde, 65.

68   *I. Die Wirklichkeit der neuen Gerechtigkeit*

– die Gemeinde soll rein sein von Befleckung – und 7,8-10 im Rückblick. Die göttliche Traurigkeit hat eine Reue bewirkt, die zum Leben führt. Solche Reue wird es hoffentlich je und je wieder geben, wenn die Gemeinde Irrwege gehen wird. Aber an dieser Stelle ist von konkreter Reue die Rede, die ein Brief des Apostels ausgelöst hat (10,8). Daß Paulus mit einer Kontinuität der Sünde rechnet, läßt sich aus diesen beiden Stellen nicht ablesen, auch nicht e silentio erschließen. Denn der Kampf gegen die Sünde gewinnt seine Radikalität daraus, daß sie das Außerordentliche ist, das, was auf keinen Fall sein darf. Gerade die Stellen aus dem 2. Korintherbrief sprechen gegen das Simul, weil sie das Ziel der "Buße" (7,10) ins Auge fassen: Die "Reinheit von aller Befleckung" (7,1). Gar nichts läßt in diesem Kontext darauf schließen, daß Paulus dieses Ziel erst im Tode erreicht sieht.

Schon in der Einleitung wurde darauf hingewiesen, daß Max Meyer gegen die These der Religionsgeschichtlichen Schule von der Sündlosigkeit des Christen Röm 8,34 ins Feld führt. Durch diesen Text sei in der christlichen Existenz "der Sünde eine bleibende Stätte gesichert"[175]. Die Logik ist dabei: Wenn Christus für die Auserwählten Gottes eintritt, so haben sie es offenbar nötig. Wenn sie es aber nötig haben, dann sind sie Sünder. Die Frage ist allerdings, ob Paulus eine solche Schlußfolgerung verstanden hätte. Im folgenden Vers nennt er unter den Dingen, die uns von der Liebe Gottes scheiden möchten, aber nicht können, zwar Trübsal, Angst, Verfolgung usw., doch eben nicht die Sünde. Wichtiger noch ist die Aussage in V 33: Da Gott die Christen gerecht macht, kann niemand mehr sie beschuldigen.

Paulus redet in diesem Abschnitt von der Anfechtung der Christen:

"Der alte Äon ist rebellisch, drohend und pervertiert noch vorhanden, so daß Christen die Angefochtenen sind."[176]

Im Mittelpunkt steht aber nicht so sehr die Versuchung durch Sünde und Fleisch, die expressis verbis gar nicht genannt werden, sondern die Gefährdung durch die Weltmächte. Immerhin wird die Schuld in V 33 f indirekt in der Frage angesprochen, wer die Auserwählten Gottes beschuldigen bzw. verdammen könne. Aber der Skopus des Paulus ist gerade, daß Gottes Heilshandeln den Christen die Freiheit von den Mächten schenkt, die gefährden und anklagen. Die Interzessio Christi verweist auf das Endgericht. Im Blick auf dieses Gericht will Paulus die Heilsgewißheit der Christen stärken. Sie haben diese Stärkung nötig, weil sie gefährdet sind durch die Mächte einerseits und die Sünde andererseits – was niemand bezweifelt. Ob es neben der Gefährdung durch die Sünde auch ein faktisches Sündigen ist, das die Fürbitte Christi nötig macht, das sagt Paulus an dieser Stelle nicht. Wenn er es sagte, dann wäre immer noch zu fragen, ob es um

175 Meyer, Sünde, 72.
176 Käsemann, Römer, 239.

Sünde der Gerechtfertigten oder um Sünde aus der Zeit vor der Rechtfertigung geht; auch deren Vergebung wurde ja zugesprochen im Vorgriff auf das Endgericht. Aber solche Überlegungen führen bereits vom Skopus des Textes ab, der mit Käsemann folgendermaßen zu formulieren ist:

"Stellt Rechtfertigung der Gottlosen den θεὸς ὑπὲρ ἡμῶν als den Schöpfer aus dem Nichtseienden heraus, so seine Liebe als den, welcher die neue Schöpfung mit der Kraft der Auferweckung schützt und sie zum Widerstande gegen himmlische und irdische Mächte befähigt."[177]

Jedenfalls ist klar, daß aus Röm 8,34 sich kein Beleg für das lutherische Simul gewinnen läßt.

Dennoch muß die Reflexion hier noch ein Stück weiter getrieben werden. Eines geht aus der Perikope Röm 8,31-39 hervor: Das Eintreten Christi für die Seinen ist nicht punktuell. Es ist nicht so, als ob die Christen einmal, etwa bei ihrer Taufe aus einem sündigen Leben und aus einer sie gefährdenden Welt herausgerissen worden wären und nun ungefährdet von Sünde und Weltmächten lebten und sich ihres Heilsstandes freuen dürften. Vielmehr sind sie wie am Anfang ihres Glaubenslebens so auch dauernd darauf angewiesen, daß Gott für sie ist, daß er sie im Heil hält. An dem Verhältnis von Gewinnung für das Heil und Erhaltung im Heil[178] wird sich die Frage nach der Geltung des Simul bei Paulus mit entscheiden. Zunächst aber sind noch die Stellen kurz zu betrachten, die von katholischen Autoren gegen das Simul besonders angeführt werden.

b) Texte, die gegen das lutherische Simul angeführt werden

Kirchgässner nennt als entscheidende Texte, die gegen das Simul sprechen, vor allem 1. Kor 6,11 und Röm 6,15-23.[179] Offenbar stützt sich die katholische Auffassung vor allem auf Texte über die Bedeutung der Taufe. Das Sachanliegen, das sich darin äußert, und seine Berechtigung wird noch zu würdigen sein.

---

177 ebd.
178 Vgl. Luthers Kleinen Katechismus: "Ich glaube, daß Jesus Christus ... sei mein Herr, der mich erlöst hat, erworben, *gewonnen*..." Der Heilige Geist hat mich "durchs Evangelium berufen ... im rechten Glauben geheiligt und *erhalten*, gleichwie er die ganze Christenheit auf Erden beruft, sammelt, erleuchtet, heiligt und bei Jesus Christus *erhält*..."
179 Kirchgässner, Erlösung und Sünde, 58. Die Texte aus den Deuteropaulinen (Kol 1,21; 3,7; Eph 2,1-6; 5,8; Th 3,3) können hier außer Betracht bleiben, obwohl die Frage sich stellt, ob der Frühkatholizismusverdacht gegen diese Schriften sich nicht auch daraus erklärt, daß sie den Unterschied von einst und jetzt besonders einschärfen. Röm 7,5 f; 11,30 bringen nur nochmals das Einst-Jetzt-Schema.

α) 1. Kor 6,11

Καὶ ταῦτά τινες ἦτε· ἀλλὰ ἀπελούσασθε, ἀλλὰ ἡγιάσθητε, ἀλλὰ ἐδικαιώθητε ἐν τῷ ὀνόματι τοῦ κυρίου ᾽Ιησοῦ Χριστοῦ καὶ ἐν τῷ πνεύματι τοῦ θεοῦ ἡμῶν. Expressis verbis ist von der Taufe gar nicht die Rede. Doch findet sich das Verb ἀπολούειν "abwaschen" sonst nur noch Act 22,16 im Zusammenhang mit der Taufe des Paulus. Noch eindeutiger wird der Bezug auf die Taufe durch die Bestimmung "im" bzw. "durch den Namen des Herrn". Wird häufig gesagt, die Taufe geschehe εἰς τὸ ὄνομα, so z.B. 1.Kor 1,15.18, so findet sich auch die Formulierung ἐν τῷ ὀνόματι mindestens Act 10,48, vielleicht auch Act 2,38. Gegen die Interpretation auf die Taufe hin könnte sprechen, daß das Verb hier im Medium steht, während sonst vom Getauftwerden des Christen die Rede ist. Die Schwierigkeit löst sich, wenn man das Medium kausativ versteht, also: "Ihr ließt euch abwaschen"[180]. Als weiteres Argument nennt Ferdinand Hahn den "Gedanken einer erlangten Anwartschaft auf das κληρονομεῖν des endzeitlichen Heils"[181], der etwa auch Gal 3,26-29 f im Zusammenhang von Taufaussagen steht. Darf man davon ausgehen, daß das ἀπολούειν die Taufe meint, so ist es wichtig zu sehen, wie das Taufgeschehen durch die beiden folgenden Verben näher gekennzeichnet wird.[182] In dem Verb ἁγιάζειν klingen drei Aspekte mit: die Aussonderung der Gemeinde durch Gott, die Nähe des heiligen Gottes zu seiner Gemeinde, der Ausschluß der Sünde, die zusammen mit Gottes Heiligkeit nicht bestehen kann.

"Heiligkeit bezeichnet hier also überall die Zugehörigkeit zu Gott, die primär nicht im Kult, sondern darin zum Ausdruck kommt, daß die Christen vom heiligen Geist getrieben werden (Röm 8,14). Wie im AT ist Heiligkeit ein vorethischer Terminus, und wie dort erfordert sie ein dem heiligen Geist gemäßes Handeln."[183]

Durch das "ihr seid geheiligt" wird der negativen Aussage "ihr ließt euch abwaschen" (nämlich von euren Sünden) die positive hinzugefügt: Ihr seid bestimmt vom heiligen Geist.

Das nächste Verb δικαιοῦν birgt die eigentliche exegetische Schwierigkeit. Entweder man versteht es interpretierend zu den beiden vorausgehenden Verben, dann wird 1. Kor 6,11 zum Beleg für die klassische katholische Rechtfertigungslehre[184], weil Rechtfertigung hier nichts anderes meint als Heiligung und beides durch die Taufe sakramental bewirkt würde. Dann müßte man aber annehmen, daß Paulus hier von Rechtfertigung anders redet als an den zentralen Stellen, wo der forensische Sinn nicht zu überhören ist, etwa Röm 4,5. Oder man versteht δικαιοῦν auch hier forensisch. Dann

---

180 Vgl. Blaß/Debrunner/Rehkopf, 317, 1; ebenso Kertelge, Rechtfertigung, 243.
181 Hahn, Taufe und Rechtfertigung, 105.
182 Vgl. zu 1. Kor 6,11 insgesamt: Schnelle, Gerechtigkeit und Christusgegenwart, 37-44.
183 Seebaß, Heilig, 649.
184 Vgl. die Nachweise bei Kertelge, Rechtfertigung, 242.

müßte man folgern, daß Paulus eine effektive Heiligung durch die Taufe und eine forensische Rechtfertigung unverbunden nebeneinander stellt.

Eine plausible Erklärung gibt Eduard Lohse, der in 1. Kor 6,11 "einen Satz urchristlicher Taufunterweisung" sieht, in dem "alle drei Verben ... von der Taufe" handeln.[185] Dann ist δικαιοῦν hier nicht im spezifisch paulinischen Sinne gebraucht, sondern in seiner vorpaulinischen Bedeutung, nämlich "als ein einmaliges, die Existenz des Menschen fundamental veränderndes Widerfahrnis ... bei dem gerade die Radikalität der Wende als Befreiung von Unglaube und Sündhaftigkeit im Vordergrund steht"[186].

Bestimmend für die Auffassung von Rechtfertigung ist nicht die Relation zum Glauben, sondern zum Gläubigwerden. Rechtfertigung meint hier, aus der Unrechtsituation vor Gott herauszukommen, von Gott in das angemessene Verhältnis zu ihm selbst versetzt zu werden. Solche Rechtfertigung geschieht sola gratia in der Taufe. Der Taufe korrespondiert auf der Seite des Christen das Gläubigwerden. Aber wie der Christ nur einmal getauft wird und nur einmal zum Glauben kommt, so ist Rechtfertigung in diesem Sinn ein einmaliges Datum, auf das man zurückblicken kann, auf das man somit auch verweisen kann, um damit bestimmte ethische Konsequenzen zu verbinden. Genau dies ist die Funktion von 1. Kor 6,11 innerhalb von 1. Kor 6, wo Paulus sich zunächst gegen Rechtshändel unter Christen (6,1-8) und dann gegen sexuelle Verfehlungen wendet (12-20). Paulus verweist auf die Taufe, die die Zeit gliedert in ein sündiges Vorher (daher der Lasterkatalog in V 9 f) und ein geheiligtes Nachher. Es wird sich zeigen, daß der Zusammenhang von Röm 6 ganz ähnliche Struktur aufweist.

Für die Fragestellung dieser Untersuchung ist zunächst wichtig, daß in der Zuweisung dieser Stelle zu vorpaulinischer Tradition evangelische – E. Lohse, F. Hahn – und katholische – K. Kertelge[187] – Autoren sich einig sind.[188]

Die ökumenische Einigkeit der Exegeten reicht hier sehr weit. Evangelische wie katholische Autoren lehnen die Auswertung von 1. Kor 6,11 als Beleg für die Geltung der klassischen katholischen Rechtfertigungslehre ab. Gemeinsam weisen sie auch Heinrich Schliers These einer sakramentalen Rechtfertigung in der Taufe, die dieser in seinem Kommentar zum Galaterbrief vertreten hatte, zurück.[189] Mit dieser "katholischen" These ist

---

185 Lohse, Taufe und Rechtfertigung, 321 f.
186 Hahn, Taufe und Rechtfertigung, 116.
187 "Bezüglich unserer Frage nach dem Verhältnis von Rechtfertigung und Taufe bei Paulus läßt sich somit aus 1. Kor 6,11 nur soviel ermitteln, daß der Apostel die ihm vorgegebene Verbindung von Tauf- und Rechtfertigungsaussage übernimmt, den Gedanken der Rechtfertigung aber nicht in diesem Sinne näher entfaltet." Kertelge, Rechtfertigung, 245.
188 Vgl. a.a.O., 241; Hahn, Taufe und Rechtfertigung, Anm. 111.
189 Vgl. Anm. 128.

erst recht die Auffassung der Religionsgeschichtlichen Schule abgewehrt, es gebe bei Paulus nebeneinander eine mysterienhaft-sakramental-naturhafte Erlösungslehre und eine juridische Rechtfertigungslehre, wobei diese dann vielleicht nur ein "Nebenkrater" sei.

Gemeinsam wird aber auch anerkannt, daß Paulus eine Tradition aufnimmt, in der Rechtfertigung mit der Taufe und mit dem Gläubigwerden, aber nicht mit dem Glauben verknüpft ist, wo man also von einem sola fide nur sehr eingeschränkt reden kann. Wenn nach Ferdinand Hahn Paulus nicht nur 1. Kor 6,11, sondern ebenso 1. Kor 1,30b; Röm 4,25; Röm 6,7; Röm 3,24-26a und Röm 8,29 f auf solche Überlieferung zurückgreift, dann erhält diese Einsicht erst ihre Tragweite.

Zutiefst problematisch wäre es, – etwa mit Wernle und Heitmüller – solche Aussagen bei Paulus auf das Konto des Frühkatholizismus zu buchen, der dann vor Paulus bereits entstanden sein müßte. Man wird anerkennen müssen, daß Paulus im Zusammenhang der Paränese auch so reden kann, wie er es in 1. Kor 6,11 tut, daß er also die Taufe als ein unverrückbares Datum kennzeichnen kann, das die Sünde Vergangenheit und die Gerechtigkeit Gegenwart sein läßt, ohne daß dieses Datum zum Grund falscher Heilssicherheit wird, vielmehr zum Widerstand gegen die Sünde allererst motiviert. Mit einer Formulierung Otto Merks:

"Gott ... eröffnet das Leben in der Heilsgegenwart, aber führt nicht durch das Sakrament in den geschützten Bereich, aus dem es kein Fallen mehr gibt."[190]

β) Röm 6

Es kann nun nicht darum gehen, eine vollständige Exegese von Röm 6 vorzulegen.[191] Vielmehr soll gezeigt werden, daß die Struktur der Taufaussage von 1. Kor 6,11 sich auch in Röm 6 findet. Das Stichwort δικαιοῦν kommt in dem Abschnitt Röm 6,1-11, der allein expressis verbis von der Taufe handelt, nur in V 7 vor. ὁ γὰρ ἀποθανὼν δεδικαίωται ἀπὸ τῆς ἁμαρτίας. Auch hier nimmt Paulus ältere Überlieferung auf und bezieht sie in seinen Argumentationszusammenhang ein. Dabei steht hinter V 7 wohl keine urchristliche Tauftradition, sondern ein rabbinischer Satz über die sühnende Kraft des je einzelnen Todes: "Alle, die sterben, erlangen durch ihren Tod Sühne."[192] Dann aber meint das Verb von V 7 nicht "Gerechtfertigtwerden" im spezifisch paulinischen Sinn, sondern es bezeichnet das Freiwerden von der Sünde und zwar als endgültiges Freiwerden - so endgültig wie es der physische Tod ist. Diesen Satz "Wer gestorben ist, ist endgültig frei von der Sünde" gebraucht Paulus als Begründung für V 6, also

190 Merk, Handeln, 27.
191 Vgl. dazu als wichtige Monographie: Gäumann, Taufe und Ethik; und jetzt vor allem Schnelle, Gerechtigkeit und Christusgegenwart, 74-92; vgl. auch Frankemölle, Taufverständnis des Paulus.
192 Zitiert bei Gäumann, Taufe und Ethik, 82.

dafür, daß wer mit Christus gestorben ist, frei ist von der Dienstbarkeit gegenüber der Sünde.

Das Mit-Christus-Sterben wiederum hat sich in der Taufe ereignet. Denn "Getauftwerden" interpretiert Paulus in V 3-5 als das Ende der je eigenen isolierten Existenz des Menschen und den Beginn eines Lebens "in Christus" (V 11) bzw. "mit Christus". Hier hat die Rede vom "Herrschaftswechsel" in der Taufe ihren Ort. Denn in V 12-14 zieht Paulus die Konsequenz, daß die Sünde nun keinerlei Anspruch auf Herrschaft über den Menschen mehr hat, da der Christ ihr nicht mehr gehört, sondern der Gerechtigkeit. In Abschnitt 6,1-11 gebraucht der Apostel allerdings die juristischen Kategorien von Herrschaft und Besitzansprüchen noch nicht. Hier müßte man vielleicht eher sagen: Der Sünde fehlt ein geeignetes Substrat, wo sie es mit dem Menschen in Christus zu tun bekommt. In ihm kann sie nicht wirken und sich ausbreiten. Er ist tot für sie (V 10). Nur am Menschen außer Christus hat sie ein Betätigungsfeld.

Daß es auch hier nicht um eine sittliche Unfehlbarkeit geht, nicht um einen Heilsstand, aus dem der Christ gar nicht oder nur durch widrige Umstände herausfallen kann, das zeigt der Rahmen der Perikope. Nach V 1 f hat Paulus es mit Gegnern zu tun, die ihm vorwerfen durch seine Lehre der Sünde Vorschub zu leisten, genauer: nach seiner Lehre seien Sünde und Gnade keine einander ausschließenden Gegensätze. Nicht im Blick auf die Gegner, sondern auf durchaus paulinisch gesinnte Christen ist m.E. V 11 gesprochen. Die Christen sollen sich für Leute halten, die für die Sünde tot sind. Vermutlich ist der Adressat von Röm 6 eine Gemeinde, die von der im 1. Kor 10 angeredeten nicht allzu verschieden ist. Es geht also um Christen, die sich von Sakramenten (der Begriff "Sakramente" darf im Blick auf 1. Kor 10,3 f gebraucht werden, wo Paulus Taufe und Abendmahl nebeneinander stellt) abgesichert fühlen, gefeit gegen die Sünde. Gegen ein solches magisches Mißverständnis muß Paulus ankämpfen. Es ist in diesem Zusammenhang die entscheidende Einsicht, daß Paulus sich weder durch das Mißverständnis, die Taufe verleihe sittliche Unfehlbarkeit, noch durch den Druck seiner Gegner[193], etwa zu folgender Aussage provozieren läßt: Die Taufe ist zwar das Zeichen der Christuszugehörigkeit, aber in den Kampf gegen die Sünde führt sie erst ein. Vielmehr sagt er: "Die Taufe hat eine neue Wirklichkeit geschaffen. Ihr gehört nun Christus an, lebt in ihm und die Sünde hat an euch keinen Anhaltspunkt mehr, hat auf euch keinen Anspruch mehr. Will die Sünde euch aufs Neue in ihre Gewalt bringen, so haltet daran fest, daß sie keinen Anspruch mehr gegen euch hat, daß ihr rechtskräftig von ihr losgesprochen seid."

---

193 Indem ich zwischen (jüdischen) Gegnern des Paulus und Christen, die ihn enthusiastisch mißverstehen, unterscheide, schließe ich mich der Exegese von Wilckens an. Vgl. etwa EKK VI/2, 8.

Paulus bekämpft die Sünde, indem er an der Unvereinbarkeit von Sünde und Gnade und an der Wirklichkeit der Gnade festhält. Die Taufe ist der sinnfällige Ausdruck dessen, daß die Gnade Wirklichkeit ist.

Auch an dieser Stelle ist eine erstaunliche ökumenische Übereinstimmung festzuhalten: Das vorgetragene Verständnis von Röm 6 deckt sich weitgehend mit dem Karl Kertelges:

"Durch den Gedanken der Taufe, den Paulus in Röm 6,3 f einführt, verdeutlicht er seine Gnadenlehre. Die Taufe macht nämlich deutlich, daß die Erlösung des einzelnen Menschen von der Sünde (vgl. Röm 6,7) auf Grund des Mitsterbens mit Christus eine unumstößliche Wirklichkeit ist ... Das Thema von Röm 6 läßt sich damit unter dem Gegensatz von Sünde und Gnade begreifen. Es geht Paulus hierbei um die Unvereinbarkeit des 'neuen Lebens' mit der Sünde. Das 'neue Leben' bleibt nicht ein in der Taufe geschenkter ruhender 'Besitz', sondern es entfaltet seine innere Dynamik im dauernden Widerspruch zur Sünde."[194]

Der – katholisierender Tendenzen gewiß unverdächtige – Hans-Joachim Iwand formuliert in einer Auslegung von Röm 6,19-23:

"Es geht darum, – auch der Verkündigung sollte es darum gehen – einer Theorie (und zwar einer theologischen bzw. dogmatischen Theorie) den Weg zu verlegen, die Sünde und Gnade nebeneinander stehen lassen möchte, oder wenn sie die Trennung vornimmt, diese erst im ethisch-personalen Bereich vornimmt ... Es geht darum, ob wir, wenn wir Gnade sagen, die Gnade Gottes meinen, die uns in Jesus Christus sterben und auferstehen ließ, so daß wir – jetzt schon – in der Neuheit des Lebens wandeln."[195]

Diese nahezu wörtliche Übereinstimmung bedarf keines weiteren Kommentars. Deutlich wird allenfalls noch werden, daß die Äußerungen Iwands nicht im luftleeren Raum stehen, sondern von einer konkreten Frontstellung in der lutherischen Theologie her zu verstehen sind.

Aber ein letzter Aspekt bleibt zu ergänzen über die Texte hinaus, die gemeinhin als Belege gegen das Simul angeführt werden. Bei der Behandlung von Röm 6 klang schon an, daß die Sünde deshalb keinen Anhalt mehr am Christen findet, weil er mit Christus zusammengehört. In Röm 7,4 spricht Paulus dies noch deutlicher aus im Bezug auf das Gesetz: Das Gesetz findet keinen Anhalt mehr am Christen, er ist tot für das Gesetz, weil der Christ Christus angehört und zwar aufgrund der Hingabe des Leibes Christi in den Tod. Parallel dazu führt Paulus den Gedanken von 1. Kor 6,11 so weiter, daß die Sünde für die Christen nicht in Frage kommt, weil ihre Leiber Christi Glieder sind (V 15). Hier ist jeweils von der Zugehörigkeit zu Christus die Rede, noch nicht vom Leib Christi im ekklesiologischen Sinne. Dennoch schwingt die ekklesiologische Bedeutung vom Leib Christi bereits mit. 1. Kor 10,14-17 zeigt dann, wie die eucharistische und die ekklesiologische Bedeutung vom Leib Christi zusammenhängen und wie die Zugehörigkeit zum Leib Christi die Sünde, nämlich den Götzendienst ausschließt. Die Frage nach der Sünde des Christen erhält nochmals eine neue Dimen-

194 Kertelge, Rechtfertigung, 264 f.
195 Iwand, Predigtmeditationen I, 264 f.

sion, wenn bedacht wird, daß der Christ für Paulus vor allem ein Glied am Leib Christi, ein in Christus Existierender ist. Deutlich wird, daß Paulus nicht so sehr am Sein der Gnade im Christen interessiert ist, sondern am Sein des Christen in der Gnade, genauer in Christus, im Leib Christi. M.E. haben die Verfasser der Deuteropaulinen Paulus ganz gut verstanden, wenn sie von der Versetzung der Christen ins Reich Christi (Kol 1,13) bzw. der Darstellung der Gemeinde als einer heiligen und untadeligen (Eph 5,27) sprechen. Jedenfalls ist streng darauf zu achten, Paulus nicht durch die augustinische Brille zu betrachten. Für Augustinus gilt, was der Katholik Otto Hermann Pesch so kennzeichnet:

"Die 'Individualisierung' des Gnadenbegriffes, ja eine Tendenz zur Psychologisierung wird vollständig. Aus der neuen objektiven Heilssituation, in die man eintritt, wird der Grund der Geschichte des Einzelmenschen mit Gott. 'Gnade' ist jetzt streng ein Ereignis in der Seele des Menschen selbst, unanschaulich, unbeschreibbar, freilich in seinen Auswirkungen erfahrbar, in jedem Fall unentbehrlich, wenn der Mensch den Weg zum Heil finden und gehen soll."[196]

Für Paulus aber bleibt festzuhalten, daß er Gnade niemals so individualisiert denken kann, sondern die Taufe, die "seine Gnadenlehre verdeutlicht" (Kertelge), immer eine Taufe in den Leib Christi hinein ist (1. Kor 12,13). Das alles schließt selbstverständlich nicht aus, daß die Glieder am Leib Christi durch die Sünde gefährdet sind. Aber jedenfalls ist die Sünde das, was im Leib Christi nicht sein darf, was um jeden Preis bekämpft werden muß, denn die in Christus sind, gehören zur neuen Schöpfung (2. Kor 5,17) und die Sünde als das "Alte (ist) gerade die große Ausnahme gegenüber dem Neuen"[197].

c) Zusammenfassung und Beurteilung

Um zu einer abschließenden Beurteilung zu gelangen, müssen drei Fragen zunächst geklärt werden:
– Was ist der Befund bei den Paulustexten, um die es in der Diskussion geht?
– Was ist genau das theologische Interesse, das sich an das Simul knüpft?
– Wie ist diesem Interesse von dem hier vertretenen Verständnis paulinischer Theologie her zu begegnen?
Aufgrund der Beantwortung dieser Fragen wird es möglich sein, zu entscheiden, wieviel die exegetische Arbeit an Paulus zur Überwindung kontroverstheologischer Konfliktpunkte beiträgt und inwieweit sie selbst konfessionell gebunden bleibt.

196 Pesch, Frei Sein, 90.
197 Stuhlmacher, Erwägungen, 8. Vgl. auch die Zusammenfassung bei Schnelle, Gerechtigkeit und Christusgegenwart, 147: "In der Taufe ereignet sich die völlige Vernichtung des Sündenlebens, weil in ihr als einer Taufe auf den Tod Jesu der Getaufte vollständig am Schicksal seines Herrn partizipiert."

α) Der Befund bei Paulus

Der Befund bei Paulus ist schnell formuliert: An keiner von den Stellen, die für die Geltung des Simul bei Paulus zu sprechen schienen, wird die Sünde als eine die Gegenwart der Christen kennzeichnende und bestimmende Größe genannt. Christen leben in der Dialektik von Tod und Leben, Trauer und Freude, Armut und Reichtum (2. Kor 6,9 f). Aber nirgends deutet Paulus auch nur an, daß es für die Christen darüber hinaus eine Dialektik von Sünde und Gerechtigkeit gibt. Allerdings warnt der Apostel die Christen vor falscher Sicherheit, er weist auf die Gefährdung durch die Sünde im Fleisch hin. Leben die Christen auch nicht mehr κατὰ σάρκα, so leben sie doch ἐν σαρκί. (Es wurde schon darauf hingewiesen, daß das ἐν σαρκί in Röm 8,8 und Gal 2,20 jeweils unterschiedliche Konnotationen hat.) Meint die Existenz "im Fleisch" zunächst nur das irdisch-leibliche Dasein, so ist zugleich der Mensch ohne den Geist Gottes allein vom Fleisch bestimmt, weil allein auf seine menschlichen Möglichkeiten bedacht. Dann wird das Fleisch zum Wirkungsbereich der Sünde. Das Fleisch wird selbst zur Macht. Die "Werke des Fleisches" (Gal 5,19) sind Wirkungen, die die Sünde dort hervorbringt, wo Gottes Geist sie nicht hindert (Gal 5,16 f). Den Christen aber ist der Geist verheißen und sie haben ihn durch die Predigt vom Glauben auch wirklich empfangen (Gal 3,2.5). Die Warnung vor der Versuchung durch das Fleisch bleibt notwendig, weil Gottes Geist eben *Gottes* Geist ist und niemals zum unverlierbaren Besitz der Christen wird. Soll die Rede von der Versuchung, die wir bei Paulus ausdrücklich finden (Gal 6,1; 1. Kor 7,5; 10,13) aber ihren Sinn behalten, dann ist das Fleisch im Unterschied zum Geist gerade nicht die innere Bestimmung christlicher Existenz. Dem entspricht es, daß Paulus nicht nur vor der Versuchung durch das Fleisch warnt, sondern vor allem das Vertrauen darauf stärken will, daß, wer im Geist lebt, in der Auseinandersetzung mit dem Fleisch bestehen kann.

Über Joests glückliche Formulierung, daß Paulus der Gegenwart der Sünde "auf keinen Fall eine Seinsaussage" gönnt, daß er "für sie unter allen Umständen nur die Kampfansage übrig hat"[198], hinaus bleibt festzuhalten: Nicht allein kommt der faktischen Sünde des Christen allenfalls die Kampfansage zu, es gibt auch kein gleichberechtigtes und gleichgewichtiges Miteinander von Fleisch und Geist im Christen, aber der Christ gehört zu Christus, er lebt im Leib Christi, d.h. in der vom Geist Christ beherrschten Wirklichkeit. Versuchung durch das Fleisch als Macht kommt insofern immer von außen, als es ein illegitimer Übergriff in den Herrschaftsbereich des Geistes ist.[199]

---

198 Joest, Simul iustus et peccator, 293.
199 Deshalb kann ich Regin Prenters Urteil nicht folgen: "... dann ist auch bei dem Getauften die Sünde (als Begierde des Fleisches, die getötet werden muß) noch vorhanden in einem solchen Maße, daß es auch bei Paulus möglich ist von einem simul justus et peccator zu sprechen." Prenter, Bemerkungen, 13. Hier ist nicht ausreichend

Aus der Auslegung der häufig gegen das Simul angeführten Stellen kommt ein weiterer Aspekt hinzu: Gerade in der Auseinandersetzung mit faktischer Sünde (1. Kor 6) bzw. dem Vorwurf (oder der Tendenz), Sünde und Gnade im Leben des Christen nebeneinander stehen zu lassen, beruft sich Paulus auf die Taufe. Der Einmaligkeit der Taufe entspricht das Vorher-Nachher-Schema: vorher die Sünde, nachher die Gerechtigkeit. Oder in der vorsichtigen Formulierung Ferdinand Hahns:

"... vor der Taufe ist er (der Christ) ein zur Gnade Gottes Gerufener, nach der Taufe ist er ein unter dem Zuspruch der Rechtfertigung bereits Lebender...."[200]

Das Datum der Taufe macht die Rechtfertigung durch Gott sola gratia nicht zu einer einmaligen und damit vergangenen Sache. Der Christ ist bleibend auf die Rechtfertigung verwiesen. Aber er hat nicht nur Augenblicke vor Gott, sondern eine Geschichte mit Gott und in dieser Geschichte gibt es eine Wende, die mit dem Stichwort "Taufe" markiert ist.

β) Das theologische Interesse am simul iustus et peccator
Das theologische Sachinteresse an der Geltung des Simul setzt sich – soweit ich sehe – aus drei unterschiedlichen Motiven zusammen.

Das erste Motiv hängt zusammen mit der Furcht vor der "Schwärmerei". Als Schwärmerei gilt es, die Wirklichkeit der Sünde nicht ernst zu nehmen. Die Folge können ein Moralismus und ein christliches "Weltverbesserertum" sein – also die Meinung, durch die gute Absicht allein auch Gutes zu bewirken.[201] Die Sünde aber ist nach der Einsicht lutherischer Theologie auch und gerade in den besten menschlichen Absichten am Werk.

Aus einem realistischen Sündenverständnis ergeben sich aber, wenn keine ebenso realistische Gnadenlehre hinzutritt, schwere Probleme. Hans-Joachim Iwand kennzeichnet diese Position so:

"Sie unterscheiden zwischen der objektiven Realität der Sünde (mit allen ihren sozialen, politischen und leibhaft-sinnlichen Auswirkungen) und dem personalen, auf den Menschen in seinem 'Gottesverhältnis' gegründeten Gnadenbewußtsein ... (Es herrscht)

differenziert zwischen dem Fleisch als Aussein des Menschen auf sich selbst, das als solches zur Macht wird, die den Menschen bestimmt, und dem Fleisch als Ausdruck der Kreatürlichkeit, der Geschichtlichkeit auch der christlichen Existenz." Vgl. Seebaß, Fleisch, 345: "Der Glaubende ist also seinen menschlichen Möglichkeiten nach, sein Leben als Leben zu gestalten, schon tot und in diesem Sinne nicht mehr Fleisch (in seinen Möglichkeiten; Röm 8,8 f)."
200 Hahn, Taufe und Rechtfertigung, 123.
201 Hans-Joachim Iwand kennzeichnet diese Furcht vor Schwärmerei im politischen Kontext sehr negativ. In der Auseinandersetzung um die Friedensfrage in den 50er Jahren fragt er: "Wie kann der Mensch noch ein Christ sein, der nichts Anderes zu sagen weiß, als daß durch die Sünde die Welt gefallen sei, darum eben Kriege sein würden bis ans Ende der Welt und infolgedessen – und das ist dann immer der alte Schluß – die Menschen, die an den Frieden 'glauben', als Schwärmer zu achten sind." Iwand, Die politische Existenz, 197.

Resignation gegenüber der Realität von Sünde und Tod in der Welt, nach Art von Gefangenen, die sich daran gewöhnt haben, das Gefängnis, in dem sie leben, für den normalen Aufenthaltsort des Menschen zu halten - und zugleich Erhebung zur Gnade als den für den einzelnen in seiner persönlichen Misere jederzeit offenstehenden Trost."[202]

Man wird dies nicht als Karikatur abtun, denn Iwand bringt als Beleg sofort ein Zitat Theodor von Zahns. Wichtiger aber ist, daß auch Regin Prenter von einem "Defaitismus" gegenüber der Sünde spricht und fragt,

"ob nicht eine gewisse, lutherische ... Betonung der Unausrottbarkeit der (in den Getauften) bleibenden Sünde (besonders im Zusammenhang der Obrigkeitslehre und der übrigen Sozialethik) einer Säkularisierung des Evangeliums sehr nahe kommt"[203].

Prenter weist darauf hin, daß hier eine Verfälschung des lutherischen Simul vorliegt, die gleichwohl im Luthertum vorgekommen ist und vorkommt. Es handelt sich also um eine "illegitime", faktisch aber bestehende Motivation für die Behauptung des Simul.

Das zweite Motiv klang bereits an: Es ist die Einheit und dauernde Geltung des Rechtfertigungsgeschehens.[204] Es genügt nicht zu sagen, daß Gott den Menschen einmal aus Gnade rechtfertigt. Vielmehr bedarf der Christ in seinem ganzen Leben der Rechtfertigung, d.h. aber der Gnade und Sündenvergebung Gottes. Sonst entstünde eine Art doppelter Rechtfertigung, zuerst die Rechtfertigung des Sünders durch die Gnade Gottes und dann die Rechtfertigung des Gerechten aufgrund der durch die Gnade erworbenen Verdienste.

"Für Luther steht es fest, daß auch der gerechtfertigte Mensch ein Sünder ist, der nichts Eigenes hat, worauf er sich vor Gott berufen kann, sondern auch weiterhin eine Zuflucht zu dessen sündenvergebender Gnade nehmen muß."[205]

In der modernen Diskussion erscheint dieses Argument in anthropologischer Zuspitzung. Es geht um die Identität des Menschen, darum – so Blank –, daß die Sünde nicht versachlicht und veräußerlicht, sondern als menschliches Phänomen anerkannt wird – oder darum, daß Verdrängung abgebaut wird. In der Sprache Gerd Theißens:

"Von der schon geschehenen Wende zum Positiven her wird rückblickend die Vergangenheit bewußt gemacht ... Erst die wieder angeeignete Identität beleuchtet den vorhergehenden Konflikt. Erst von Christus her, fällt ein Licht auf Adams Ausweglosigkeit."[206]

Das Simul wird hier zum Ausdruck der Einheit der geschichtlichen Existenz des Menschen als Sünder und Gerechtfertigter.

Das dritte Motiv ist mit dem zweiten eng verknüpft, aber nicht identisch. Es geht um die Worthaftigkeit der Rechtfertigung, darum daß die Rechtfer-

202 Iwand, Predigtmeditationen I, 263.
203 Prenter, Dogmatische Bemerkungen, 9.
204 Vgl. dazu nochmals: Nygren, Simul iustus et peccator.
205 a.a.O., 366 f.
206 Theißen, Psychologische Aspekte, 268.

tigung bleibend nicht nur sola gratia, sondern auch als sola fide geschieht, d.h. daß die Zuordnung von Wort und Glaube bewahrt bleibt. Würde nach dem "Ereignis" der Rechtfertigung das Gerechtfertigtsein zur ontischen Qualität, würde sie ontologisch beschreibbar, so wäre sie eben nicht mehr sola fide. Die Gabe der Rechtfertigung wäre noch anders präsent als im Glauben und für den Glauben der forensische Sinn der Rechtfertigung aufgehoben. Auch dieses Argument wird in anthropologischer Wendung von modernen Exegeten, vor allem von Bultmann, aufgenommen. Weil es im Glauben um ein neues "Selbstverständnis" geht – das Schlagwort sei hier gebraucht – deshalb kann die Neuheit des Lebens auch nirgends anders ihren Ort haben als im neuen Selbstverständnis, eben im Glauben.[207]

γ) Eine Antwort von Paulus her
Was ist nun auf diese drei Motive der Verteidigung des Simul von Paulus her zu antworten? Das erste Motiv macht die Antwort relativ leicht: Der "Sündendefaitismus" stellt Paulus auf den Kopf. Oft genug wurde betont, daß für den Christen nach Paulus die Sünde das Singuläre ist und nicht das "Normale". Aber mehr noch: Paulus rechnet mit dem Anbruch der neuen Schöpfung mitten in diesem Äon und dies ist anderes und mehr als die Heimholung des religiös-sittlichen Selbstbewußtseins in die Gnade.

"καινὴ κτίσις meint bei Paulus reale Neuschöpfung; sie beruht auf der Vorgabe des Geistes; sie hat in ihrem geschichtlichen Laufe zu Gott leibhaftige Doxologie zu üben, eine Doxologie, welche die Welt zeichenhaft und stellvertretend ihrem Schöpfer neu zuzuerkennen beginnt."[208]

Auch wer diesem Satz Stuhlmachers nicht in jeder Einzelheit folgen will, muß zugeben, daß es nicht angeht, dem Apostel eine realistische Sünden- und eine spiritualistische Gnadenlehre zuzuschreiben. Wer von der Wirklichkeit der Sünde in der Welt redet, der muß im Sinne des Paulus noch viel mehr von der Wirklichkeit der Gnade und vom Leib Christi als dem Ort der leibhaften Wirklichkeit der Gnade im Geist reden. Der Konsens unter den Exegeten ist hier selbstverständlich.

Das zweite Motiv kreist unter unterschiedlichen Aspekten um die Frage, ob der Mensch auch in der Rechtfertigung er selbst bleibt und der Rechtfertigung stets neu bedarf. Von Paulus her ist zu sagen, daß der gerechtfertigte immer der gerechtfertigte Sünder bleibt, aber eben nicht immer der zu rechtfertigende Sünder ist. Die Taufe setzt eine Zäsur nicht im Blick auf das

207 Auf "eine klassisch lutherische Deutung" von 1. Kor 6,11 bei Philipp Bachmann, die das genannte Anliegen klar zum Ausdruck bringt, weist Schnelle hin (Gerechtigkeit und Christusgegenwart, 180, Anm. 81): "Das innerste und köstlichste Gut, das ihnen dabei zuteil wurde, nennt endlich ἐδικαιώθητε: Die Rechtfertigung, vermöge deren Gott davon absieht, dem Menschen seine Sünde als Schuld anzurechnen, indem er ihm den Glauben an die Erlösung in Christo zur Gerechtigkeit rechnet." Bachmann, 1. Korinther, 243.
208 Stuhlmacher, Erwägungen, 27.

rechtfertigende Handeln Gottes, wohl aber im Blick auf die Geschichte des Menschen. Selbstverständlich kann Röm 7 nur a posteriori geschrieben sein - d.h. aber es kann nur von der geschehenen Wende her geschrieben sein, von der Erkenntnis her: "So gibt es nun keine Verdammnis für die, die in Christus Jesus sind" (Röm 8,1). Unter beiden Aspekten, unter dem der Identität wie unter dem der Geltung des sola gratia auch für den Gerechtfertigten, geht es letztlich um das Verhältnis des rettenden Handelns Gottes zur Geschichtlichkeit menschlicher Existenz. Vielleicht kann hier ein Denkmodell aus der Dogmatik weiterhelfen. Die Dogmatik unterscheidet innerhalb der Schöpfungslehre zwischen der Schöpfung im strengen Sinn und der Erhaltung. Damit ist zweierlei gesagt: 1. Es gibt im Blick auf die Relation des Schöpfers zum Geschöpf keinen qualitativen Unterschied. Gott ist immer der Schöpfer, wie im Augenblick der Erschaffung aus dem Nichts so in jedem Augenblick, wo er das Geschöpf vor dem Fall ins Nichts bewahrt. Das Geschöpf aber ist immer Geschöpf, verdankt sein Sein immer dem Schöpfer, niemals sich selbst. 2. Dennoch, obwohl es im Blick auf das schöpferische Handeln Gottes keinen qualitativen Unterschied gibt, ist zu unterscheiden, nämlich im Blick auf die Zeit. Im "Augenblick" der Schöpfung hat eine Geschichte begonnen, die Geschichte des Geschöpfes mit seinem Schöpfer. Es wird nicht unzählige Male neu geschaffen, sondern hat dank der gnädigen Erhaltung Gottes ein kontinuierliches Sein. Ohne die Unterscheidung von Schöpfung und Erhaltung kann keine Geschichte Gottes mit der Welt gedacht werden.

Dieses Modell ist nun auf die Neuschöpfung zu übertragen. Auch im Blick auf Gottes rechtfertigendes Handeln gibt es keinen qualitativen Unterschied, wohl aber hat damit eine neue Geschichte des Schöpfers mit seinem Geschöpf begonnen, dessen Beginn durch die Taufe markiert wird. In jedem Augenblick verdankt der Gerechtfertigte sein neues Sein Gott, aber er hat nicht nur Augenblicke mit Gott, sondern eine Geschichte mit Gott. Man wird von daher Kertelges kritischer Anfrage an Stuhlmacher Recht geben:

"Betont Paulus nicht mehr noch als die Treue des Schöpfers zu seiner Schöpfung die neue Schöpfung? Markiert nicht in diesem Sinne das νυνὶ δέ von Röm 3,21 einen Einschnitt, ein neues Anheben im Handeln Gottes mit den Menschen?"[209]

Es ist nicht schwer, in der Differenz von Stuhlmacher und Kertelge nochmals die alten konfessionellen Gegensätze zu erkennen: Dem protestantischen Ansatz Stuhlmachers geht es um die Treue des Schöpfers zu seiner Schöpfung, d.h. auch um die Kontinuität des Geschöpfs über die Äonenwende hinweg. Für den katholischen Ansatz Kertelges ist die Neuschöpfung und damit begonnene neue Geschichte wichtig, der Anfang einer neuen Kontinuität. Man muß aber beachten, wie subtil die Fragestellung

209 Kertelge, Rechtfertigung, 308.

geworden ist. Steht für Paulus die Treue Gottes zu seiner Schöpfung im Mittelpunkt oder das Handeln Gottes in der Neuschöpfung? Nach der hier vertretenen Sicht paulinischer Theologie ist dabei Kertelge der Vorzug zu geben. Zwar redet Paulus von der Schöpfung, auch im gewichtigen Zusammenhang (Röm 1,20; 4,17; 8,19 ff), aber sein fundamentales Interesse gilt der neuen Schöpfung (Röm 6,4.19; 7,6; 2. Kor 5,17; Gal 6,15), wobei – und dies ist m.E. die besondere Pointe des Paulus – beide dadurch miteinander verbunden sind, daß die Hoffnung der neuen Schöpfung auch die Hoffnung der alten ist (Röm 8,18-25).

Die Antwort auf das dritte Mal fällt am schwersten, weil zur Klärung weitgehend Begriffe und Modelle fehlen. Wie steht es in dieser Sicht paulinischer Theologie mit der Zuordnung von Wort und Glaube? Daß an den paulinischen Kernstellen Rechtfertigung und Glaube zusammengebunden werden, ist völlig unbestritten (Gal 2,16; Röm 3,28 usw.). Der Katholik Kertelge formuliert:

"Das 'sola-fide', das in der Reformationszeit programmatische Bedeutung erhält, hat also im Rahmen der paulinischen Rechtfertigungsbotschaft seine volle und eigentliche Bedeutung."[210]

Andererseits wurde schon darauf hingewiesen, daß in den vorpaulinischen Rechtfertigungsaussagen, die Paulus übernimmt, und in den Deuteropaulinen diese Zuordnung nicht gegeben ist (bzw. nur eine Zuordnung von Gläubigwerdenden und Rechtfertigung). Auch dies ist ökumenischer Konsens unter den Exegeten. Für unsere Frage nach der Geltung des Simul ist aber etwas anderes wichtig: Katholische wie evangelische Exegeten lehnen – wie gezeigt – Heinrich Schliers sakramental-ontologische Deutung des Rechtfertigungsgeschehens ab. Es kann also keine Rede davon sein, daß die alte gratia-infusa-Lehre bzw. die Behauptung einer neuen Seinsqualität des Gerechtfertigten, die Gott – nachdem er sie einmal geschaffen – nur noch anerkennen könne, in der Exegese aufersteht. Vielmehr geht es darum, daß nicht durch ein zu enges Verständnis des Wortes Gottes der alte Gegensatz von forensischer und effektiver Rechtfertigung aufs Neue aufgerissen wird. Gottes Wort ist für Paulus schöpferisches Wort, das schafft, was es sagt (Röm 4,17; 2. Kor 5,19; Phil 2,16; vgl. 2. Kor 10,4 f) – nämlich ein neues Sein. Daß Paulus das enthusiastische Mißverständnis des neuen Seins als einer durch das Sakrament erlangten Infallibilität bekämpft, heißt ja nicht, daß er die Rede vom neuen Sein als solche preisgibt. Die Frage ist nur, in welcher Weise die Paulusexegese, diese Rede vom neuen Sein aufnehmen kann. Darf davon "ontologisch" geredet werden? Die Bultmannschule würde das verneinen. Aber ihr Wirklichkeitsverständnis erweist sich als zu eng, zu weltlos für Paulus.[211] So wird man sagen müssen, daß die Ablehnung

---

210 a.a.O., 225.
211 Vgl. Stuhlmachers Urteil: "Bultmann und seiner Schüler Interpretation des Paulus

der Schlierschen Qualitätsontologie nicht heißen kann, ontologische Rede als solche preiszugeben. Mußner spricht von einer "'pneumatischen' Ontologie", die "nicht philosophisch im Sinne einer Seinsmetaphysik genommen werden"[212] dürfe.

Kertelge meint das gleiche, wenn er - wie schon angeführt - sagt: "Tatsächlich denkt Paulus 'Gerechtigkeit' und 'Rechtfertigung' weder ontisch im Sinne der griechischen Seinsphilosophie noch imputativ im Sinne einer nur äußeren Geltung, sondern dynamisch. 'Gerechtigkeit' ist eine Kraft, die sich dem Menschen mitteilt und in ihm wirkt, ohne eine naturhafte Eigenschaft des Menschen selbst zu werden."[213]

Stuhlmacher schließlich geht mit einer etwas esoterischen Formulierung in die gleiche Richtung, wenn er dem Apostel einen "spätjüdisch geprägten", ihm "christologisch eröffneten Seinsbegriff" zuschreibt, "der den Geist und das von ihm durchpulste Sein als ontischen Anspruch und damit als Tiefendimension des herrscherlichen Gotteswerkes begreift"[214].

Kurz: Der Gegensatz von metaphysischer Seinswirklichkeit und ethischpersonaler (Wort-) Wirklichkeit greift bei Paulus zu kurz. Dem Wort entspricht auf seiten des Christen der Glaube. Aber das Wort greift über den Glauben hinaus, schafft eine neue Wirklichkeit, in der sich der Glaube vorfindet und nicht umgekehrt. Zur Qualität des Menschen wird diese Wirklichkeit deshalb nicht, weil sie immer die Wirklichkeit des Schöpferwortes bleibt, das vom Schöpfer nicht ablösbar ist. So wenig die Geschöpflichkeit zur Seinsqualität des Geschöpfs wird, sondern ihren Sinn nur behält in der Relation zum Schöpfer, so wenig wird das neue Sein in Christus zu einer sich Gott gegenüber verselbständigenden Qualität. Von dieser Einsicht her ist es aber überflüssig und falsch, das bleibende Sündersein des Christen zu postulieren, um zu sichern, daß seine Relation zu Gott eine sola-fide-Relation bleibt.

δ) Ergebnis

Damit ist nun endlich ein abschließendes Urteil über die Konfessionalität exegetischer Arbeit in der Frage des simul iustus et peccator möglich. Von dem aufgewiesenen Konsens her ist dies in aller Kürze zu formulieren.

– In der evangelischen Exegese der letzten 50 Jahre wird eine wechselvolle Geschichte sichtbar, in der das lutherische Interesse an der Geltung des Simul und zuwiderlaufende exegetische Einsichten miteinander ringen. Dieses Ringen ist bis heute nicht ganz beendet.

---

mit lutherischen Interpretationskategorien bedeutet de facto, daß hier Interpretamente verwendet werden, welche strukturell denen des Rabbinats sehr nahe und also in der Gefahr stehen, die Penetranz der paulinischen Gedankenführung nicht mehr bewußt zu machen." – weil Paulus der Apokalyptik nahesteht. Erwägungen, 25.

212 Mußner, Galaterbrief, 281.
213 Kertelge, Rechtfertigung, 260.
214 Stuhlmacher, Erwägungen, 31 f.

– Offenbar ist auch trotz des Schriftprinzips theoretisch nicht ausreichend geklärt, unter welchen Voraussetzungen ein theologisches Denk- und Sprachmuster endgültig fallengelassen wird.
– In der katholischen Exegese verschwindet das Denkmuster von sakramentaler Verleihung und ethischer Ein- und Ausübung der Rechtfertigung immer mehr. Durch diese Neuorientierung finden katholische Theologen den Zugang zur Eigenart paulinischen Denkens oft sehr schnell und manchmal unbelasteter von bestimmten Auslegungstraditionen als ihre evangelischen Kollegen.

§ 3 Rechtfertigung und Heiligung –
Eine Präzisierung

Durch die Erörterung der Simul-Frage schien immer wieder ein anderes, eng verwandtes Thema durch, das ebenfalls mit einer langen Geschichte kontroverstheologischer Diskussion verknüpft ist: Rechtfertigung und Heiligung. Die Bestimmung des Verhältnisses von Rechtfertigung und Heiligung erscheint geradezu als Konsequenz des jeweiligen Standpunktes in Sachen simul iustus et peccator.

A. Das Problem

Versucht man, sich die katholische und die reformatorische Grundposition zu vergegenwärtigen, so wird man sogleich mit einer – allerdings nur scheinbaren – Paradoxie konfrontiert. Zunächst ist nach katholischer Auffassung die Heiligung der Rechtfertigung unmittelbar beigeordnet; es handelt sich nur um zwei Aspekte ein- und desselben Geschehens, ja beide erscheinen letztlich als identisch.

"Gottes Gerechtsprechung ist als Gottes Gerechtsprechung zugleich Gerechtmachung; und von da her folgt, daß die Rechtfertigung alle seinshaften Wirkungen und effektiven Wandlungen in den Gerechtfertigten, also auch eine positive, von Gott bewirkte Heiligung, in sich beschließt."[1]

Im Unterschied dazu ordnen die Reformatoren die Heiligung der Rechtfertigung nach als die Frucht, ohne die Rechtfertigung und Glaube zwar nicht sein können, die aber gerade nicht konstitutiv für die Rechtfertigung ist. Der Glaube allein rechtfertigt, nicht etwa Glaube und Werk. (Für die Reformatoren spitzte sich die Frage nach der Heiligung vor allem in der Problematik der "guten Werke" zu.[2])

Auf den zweiten Blick aber zeigt sich, daß im katholischen Denken gerade die so inklusiv verstandene Rechtfertigung durchaus ergänzungsbedürftig ist, wenn auch diese Ergänzungsbedürftigkeit im einzelnen sehr verschieden bestimmt wird. So kann etwa klassisch-tridentinisch gesprochen werden von einer ersten rein gnadenhaften Rechtfertigung, die durch den Menschen vertieft, deren Gnade vermehrt werden kann. Diese Vermehrung wird schließlich im Endgericht nochmals gerechtfertigt, nun im Sinne ihrer Annahme durch Gott.[3] Anstatt von Vermehrung kann man auch von

---

1   Küng, Rechtfertigung und Heiligung, 255.
2   Vgl. dazu Weber, Grundlagen II, 361 ff.
3   Vgl. dazu Werbick, Rechtfertigung des Sünders, vor allem 50 ff. Werbick zitierte

"Bewährung" sprechen, wodurch das tridentische Schema zwar in eine Sprache überführt wird, die näher bei der des Paulus ist, aber nicht prinzipiell verlassen wird. Auch die Rede von der "Verwirklichung" gehört hierher; Rechtfertigung und Heiligung gehören nach dieser Auffassung zusammen wie göttlich gesetzte Wirklichkeit und menschliche Verwirklichung.

Demgegenüber gibt es in der Reformation keine Forderung nach Heiligung, die über die Rechtfertigung hinausführt. Zwar wird dort, wo die Rechtfertigung vor allem imputativ gesehen wird, wie in der Schule Melanchthons, auch die Notwendigkeit der Heiligung eingeschärft, aber zum einen zeigt sich darin bereits ein defizitäres Verständnis des reformatorischen Grundansatzes[4] und zum anderen "vermehrt" die Heiligung auch bei Melanchthon das in der Rechtfertigung Gegebene um kein Jota. Wo reformatorisch gedacht wird, wird auch nirgends gesagt, die Heiligung diene der Bewährung der Rechtfertigung, allenfalls kann von ihrer Bewahrung gesprochen werden[5] – nämlich gegen die Sünde. Daß es sich bei der Ablehnung der "Bewährung" und der Annahme der "Bewahrung" nicht nur um ein Sonderanliegen einer besonders lutherischen Dogmatik handelt, wird bei Peter Stuhlmacher deutlich:

"Paulus versteht unter der 'Bewährung' des Christen nur in dem Sinne ein um das eigene Heil besorgtes Tätigwerden vor Gott, daß dieses Tätigwerden zugleich zu einem wider die unbotmäßige Welt ankämpfenden und damit zugleich werbenden Zeugnis christlicher Freiheit wird. Um diese Grundintention des Paulus hervorzuheben, sprechen wir lieber davon, daß Paulus seine Gemeinden und sich selbst aufruft, ihren Taufstand kämpfend zu bewahren."[6]

Auf der einen Seite steht hier also die römisch-katholische Lehre, die die Effektivität der Rechtfertigung einschärft, aber zugleich dazu aufruft, die

---

aus einer katholischen "Normaldogmatik": "Unter der Voraussetzung, daß die erste Rechtfertigungsgnade (gratia prima) unter keinen Umständen als Verdienstobjekt gelten kann, ist es ein Glaubenssatz, daß die Vermehrung dieser absolut unverdienbaren Gnade, d.i. die sog. zweite Gnade (gratia secunda) auch durch gute Werke wahrhaft verdient wird." a.a.O., 51.

4   Vgl. dazu Althaus, Wahrheit, 635 ff. Althaus beurteilt die rein forensische Sicht der Rechtfertigung allerdings als Gewinn. Die lutherische Theologie habe "schon bei Melanchthon den Begriff Rechtfertigung ausschließlich im Sinne der neuen Geltung angewandt und die Versetzung in ein neues persönliches Sein begrifflich davon unterschieden. Das entspricht dem Sprachgebrauch des Paulus: bei ihm ist der Begriff δικαιοῦν streng und ausschließlich forensisch ... Die Differenzierung des Sprachgebrauches gegenüber dem scholastischen und frühlutherischen hilft dazu, die Lehre von der neuen Geltung des Menschen rein zu halten von aller ethizistischen Trübung." a.a.O., 635.

5   Vgl. etwa Köberle, Rechtfertigung und Heiligung. Köberle spricht zunächst vom "Gericht Gottes über die Selbstheiligung des Menschen" und dann nach der Rechtfertigung von der "Bedeutung der Heiligung für Verlust und Bewahrung des Glaubensstandes".

6   Stuhlmacher, Gerechtigkeit Gottes, 234.

Rechtfertigung aktiv zu bewähren, auf der anderen Seite die lutherische Position, die den forensischen Charakter der Rechtfertigung betont, zugleich aber der Heiligung im Blick auf die Rechtfertigung allenfalls eine bewahrende Funktion zuschreibt. Wie ist dieser – zumindest auf den ersten Blick – paradoxe Befund zu erklären?

Eine erste Antwort erhält man, wenn man sich klarmacht, daß der katholischen Tradition eine "eher qualifizierende (metaphysische) Betrachtungsweise"[7] eigentümlich ist. Sie betrachtet den Effekt der Rechtfertigung im Menschen und versteht diesen als gnadenhafte Ermöglichung erneuerter menschlicher Praxis. Der reformatorischen Rechtfertigungslehre geht es demgegenüber

"gar nicht darum, die Rechtfertigung qualifizierend zu beschreiben; sie betrachtet die Rechtfertigung immer als relationales Ereignis und legt alles Gewicht darauf, daß der Mensch in dieser Relation niemals und in keiner Hinsicht als Bedingung des göttlichen Heilshandelns in Betracht kommt."[8]

Mit anderen Worten: Wo Rechtfertigung im Rahmen einer – anthropologisch orientierten – Gnadenlehre gedacht wird, liegt es zumindest sehr nahe, zu fragen, wozu die Rechtfertigung den Menschen befähigt. Wo aber das gerechtsprechende Urteil Gottes im Vordergrund steht, ist zu fragen, was der Mensch durch dieses Urteil wird – ein Gerechtfertigter – nicht aber, was er aufgrund des Urteils kann.

Von daher wird ein weiterer Aspekt klar: Nach katholischer Auffassung hat die durch die Rechtfertigung ermöglichte Heiligung Bedeutung für die Gottesbeziehung des Menschen. Sie ist Heiligung des Menschen im Blick auf Gott. Nach reformatorischem Verständnis gehört die Heiligung in die Beziehung zum Nächsten. Ihm dienen die Taten des Gerechtfertigten. Die Gottesbeziehung ist allein durch Gottes Tat, d.h. sein Rechtfertigungsurteil konstituiert. Ein dritter Aspekt bleibt zu nennen: Kann Heiligung im reformatorischen Denken einzig den Charakter des Gehorsams haben, ist also durch Gottes Anordnung bestimmt, so kann sie auf der katholischen Seite auch als Darstellung des Effektes der Rechtfertigung vor der Welt verstanden werden. Der Gegensatz in dieser Frage hat weitreichende Konsequenzen. Auf der einen Seite dienen die Werke dem Nächsten, spielen aber für die Verkündigung keine Rolle, denn verkündigt kann nur das Wort Gottes selbst werden. Auf der anderen Seite hat die Wirkung des Handelns Gottes im Menschen durchaus Zeugnisfunktion. Man wird deshalb urteilen dürfen, daß die Betonung des transempirischen Charakters der Rechtfertigung durch den jungen Bultmann[9] nicht oder nicht nur das Ergebnis seiner philosophischen Voraussetzungen war, sondern durchaus in der Konse-

7   Werbick, Rechtfertigung des Sünders, 51.
8   ebd.
9   Vgl. dazu den Aufsatz: Bultmann, Problem der Ethik, und die Erörterung im vorigen Kapitel.

quenz eines allerdings radikal verstandenen reformatorischen Paulusverständnisses lag.[10]

Die Darstellung der dogmatischen Differenzen um Rechtfertigung und Heiligung soll hier abgebrochen werden. Es dürfte deutlich geworden sein, daß die unterschiedlichen Verhältnisbestimmungen Ergebnis zweier verschiedener Auffassungen vom Wesen des Rechtfertigungsgeschehens selbst sind und jeweils in sich der Logik des eigenen Ansatzes durchaus entsprechen. Man kann die Fragestellung etwa so zusammenfassen: Ist die Rechtfertigung ein analytisches Urteil, spricht Gott den Christen also um der vorausgesehenen Heiligung bzw. Bewährung gerecht (bzw. gibt es nach einer ersten, gnadenweisen Rechtfertigung eine zweite Rechtfertigung aufgrund der mit Hilfe der Gnade erworbenen Verdienste), oder ist die Rechtfertigung ein synthetisches Urteil, in dem Gott dem Christen die fremde Gerechtigkeit Christi zuspricht? Ist die Heiligung also mit der Rechtfertigung lediglich kausal (reformatorisch) oder sowohl kausal als auch final verknüpft (katholisch)? Zu bemerken ist dabei, daß die Kennzeichnung der Rechtfertigung als analytisches Urteil von dem protestantischen Lutherforscher Karl Holl[11] stammt, der allerdings damit entschiedene Kritik geerntet hat.[12]

---

10 In seinem Aufsatz "Die Welt als Möglichkeit und Wirklichkeit" führt Eberhard Jüngel die Auseinandersetzung mit der aristotelischen Philosophie um den "ontologischen Ansatz der Rechtfertigungslehre". Jüngel, Möglichkeit, vgl. etwa 216: "Das Verständnis des Gerechtseins als einer durch das wiederholte Tun der ontologisch gleichen Taten (Akte) bewirkten menschliche $\varepsilon\xi\iota\varsigma$ (= einer vom menschlichen Ich in bestimmter Hinsicht erworbenen Verfassung desselben, durch die es etwas vermag) setzt das oben beschriebene Wirklichkeitsverständnis voraus. Der Mensch bewirkt seine Wirklichkeit und im Bewirken seiner Wirklichkeit ist er wirklich. Der Mensch ist wirklich, indem er Wirklichkeiten schafft, die dann als solche Möglichkeiten für erneuertes gesteigertes Wirken sind..." Für den katholischen Ansatz gilt diese Beschreibung insofern, als Gott gnadenhaft Wirklichkeit schafft, die dann "als solche Möglichkeiten für erneuertes gesteigertes Wirken" freigibt. Zu erinnern ist aber auch daran, daß Kertelge den Satz "esto iustus quia iustus factus es" als Ausdruck unbiblischer griechischer Seinsphilosophie ablehnt.
11 Vgl. etwa: "Das Rechtfertigungsurteil kann bei ihm (Luther) das eine Mal synthetisch, das andere Mal analytisch lauten, ohne daß hierdurch ein Widerspruch entstünde. Aber die letztere Form ist in Luthers Sinn die theologisch genauere." Holl, Luther, 125.
12 Zur Kritik an Holl vgl. Pesch/Peters, Einführung, 329-331.

B. Die Diskussion des Problems in der katholischen Exegese

a) Otto Kuss

Sichtet man die Arbeit katholischer Exegese am Problem Rechtfertigung und Heiligung, so gilt es, zunächst auf die Stimme von Otto Kuss zu achten. In der zweiten Lieferung seines Kommentars zum Römerbrief findet sich ein umfangreicher Exkurs "Heilsbesitz und Bewährung"[13]. Festzuhalten ist hier nochmals, was weiter oben schon angedeutet wurde: Kuss ist der erste katholische Exeget, der die Spannung von Indikativ und Imperativ bei Paulus nicht mehr im Schema gnadenhafter Heilsverleihung und menschlicher Einübung erklärt, sondern aus der Existenz des Christen im neuen und alten Äon zugleich:

"Der Glaubende und Getaufte steht in einem Kraftfeld, in dem die Energien des kommenden Äons schon wirksam sind, in dem sich jedoch die Einflüsse des alten Äons noch sehr deutlich und unbequem, ja gefährlich und unter Umständen tödlich bemerkbar machen."[14]

Angesichts der Gefährdung würde man nun erwarten, daß Kuss den Akzent auf die Bewahrung des Heilsstandes legt. Tatsächlich aber geht es nach ihm im Horizont des kommenden Gerichts gerade um die Bewährung, die nicht in "einem Mehr oder Weniger ... sondern lediglich einem fundamentalen Ob oder Ob-nicht" bestehen kann.

Es handelt sich "grundsätzlich, 'trotz allem' noch um ein Risiko ... das Tod oder Leben bedeutet" und nicht etwa um "absolute Sicherheit"[15].

Der Hinweis darauf, daß auch dem Christen das Gericht noch bevorsteht und daß es im Blick auf dieses Gericht keinerlei Heilssicherheit gibt, wird bei Kuss zum Angelpunkt des gesamten Problems. Daraus folgt, daß zwar die Initiative zum Heil allein bei Gott liegt, daß aber von Seiten des Menschen eine Aktivität hinzukommen muß, eben die Aktivität, über deren Dasein oder Fehlen er im Gericht Rechenschaft zu geben hat. Der Christ der zweiten Generation und späterer Zeiten muß mit einer neuen Situation fertigwerden:

"... daß er nämlich einem übermächtigen, mit menschlicher Kraft niemals überwindbaren Unheil entronnen ist, daß also das Wesentliche getan ist, wenn auch gewiß noch einiges zu tun bleibt und eben dies Noch-zu-tun-Bleibende sich verständlicherweise in den Mittelpunkt des Bewußtseins und des Denkens drängt."[16]

Dies, was noch zu tun bleibt, sieht Kuss allerdings nicht oder kaum im Kontext von Gottes Vorgabe und menschlicher Ergänzung bzw. von Gna-

---

13   Kuss, Römerbrief, 396-432.
14   a.a.O., 408.
15   a.a.O., 413.
16   a.a.O., 412 f.

denverleihung und Darstellung der Gnade in der christlichen Existenz. Vielmehr geht es um den Kampf gegen die auch den Christen noch bedrohende und überall latent gewordene Sünde.

In diesem Rahmen gehört "Gott allein alle Initiative" und wird "von dem Menschen das Äußerste gefordert"[17]. In diesem Rahmen steht auch der Appell an den Willen des Christen. Denn das Gott-versklavt-Sein von Röm 6,22 "als Folge göttlichen Handelns kann und muß willentlich realisiert werden"[18].

Letztlich bleibt auch die Rede von der Bewährung im gleichen Rahmen.

"Es wird ... deutlich, daß die grundlegende Möglichkeit zum Sichbewähren erst mit dem Heilswerk Gottes durch Jesus Christus geschaffen wurde: Vor Jesus Christus und ohne Jesus Christus gibt es Bewährung vor Gott nicht, aber es ist die klare Auffassung des Apostels, daß die Glaubenden und Getauften sich angestrengt um sie mühen müssen."[19]

Eine erste Reflexion ist hier zu notieren: Man würde erwarten, daß dort, wo die Gefährdung des Heilsstandes durch Versuchung und Sünde im Mittelpunkt steht, vor allem vom Bewahren dieses Heilsstandes, vom ständigen Zurückgeworfensein auf Gottes Gabe die Rede ist. Statt dessen schärft Kuss immer aufs Neue die Notwendigkeit menschlicher Aktivität ein. Selbst dort, wo er selbst ausdrücklich den "passiven" und indikativischen Sinn einer apostolischen Aussage anerkennt, da sieht er doch die Tendenz zur Aktivität hinlaufen:

"... sowohl der Begriff 'Frucht' als auch der Begriff 'Heiligung' haben verbunden mit den Indikativen, einen 'passiven' Sinn, aber im Zusammenhang bekommen sie eine 'aktive' imperativische Spitze und wenden sich an den Willen der Glaubenden und Getauften."[20]

Man wird aufgrund dieser Aussagen nicht anders urteilen können, als daß Kuss entschieden in der katholischen Tradition bleibt, wenn er zwischen einer Anfangsrechtfertigung, die dem Menschen allererst die Möglichkeit zur Bewährung gibt, und einer Endrechtfertigung im Gericht aufgrund dieser Bewährung (bzw. einer Verwerfung aufgrund mangelnder Bewährung) unterscheidet. Daß es dabei nicht mehr in erster Linie um die verdienstliche Vermehrung der Gnade geht, sondern um das Standhalten in der Gefährdung durch die Sünde ist deutlich. Betrachtet man aber das Drängen auf Aktivität, so stellt sich die Frage, ob nicht sogar das Standhalten letztlich einen verdienstlichen Charakter hat.

b) Hans Küng

Ein weiterer katholischer Beitrag, den es hier zu betrachten gilt, stammt von Hans Küng. In seinem Aufsatz "Rechtfertigung und Heiligung nach dem

17   a.a.O., 406.
18   a.a.O., 400.
19   a.a.O., 398.
20   a.a.O., 405.

Neuen Testament"[21] greift er Überlegungen aus seinem Buch "Rechtfertigung"[22] auf und setzt sie fort. Dabei nimmt er einen Begriff auf, der in der katholischen Tradition eine große Rolle spielt und auf der Seite der reformatorischen Kirchen entsprechende Ablehnung hervorgerufen hat, den der "Selbstheiligung"[23]:

Küng urteilt:

"Es gibt keine Selbstrechtfertigung des Menschen, aber eine Selbstheiligung: Es ist Gott in Jesus Christus, der den Menschen heiligt durch seinen Heiligen Geist. Das größte Wunder aber von Gottes reinster Gnade ist es, daß in Auswirkung der Heiligung Gottes der Mensch - nicht aus sich selbst, aber er selbst - sich selbst heiligen darf."[24]

Voraussetzung für diese Aussage ist eine Unterscheidung im neutestamentlichen Reden von Heiligung. Einmal wird von Gottes heiligendem Handeln gesprochen mit dem Terminus ἁγιάζειν, der kultischen Sinn hat und bedeutet, daß Gott "das Leben im Gegensatz zur Sünde bestimmt und für sich in Anspruch nimmt"[25]. Daneben aber hat Heiligung auch eine ethische Bedeutung, die im Stichwort ἁγιασμός ausgedrückt wird.

"Gottes heiligende Aussonderung des Menschen aus dem Sündhaft-Profanen für den Dienst Gottes aber verlangt von diesem ausgesonderten Menschen gebieterisch eine alle Tage neu vollzogene Aussonderung seiner selbst aus Welt und Sünde."[26]

Gottes rechtfertigendes und heiligendes Handeln gehören untrennbar zusammen. Zu unterscheiden aber sind Gottes Rechtfertigungshandeln und die Selbstheiligung des Menschen. Diese ist jener unbedingt nachgeordnet.

Bei Küng zeigt sich hier ein genuin katholisches Anliegen. Die absolute Superiorität der Gnade erweist sich gerade darin, daß sie dem Menschen Raum für eigene Aktivität eröffnet und nicht jedes menschliche Handeln neben sich ausschließt. Nun wird man in Paulus gewiß nicht einen Förderer der Passivität oder des Quietismus zu sehen haben. Die Frage ist nur, an welchen theologischen Ort das Handeln des Menschen von Paulus verwiesen wird. Daß bei Küng hier doch Unklarheiten vorliegen, scheint folgender Satz über das Verhältnis von kultischer und ethischer Heiligung zu zeigen:

"Der Indikativ wird zum Imperativ, begründet ihn."[27]

Hier wird zusammengespannt, was gerade die Differenz ausmacht. Entweder begründet der Indikativ den Imperativ oder er wird zum Imperativ, ist also implizit immer schon ein besonderer Imperativ gewesen. Der Eindruck dieser Unklarheit verstärkt sich dadurch, daß allgemein behauptet wird,

21 Küng, Rechtfertigung und Heiligung.
22 Küng, Rechtfertigung.
23 Für die protestantische Ablehnung des Begriffes vgl. Köberle, Rechtfertigung und Heiligung, 31 ff. "Gottes Gericht über die Selbstheiligung des Menschen".
24 Küng, Rechtfertigung und Heiligung, 268.
25 a.a.O., 257.
26 a.a.O., 267.
27 ebd.

nach Paulus seien die Christen Gottes Mitarbeiter (unter Verweis auf 1. Kor 3,9). Hingegen gebraucht Paulus das Prädikat συνεργός ausschließlich im Zusammenhang mit dem apostolischen Dienst. In 1. Kor 3,9 ist es sogar Attribut des Paulus selbst. Eine Mitarbeit des Menschen an seinem eigenen Heil oder auch nur an seiner Heiligung kommt im Zusammenhang von 1. Kor 3,9 und paralleler Stellen nicht in Betracht. Gerade die paulinische Rede vom συνεργεῖν begründet nicht das, was man in der Dogmengeschichte als Synergismus bezeichnet (anders verhält es sich evtl. mit Jak 2,22).

Zusammenfassend wird man sagen können, daß bei Küng die Aktivität und Initiative Gottes nicht nur in der Rechtfertigung, sondern auch in der Heiligung einen wesentlich breiteren Raum einnimmt als bei Otto Kuss, daß aber weiterhin unklar bleibt, wie sich göttliches und menschliches Handeln zueinander verhalten. Festhalten wird man aber auch, daß Küng eine Begründung der Rechtfertigung in der Heiligung des Menschen ausdrücklich ablehnt.

"Es kommt ... alles darauf an, daß des Menschen sittliche Heiligung nicht die Rechtfertigung vor Gott sein oder bewirken soll. Umgekehrt aber soll Gottes Rechtfertigung führen zu des Menschen ethischer Heiligung."[28]

c) Karl Kertelge

Den bedeutendsten Beitrag katholischer Exegese zum Thema Rechtfertigung und Heiligung verdankt die Neutestamentliche Wissenschaft wohl Karl Kertelge. Die Aussagen, die er dazu 1967 erstmals in seiner Monographie "'Rechtfertigung' bei Paulus"[29] veröffentlichte, ergänzte er im gleichen Jahr in einem Aufsatz "Rechtfertigung bei Paulus als Heilswirklichkeit und Heilsverwirklichung"[30].

Dabei fällt zunächst auf, daß Kertelge in der Herausarbeitung des paulinischen Zeugnisses sowohl dem Ansatz von Kuss als auch dem Küngs widerspricht: Das Stichwort "Bewährung" taugt als Kennzeichnung der Ethik des Apostels nur, wenn man es so gebraucht, wie es in Röm 5,4 zu verstehen ist.

"Hiernach besteht die 'Bewährung' im geduldigen Ertragen von Trübsalen."[31]

Auch von "Mitwirkung" läßt sich nur sprechen, wenn man sich klarmacht, daß "diese Aussagen ... auf den apostolischen Dienst bezogen"[32] sind. Dem Begriff der "Selbstheiligung" steht Kertelge ebenfalls sehr kritisch gegenüber.

28 a.a.O., 270.
29 Kertelge, Rechtfertigung.
30 Kertelge, Heilswirklichkeit.
31 Kertelge, Heilswirklichkeit, 91.
32 Kertelge, Rechtfertigung, 254.

Von ihr kann nur "im uneigentlichen Sinn gesprochen werden, insofern er (der Christ) den Geist empfangen hat, sich vom Geiste treiben läßt und seinem Wirken zustimmt"[33].

Der Eindruck, "als ob es sich in den indikativischen Aussagen um ein noch unvollständiges Heilswerk" handle, das durch das sittliche "Wirken des Menschen ergänzt werden müßte", wird "dem theologischen Anliegen des Paulus nicht gerecht"[34].

Damit ist aber das traditionelle Schema, das auch bei Kuss noch mehr oder weniger deutlich zum Tragen kam "Anfangsrechtfertigung – Bewährung – Endrechtfertigung" und seine "populär-religiöse Abwandlung ... Rechtfertigungsgnade – Gebotserfüllung – ewiger Lohn"[35] von Paulus her nicht mehr zu begründen.

Für Kertelge hat sich grundsätzlich

"gezeigt, daß man 'Rechtfertigung' und 'Heiligung' nicht einander gegenüberstellen kann wie göttliches Heilshandeln und menschliche Verwirklichung"[36].

Dies gilt einmal, weil nicht nur der Begriff "Rechtfertigung", sondern auch der Begriff "Heiligung" das "Werk Gottes" bezeichnet,[37] zum anderen aber wegen der grundsätzlichen "Begründung des christlichen Gehorsams in der Heilstat Gottes"[38]. Wenn von einer Heilsbedeutung des sittlichen Gehorsams die Rede ist, dann nur so, daß diese "nicht über die des von Gott ermöglichten Glaubensgehorsams hinaus"[39] geht. Auch das kommende Gericht gibt der Sittlichkeit des Christen keine zusätzliche Bedeutung, denn "als paränetisches Motiv ist es ... nur eines unter anderen"[40].

Hat Kertelge sich somit gegen vielerlei Versuche abgegrenzt, das Verhältnis von Rechtfertigung und Heiligung zu bestimmen – darunter gerade solche, die als "typisch katholisch" galten – so stellt sich die Frage, wie seine eigene Lösung lautet und ob diese noch im Rahmen der katholischen Lösungsansätze bleibt. Seine Kernaussage gibt er in konzentrierter Form:

"Die durch Christus und im Glauben an ihn verwirklichte Rechtfertigung ist das neue Existential, aus dem die sich in konkreten Lebensvollzügen darstellende Existenz des

---

33   a.a.O., 278.
34   Kertelge, Heilswirklichkeit, 83.
35   a.a.O., 91.
36   Kertelge, Rechtfertigung, 277.
37   ebd.
38   a.a.O., 251.
39   a.a.O., 258. Hier berührt sich Kertelges Auffassung eng mit derjenigen des Altkatholiken Ernst Gaugler: "Wie schon der Glaube Gehorsam, d.h. das Geschenk des Gehörs (Röm. 1,5) gegen die Botschaft von der dem Menschen dargebotenen Gerechtigkeit aus Gott ist, so ist auch das ethische Handeln nichts anderes als Gehorsam, ein Gehörschenken gegen die Gabe der Gerechtigkeit zur Heiligung..." Gaugler, Heiligung, 115 f. Vgl. auch "Der Streit, ob der Mensch durch den Glauben allein oder erst durch den Glauben, der in Liebe tätig ist, das Heil erlange, ist unsachlich. Auch die wirkliche Liebe ist nur im Glauben möglich, also selbst einbegriffen in jene Spannung, in der des Menschen Unvermögen und Gottes Macht erscheint." a.a.O., 119 f.
40   Kertelge, Rechtfertigung, 256.

Gerechtfertigten aufgebaut sein will. Die Rechtfertigung stellt sich als konkrete Lebenswirklichkeit nicht anders dar als in der Verwirklichung der von ihr implizierten Anforderung." Diese "Heilsverwirklichung" ist aber "ganz das Werk Gottes".[41]

Die Rede von der Rechtfertigung als dem neuen "Existential" steht in der Gefahr, beim evangelischen Theologen vorschnelle Assoziationen auszulösen. Man wird Kertelge so interpretieren dürfen: Die Rechtfertigung bezeichnet die Grundbefindlichkeit des Christen. Als Grundbefindlichkeit ist sie aber unanschaulich. Anschauung – "Darstellung", wie Kertelge gerne sagt – gewinnt sie im von Gott gewirkten Lebensgehorsam des Gerechtfertigten. Keineswegs also muß zur Rechtfertigung die Verwirklichung durch den Menschen ergänzend hinzukommen. Verwirklichung meint vielmehr, das Zum-Ziel-Kommen von Gottes Rechtfertigungshandeln in der konkreten Existenz. Eben dies wird mit "Heiligung" bezeichnet.

"Heiligung ist bei Paulus aber nicht nur Selbstheiligung des Menschen in der Erfüllung des Willens Gottes, sondern der Erfolg des von der Macht der Sünde befreienden Eingreifens Gottes im Lebenskampf des Christen für Gott."[42]

Das "nur" ist nicht so zu verstehen, als sei "Heiligung" auch Selbstheiligung vor Gott, sondern so: Ein Verständnis der Heiligung als Selbstheiligung bleibt unter der Ebene paulinischer Theologie.

Von diesem Punkt aus wird Kertelges Verständnis des Verhältnisses von Rechtfertigung und Heiligung überschaubar. Es geht in der Heiligung – wie schon angedeutet – um die Darstellung der Rechtfertigungswirklichkeit:

"Der Gerechtfertigte macht im Vollzug seines im Glauben begründeten Gehorsams die Kraft, die in der geoffenbarten Gerechtigkeit Gottes liegt (vgl. Röm 1,16 f) nicht wahr, aber wahrnehmbar."[43]

Zum anderen betont Kertelge das Moment der Aktivität des Christen im durch die Rechtfertigung eröffneten neuen Lebenswandel:

"Christliches Dasein vollzieht sich ... in der aktiven Bejahung der Gnade, in der vollen Anerkennung des Werkes Gottes, in einem Lebenswandel, durch den der Gerechtfertigte dem Evangelium entspricht (vgl. Phil 1,27)".[44]

Diese Aktivität hat aber niemals finalen, sondern immer nur kausalen Bezug zum Heil. Mit anderen Worten: Sie hat den Charakter des Gehorsams angesichts der Gefährdung christlicher Existenz durch die Sünde:

"Der Christ ist für Paulus nicht der Gerechtfertigte schlechthin, d.h. der Erlöste, Gerettete, Vollendete, sondern der Gerechtfertigte, der die Bedrohung seiner neuen Existenz durch die Sünde ernst nimmt und ihr nur dadurch entgeht, daß er sich dem Anspruch der von Gott geschenkten Wirklichkeit des neuen Lebens ständig im Gehorsam unterstellt."[45]

41 Kertelge, Heilswirklichkeit, 90 f.
42 a.a.O., 91.
43 Kertelge, Rechtfertigung, 284.
44 a.a.O., 283.
45 a.a.O., 275.

An dieser Stelle berührt sich Kertelges Argumentation sogar mit der Peter Stuhlmachers: Der Gehorsam hat nicht den Sinn der nachträglichen Bewährung auf eine End-Rechtfertigung hin, sondern "... des Durchhaltens und der Entfaltung der Rechtfertigung..."[46]

Das Bild ist abgerundet: Es dürfte schwerfallen, in Kertelges Konzeption, soweit sie hier dargestellt wurde, Kennzeichen eines "typisch katholischen" Verständnisses von Rechtfertigung und Heiligung zu entdecken. Auch Käsemann läßt für diese Auffassung gelten, daß "Heiligung ... hier die im Felde des Handelns und Leidens festgehaltene Rechtfertigung"[47] ist. Er wirft Kertelge aber zugleich die "Interpretation des paulinischen Imperativs als Aufforderung zur christlichen 'Selbstverwirklichung'"[48] vor. Tatsächlich gebraucht er den Ausdruck[49] – aber in einem anderen Zusammenhang als Käsemann unterstellt: Die Selbstverwirklichung des Christen besteht gerade im Bestimmtsein des Menschen von Gott.

Will man etwas Problematisches an Kertelges Ansatz finden, so muß man an einer anderen Stelle suchen. Nach dem, was bisher ausgeführt wurde, überraschen nämlich die Schlußsätze der Monographie:

"Die Rechtfertigungslehre des Paulus dient als theologische Reflexion dem Verständnis seines Kerygmas. Ihre letzte Intention ist daher kerygmatisch: Die Begründung des neuen Gehorsams des Menschen."[50]

Diese These ist zunächst einmal Zeichen einer gewissen Unausgeglichenheit. Denn unmittelbar vorher stehen sehr ähnliche Formulierungen über die Taufe:

"Die Erwähnung des Taufmotivs dient Paulus im Rechtfertigungszusammenhang der besonderen Begründung des neuen Gehorsams der Gerechtfertigten."[51]

Blickt man auf den Duktus von Röm 6, so ist die zweite Formulierung durchaus angebracht. Daraus ergibt sich aber gerade nicht, daß die ganze Rechtfertigungslehre des Paulus ihr Ziel in der Ethik hat. Diese letzte These steht weitgehend unverbunden neben den anderen, die der Zusammenfassung der Arbeit dienen. M.E. hat Kertelge sie an keiner Stelle begründet.

So legt sich der Eindruck nahe, daß die Schlußsätze der Arbeit einem traditionell katholischen Schema ihren Tribut zollen, das in der Rechtfertigung vor allem das Mittel zum Zweck der "übergesetzlichen" Erfüllung des Gesetzes sah. Deutlich wird diese Auffassung noch 1961 von dem Moraltheologen Bernhard Häring vorgetragen, wenn er bei Paulus den mittleren Weg zwischen "Legalismus" und "gesetzesfeindlicher Situationsethik"

---

46   Kertelge, Heilswirklichkeit, 90.
47   Käsemann, Römer, 166.
48   ebd.
49   Kertelge, Rechtfertigung, 283.
50   a.a.O., 307.
51   a.a.O., 306.

sieht. Die Freiheit vom Gesetz dient gerade als Garantie der Erfüllung des im Gesetz eigentlich Intendierten.

"Das Gesetz der Gnade aber, die paulinisch verstandene Freiheit im Leben aus der empfangenen Gnade und im betenden Achten auf den Kairos, im unablässigen Streben nach den Höhen des Gesetzes Christi, entfernt sich von den Werken der σάρξ am sichersten und schnellsten."[52]

Doch neben der Unausgeglichenheit in den Schlußthesen seiner Monographie findet sich noch ein deutlicheres Indiz im Zusammenhang seines Gedankens, daß die unanschauliche Rechtfertigung im Gehorsam des Gerechtfertigten ihre Anschauung gewinnt. Dieser Gehorsam ist ja diesseits von Tod und Auferstehung nie vollendet.

Er "hat selbst nicht den sieghaften Charakter der Gnade, sondern in ihm beginnt sich erst die Kraft des Heilswirkens Gottes durchzusetzen." Dann aber "bleibt die eigentlich rettende Kraft der Gerechtigkeit Gottes verborgen." Daraus folgt schließlich, daß "die Rechtfertigung dem einzelnen nie in unbedingter Gewißheit zuteil" wird.[53]

Somit ist in der nur gebrochenen Anschaulichkeit des Erfolgs von Gottes Rechtfertigungshandeln im Ethos des gerechtfertigten die prinzipielle Ungewißheit des Heils begründet. Es gibt keinen Syllogismus practicus[54] und zugleich keine Heilsgewißheit aufgrund des Vergebungswortes. Eine andere Möglichkeit der Vergewisserung des Christen unabhängig von seinem eigenen Ethos kommt offenbar nicht in Betracht. Auf die Kritik Stuhlmachers an diesen Aussagen wurde bereits hingewiesen.[55] Wichtiger aber ist, daß die prinzipielle Ungewißheit der Rechtfertigung eine traditionelle katholische, auf dem Trienter Konzil ausdrücklich bekräftigte Lehre ist.[56]

Man wird also urteilen, daß Kertelges Auffassung von Rechtfertigung und Heiligung zwar mit vielen herkömmlichen katholischen Vorstellungen und Begriffen bricht, daß aber an einem entscheidenden Punkt das Ergebnis genau auf der Linie der katholischen Tradition liegt.[57]

52 Häring, Freiheitslehre, 173.
53 Kertelge, Rechtfertigung, 285.
54 Nach Otto Weber geht es im Syllogismus practicus "um den Rückschluß von den Früchten des Glaubens auf diesen *selbst*". Weber, Grundlagen II, 403. Genau dies trifft das Anliegen Kertelges. Wenn Weber die Frage so beantwortet: "Die Heiligung führt nicht über die Rechtfertigung hinaus." (a.a.O., 406) - dann würde Kertelge dabei ohne weiteres zustimmen. Aber damit ist der Kern des Problems nicht erfaßt. Denn in diesem Kern geht es darum, ob von den sichtbaren Früchten auf die unsichtbare Rechtfertigung zurückgeschlossen werden darf. *Darauf* würde Kertelge antworten: Prinzipiell: ja - faktisch: nein.
55 Stuhlmacher, Rezension Kertelge.
56 Vgl. Krebs, Art. Rechtfertigung, 677: "Die Eigenschaften der Rechtfertigung sind den drei Merkmalen der protestantischen Rechtfertigung (sic!) gerade entgegengesetzt: ihre Ungewißheit (sess 6 cap 9), Ungleichheit (cap 10) und Verlierbarkeit (cap 15)."
57 Vgl. dazu etwa den Ausruf des Kornelius a Lapide: "Da dir, o Luther, nicht geoffenbart worden ist, daß du gerecht bist, kannst du auch nicht glauben." Zitiert bei Boss, Rechtfertigungslehre, 43.

Seit Kertelge ist das Problem Rechtfertigung und Heiligung m.W. von keinem katholischen Exegeten mehr in der gleichen Ausführlichkeit bearbeitet worden. Die Darstellung seiner Geschichte in der katholischen Exegese kann deshalb hier enden.

C. Das Problem in der evangelischen Exegese

In der evangelischen Exegese der jüngeren Zeit wird das Thema "Rechtfertigung und Heiligung" wenig diskutiert. Häufig scheint die Problematik nicht bewußt zu sein. Käsemann etwa urteilt:

"Durch Jahrhunderte hat man auch im Protestantismus die Rechtfertigung als den Beginn des Christenlebens betrachtet, dem notwendig auch die Heiligung verifizierend zu folgen hat."[58]

Problematisch an solchen Auffassungen ist nicht der Hinweis auf die Notwendigkeit der Heiligung – auch die Reformatoren hielten gute Werke in gewisser Hinsicht für notwendig,[59] auch als Kennzeichen wahren Glaubens – problematisch ist, daß der Indikativ hier der Rechtfertigung, der Imperativ aber der Heiligung zugeordnet wird. Auch die Untersuchung des norwegischen Lutheraners Ragnar Asting "Die Heiligkeit im Urchristentum" bringt in dieser Hinsicht keine Klärung. Über das paulinische Verständnis der Heiligkeit urteilt Asting, daß sie

"eine persönliche Qualität ist, daß diese Qualität durch ethische Bestrebungen erworben werden muß, daß aber – und dies ist die Hauptsache – diese Qualität von Gott geschenkt wird und die Bestrebungen in Gehorsam gegen Gott und in der Kraft seines Geistes sich vollziehen"[60].

Hier wird einerseits der Gabe-Charakter der Heiligkeit festgehalten, andererseits das Schwergewicht auf die "ethischen Bestrebungen" gelegt, ohne daß beides zu einem Ausgleich kommt oder als Dialektik erscheint.

Die Gegenposition vertritt etwa Karl Karner:

"Das neue Leben ist keine Form einer vom Menschen geprägten Lebensführung, ist keine sittliche Forderung an den menschlichen Willen, sie ist eine vom Geist gewirkte tägliche Erneuerung, ein Kräftigwerden des inwendigen Menschen..."[61]

Hier wird letztlich um des Primats von Gottes Handeln willen die Beanspruchung des menschlichen Willens geleugnet. Es wird also einmal der Rechtfertigungsindikativ abgeschwächt zugunsten des Heiligungsimperativs, ein anderes Mal der Imperativ vom Indikativ aufgesogen. Beide Lösungen führen m.E. nicht weiter.

58   Käsemann, Römer 164.
59   Vgl. die Hinweise bei Althaus, Gerechtigkeit.
60   Asting, Heiligkeit, 202.
61   Karner, Rechtfertigung, 560.

D. Exegetische Überlegungen und Beurteilung

Das Verhältnis von Rechtfertigung und Heiligung läßt sich m.E. nur dann angemessen bestimmen, wenn man erkennt, daß "Heiligung" nicht einseitig dem Imperativ zuzuordnen ist, sondern unter den Vorzeichen von Indikativ *und* Imperativ steht. Heiligung ist Gottes Werk und fordert zugleich Gehorsam.

"From the gift arises the demand. Far from being the 'ethical' counterpart to the 'theological' doctrine of justification the doctrine of sanctification in and of itself displays the unity of indicative and imperative."[62]

Dieser Satz des amerikanischen Exegeten Victor Paul Furnish kennzeichnet die Perspektive, in der ein Weg aus dem innerprotestantischen Dilemma zu suchen ist. Zugleich bietet er uns ein erstes Kriterium auch für die katholischen Lösungen, indem er die Einheit von Indikativ und Imperativ im Begriff der Heiligung betont.

Es ist wohl deutlich geworden, daß diese Einheit weder bei Kuss noch bei Küng wirklich erreicht ist. Anders steht es bei Kertelge, der als erster sowohl den Primat des Gotteshandelns auch in der Heiligung in den Vordergrund stellt als auch sieht, daß es in der Paränese um die gehorsame Bewahrung des Heils in einem von der Sünde noch gefährdeten Äon geht. Kertelge gibt auch nachdrücklich der Vorstellung einer doppelten Rechtfertigung – jetzt anfangs- und gnadenweise, dann im Gericht aufgrund der Werke – den Abschied[63], im Unterschied etwa zu dem Protestanten Joachim Jeremias.[64] Offene Fragen an Kertelge gibt es in dieser Sache nur zwei: 1. Hat die Rede von der "Heilsverwirklichung" des Christen, so sehr sie verstanden wird als "Werk Gottes" einen Anhalt an Phil 2,12? 2. Kann man von Paulus her

62   Furnish, Theology and Ethics, 156. Vgl. auch folgende Überlegungen: "Sanctification is not the 'goal' of justification, if by that is meant an ultimate condition somehow attained. It is, instead, the 'ever repeated' service of God, and the goal of justification in that it represents the meaning of God's call. Just as slavery to sin means alienation from God and thus 'death', so 'justification' means, reconciliation with God, the 'fruit' (καρπός) of which is sanctification (the service of God), the telos of which is in turn, 'eternal Life'." a.a.O., 157.
63   Vgl. dazu nochmals den Aufsatz: Kertelge, Heilswirklichkeit.
64   Jeremias, Paul and James, ET 66 (1954/55), 370. Zitiert bei Stuhlmacher, Gottes Gerechtigkeit, 229, Anm. 3: "So we have a twofold justification and there is a difference between them: the one (at Baptism) is a justification by faith; the other (at the last judgement) is a justification by faith which worketh by Love, i.e. aus gelebtem Glauben, by faith realized in Life by Love." Stuhlmacher kommentiert: "Die hier von Jeremias vorgetragene Sicht der Dinge wäre Luther und Calvin als klassischer Katholizismus erschienen. Selbst wenn Jeremias der Meinung wäre, daß Luthers (und Calvins) Position auf einem exegetischen Irrtum, bzw. auf einer Unkenntnis Jesu beruht, müßte die in Frage stehende Problematik den protestantischen Exegeten auf jeden Fall zwingen, seine Exegese theologisch schärfer zu reflektieren." a.a.O., 229 f.

sagen, daß das Heil des Christen angesichts seines bruchstückhaften Gehorsams in einer letzten Ungewißheit bleibt?

1. Wird Phil 2,12 f so ausgelegt, daß Gott Wollen und Vollbringen wirkt, aber selbstverständlich auch dem Menschen ein gewisser Anteil bleibt,

"so bekäme das Wort einen heillos schwankenden Sinn zwischen Evangelium und Gesetz, zwischen Gnade und Werk, und würde zum klassischen dictum probans für eine synergistische Rechtfertigungslehre"[65].

Ist Georg Eichholz mit diesem Urteil zweifellos im Recht, so ist andererseits Kertelge davon nicht betroffen. Er grenzt sich von einem synergistischen Mißverständnis ausdrücklich ab. Und doch: Phil 2,12 dient ihm als Beleg, daß Paulus nicht nur "eine Anti-Sünden-Ethik" im Sinn hat, sondern auch dazu aufruft,

"dem Wirken des Geistes zuzustimmen, in einem neuen Leben zu wandeln, Gehorsamsdienste zu leisten und das Heil zu wirken"[66].

Er erkennt an, daß Paulus von συνεργεῖν nur im Zusammenhang des Apostolats spricht, das gleiche scheint ihm aber für das κατεργαζεῖν von Phil 2,12 nicht zu gelten. Sollte Paulus also in Phil 2,12 anders von der σωτηρία reden als etwa in Röm 1,16, nämlich so daß er die Christen auffordert, an ihrem Heil mitzuwirken, während sonst das Heil vom Evangelium und seiner Verkündigung gewirkt wird?

Achtet man auf den Kontext, so ist deutlich: Ab Phil 1,12 geht es um das Evangelium und seine Förderung gerade durch die widrige Lage des Apostels. Das εὐαγγέλιον, seine Förderung und Verteidigung, wird genannt in 1,12.16; die Frucht des apostolischen Dienstes 1,22. Ab 1,27 bezieht Paulus die Christen in Philippi in seine Aufgabe mit ein. Sie sollen des Evangeliums würdig wandeln und für es mitkämpfen. In diesem Kampf gilt es auch zu leiden (1,29 f). Es folgt eine Ermahnung zur Demut (2,3) in der Gemeinschaft mit Christus (der Hymnus 2,5-11), die m.E. ebenfalls zur Darstellung des apostolischen Dienstes auch in seiner Leidensdimension gehört. Der Ermahnung schließt sich die hier behandelte Stelle an und ihr wiederum eine Paränese, die immer noch beim Thema bleibt: die Beteiligung der Gemeinde am apostolischen Zeugendienst. Die Christen sollen festhalten am Wort des Lebens (2,16), sie sind Lichter in einer dunklen Welt (2,15) und dadurch Zeugen, daß die apostolische Arbeit nicht vergeblich war (2,16 b). Es kann deshalb m.E. kein Zweifel sein, daß es auch in 2,12 f um nichts anderes geht als um den Dienst des Apostolats und die Beteiligung der Gemeinde daran. Die Gemeinde wird hier nicht etwa aufgefordert, aktiv zu werden im Blick auf eine noch ausstehende Rechtfertigung hin, sondern vielmehr dazu, den ihr aufgetragenen Dienst wie früher so nun auch in der Abwesenheit des Apostels zu tun. In diesem Dienst verwirklicht sie nicht ihr

65   Eichholz, Bewahren und Bewähren, 100.
66   Kertelge, Rechtfertigung, 254.

Heil, dies ist vielmehr in Christus schon längst verwirklicht. Aber umgekehrt gilt: Indem die Gemeinde ihrem Dienst untreu würde, indem sie das Wort des Lebens nicht mehr festhielte, würde sie ihr Heil gefährden. Tatsächlich will Paulus hier nicht mehr sagen als sonst, wenn er vom συνεργεῖν spricht. Ernst Lohmeyer überschreibt Phil 1,27-2,16 "Die Gemeinde im Martyrium"[67] – es gibt keinen Grund Phil 2,12 f davon auszunehmen.

2. Die andere Frage, der hier nachgegangen werden muß, lautet: Kann es, da der Gehorsam des Gerechtfertigten in dieser Zeit immer unvollständig bleibt, keine Gewißheit des Heils geben? Kertelge verweist zur Begründung auf Röm 8, 23 f.[68] Zweifellos: Das Gerettetsein des Christen ist ein Gerettetsein auf Hoffnung, es ist nicht ausweisbar. Die Frage ist allerdings, ob die Heilsgewißheit des Christen eines Ausweises durch seinen eigenen Gehorsam bedarf. Letztlich kann man das nur annehmen, wenn man im traditionell augustinischen Schema der Gnadenlehre bleibt, wonach die Gnade unsichtbar eine Veränderung im Menschen bewirkt, die sichtbar wird in der veränderten Lebenspraxis des Menschen. So wird die Lebenspraxis zum Grund der Vergewisserung des Heils.[69] Die Rede von der "Selbstverwirklichung in der Heiligung" bekommt einen neuen Sinn – unvollständige Selbstverwirklichung wird zum Problem.

Bleibt man aber bei dem Duktus von Röm 8, so erkennt man bei Paulus einen ganz anderen Ansatz. Zunächst bilden die Verse 31 - 39 gerade den Ausdruck unerhörter Gewißheit, die allerdings nicht im Ethos, sondern in der Christologie selbst gründet. Das Eintreten Christi für die Seinen (V 34) ist das Fundament der Gewißheit. Dann aber muß deutlich werden, daß der Schluß des Kapitels zurückverweist auf V 1: "So gibt es nun keine Verdammnis für die, die in Christus Jesus sind."

Das Sein in Christus (V 1), der Geist, der in den Christen wohnt (V 9), die Gotteskindschaft (V 14), die Dahingabe Christi für die Christen (V 32), die Rechtfertigung durch Gott (V 33), bewirken selbst die Gewißheit der Christen. In diesem Kontext gewinnt die Interzessio Christi ihre genaue Bestimmung: Sie dient keinesfalls als Beweis der bleibenden Sünde der Christen – darauf wurde hingewiesen – wohl aber zeigt sie: In den Anfechtungen dieses Äons (V 18), in der Gefährdung durch das Fleisch ruht die

---

67 Lohmeyer, Philipper, 70.
68 Kertelge, Rechtfertigung, 285.
69 Vgl. zu diesem Problem: Mostert, Fides creatrix, z.B. die Bemerkung über die scholastische Lehre von der geschaffenen Gnade: "Sie stabilisiert das Subjekt, aber immer in der Absehung auf die Akte, in denen sich das Subjekt selbst verwirklicht. Das Ideal des Menschen ist die vollkommene, ungestörte, stetige Kräftigkeit der Herrschaft des Subjekts über seine Akte und die sich so aktuierende Verwirklichung der Identität. Diesem Ideal dient auch die Gnade. Wir sehen jetzt, daß die Identität sich in diesem Denkmodell kategorisch als Sache der Selbstaktuierung herausstellt." a.a.O., 239. Sollte Kertelges Rede von der "Selbstverwirklichung" darauf abzielen und Käsemann die sozusagen "unterirdische" Problematik erkannt haben?

Gewißheit des Christen nicht auf seiner erneuerten Lebenspraxis, sondern auf dem Heilswerk des gegenwärtigen Christus.

Wenn Kertelge dem Gericht einen Platz in den Voraussetzungen der Rechtfertigungslehre zuschreibt, nicht aber eine selbständige Bedeutung innerhalb ihrer[70], so ist er damit im Recht (vgl. nur 1. Kor 4,5). Das Insistieren auf der letzten Ungewißheit des Heils kann deshalb nur verstanden werden als ein dogmatisch bedingtes Zugeständnis an eine augustinisch-katholische Gnadenlehre.

Überschaut man die Rede von "Rechtfertigung und Heiligung", so ist eine deutliche Wandlung festzustellen. Auf dem Weg von Kuss zu Kertelge hat sich Entscheidendes verändert. Aber es ist ebenso deutlich, daß gerade Kertelge, der das Thema so ausführlich behandelt, an diesem Punkt ein dezidiert katholischer Autor bleibt. Lothar Steiger sieht in dieser Frage geradezu die eigentliche "Differenz zwischen der reformatorischen und der römisch-katholischen Gnaden- oder Rechtfertigungslehre"[71].

E. Exkurs: Forensisches und effektives Verständnis der Rechtfertigung

Der Charakter der in der Rechtfertigung verliehenen neuen Gerechtigkeit kann noch unter einem weiteren Aspekt betrachtet werden. Bei dem Stichwort "simul iustus et peccator" ging es um das Verhältnis von Gerechtigkeit und Sünde im Leben des Christen, unter der Überschrift "Rechtfertigung und Heiligung" um die sachgemäße Zuordnung von Imperativ und Indikativ im Rechtfertigungsgeschehen.

Die Rede vom "forensischen" bzw. "effektiven" Charakter der Rechtfertigung bezieht sich ebenfalls auf das Verhältnis zwischen dem rechtfertigenden Handeln Gottes und dem neuen Sein des Christen. Die neue Alternative aber lautet: Liegt der Akzent beim Rechtfertigungsgeschehen auf Gottes souveränem Urteil – ist es also ein "forensisches" Geschehen – oder liegt er auf Gottes neuschöpferischem Handeln bzw. auf der neuschöpferischen Kraft des Wortes Gottes, ist die Rechtfertigung also "effektiv"?

Man mag dies für eine Scheinalternative halten, da Gottes Urteil eben als *Gottes* Urteil prinzipiell schöpferisch ist, d.h. die Wirklichkeit schafft, die es bezeichnet. Allerdings hat der Streit um forensisches oder effektives Wesen der Rechtfertigung in der nachreformatorischen kontroverstheologischen Polemik eine erhebliche Rolle gespielt. Genau genommen beginnt dieser

---

70 Kertelge, Rechtfertigung, 256.
71 Steiger, Der junge Luther, 65. Vgl. auch die Beurteilung der Frage nach der Heilsgewißheit als "subjektive, vorzeitliche Frage" bei Zeller (Römer, 112) und meine Besprechung (Oechslen, Rezension Zeller).

Streit schon bei Andreas Osiander[72] und beim späten Melanchthon, d.h. er kennzeichnet auch Kontroversen innerhalb des Luthertums.

Das Interesse des orthodoxen Luthertums ist dabei letztlich dasselbe, das wir schon beim Simul kennengelernt haben: Die Gnade Gottes in der Rechtfertigung soll freie Gnade bleiben, d.h. nicht gebunden an Bedingungen auf Seiten des Menschen, auch nicht gebunden an ein neues Sein, das Gott selbst geschaffen hat.

Hatte Luther – vor allem in seiner Schrift wider Latomus von 1521 – zwischen Gottes Gnade und Gabe in der Rechtfertigung zwar unterschieden, aber nicht getrennt[73], so spricht man im Luthertum der Folgezeit gern von der "imputierten", d.h. "zugerechneten" Gerechtigkeit des Christen, von der iustitia aliena, der "fremden" Gerechtigkeit Christi[74], die Gott dem Christen zurechnet.

Paulinische Hauptbelege dafür waren das Genesiszitat in Röm 4,3 "Abraham hat Gott geglaubt und das ist ihm zur Gerechtigkeit gerechnet worden" und die paulinische Interpretation, daß dem "der nicht mit Werken umgeht, glaubt aber an den, der die Gottlosen gerecht macht", "λογίζεται ἡ πίστις αὐτοῦ εἰς δικαιοσύνην" (Röm 4,5, vgl. den ganzen Zusammenhang von Röm 4).

Eine besondere Rolle spielt dabei Luthers Übersetzung von Röm 1,17. Bekanntlich gibt Luther "δικαιούσυνη θεοῦ" wieder mit "Gerechtigkeit, die vor Gott gilt." Mit dieser Übersetzung wird nicht nur gesagt, die Gerechtigkeit sei Gottes Gabe – das hätten die Katholiken jederzeit konzediert – sondern es wird mindestens auch angedeutet, daß diese Gabe in einer neuen "Geltung" vor Gott bestehe.

Allerdings ist die Entgegensetzung von forensischer und effektiver Rechtfertigung in der Lutherforschung des 20. Jahrhunderts weitgehend überwunden worden. So urteilt etwa Wilfried Joest: "Die Gerechtigkeit ist ... gerade als imputierte, forensisch zugesprochene Gerechtigkeit effektive Lebensmacht."[75]

Der Katholik Peter Bläser kommentiert diese Veränderung in der Lutherforschung:

"Es war kein reiner Zufall, daß diese neue, wenn man so will dynamische Interpretation der lutherischen Rechtfertigungslehre zeitlich zusammenfiel mit einem entscheidenden Wandel in der Paulus-Exegese. Gemeint ist die Religionsgeschichtliche Schule, in der die sog. paulinische Mystik eine so große Rolle spielt. In diesem historischen Umfeld

---

72 Vgl. Stupperich, Lehrentscheidung und theologische Schematisierung.
73 Vgl. Bornkamm, Martin Luther, 166 - 179.
74 Vgl. Luther selbst in seinem berühmten Rückblick: "... ibi iustitiam Dei coepi intelligere eam, qua iustus dono Dei vivit, nempe ex fide, et esse hanc sententiam, revelari per euangelium iustitiam Dei, scilicet passivam, qua nos Deus misericors iustificat per fidem ..." WA 54, 186. Dazu Iwand, Glaubensgerechtigkeit nach Luthers Lehre, vor allem 105-125.
75 Joest, Simul Iustus et Peccator, 276.

war für eine rein juridische bzw. forensische Rechtfertigungslehre, sollte sie als genuin paulinisch gelten, kein Platz mehr. So wie Paulus in der orthodoxen lutherischen Theologie lange Zeit im Sinne Luthers interpretiert wurde, so geschah jetzt das Gegenteil: Luther wurde von Paulus her, und zwar im Sinne der Religionsgeschichtlichen Schule, neu interpretiert."[76]

Um so erstaunlicher ist die heftige Debatte innerhalb der evangelischen Theologie, die Ernst Käsemann 1961 mit seinem Aufsatz "Gottesgerechtigkeit bei Paulus" ausgelöst hat.[77] Käsemann behauptet hier, daß Gerechtigkeit Gottes bei Paulus nicht durchweg ein Genitivus objektivus ("Gerechtigkeit vor Gott") sei, sondern auch ein Genitivus subjectivus ("Gottes eigene Gerechtigkeit"). So will Käsemann erklären, daß Paulus in Röm 4 "δικαιοῦν" als forensischen Akt des Gerechterklärens beschreiben kann und ebenso entschieden in Röm 5,19 betonen kann, daß "der Stand in der Gerechtigkeit aufgerichtet worden sei"[78], daß also Rechtfertigung und Heiligung sich in keiner Weise voneinander trennen lassen.

"Rechtfertigung und Heiligung müssen deshalb zusammenfallen, wenn anders Rechtfertigung dieses ist, daß Christus die Macht über unser Leben ergreift."[79]

Käsemanns Verständnis der Gottesgerechtigkeit überwindet die individualistische Engführung; die Gottesgerechtigkeit fügt sich nicht in ein rein anthropologisches Raster.

Sie ist "die sich eschatologisch in Christus offenbarende Herrschaft Gottes über die Welt ... jenes Recht, mit welchem sich Gott in der von ihm gefallenen und als Schöpfung doch unverbrüchlich ihm gehörenden Welt durchsetzt."[80]

Es zeigt sich, daß Käsemanns Interesse nicht oder nicht primär der ökumenischen Verständigung gilt, sondern der gesellschaftlichen und politischen Relevanz der Rechtfertigungsverkündigung. Der Systematiker Wilhelm Dantine notiert:

"Käsemanns Auslegung ... bietet dem weiteren Nachdenken eine Möglichkeit, die justificatio impii als geschichtliches Geschehen für das Leben der Menschen in der Welt fruchtbar zu machen."[81]

Käsemann, der an anderer Stelle mit "äußerster Schärfe behauptet ... daß Paulus historisch wie theologisch von der reformatorischen Einsicht her

---

76   P. Bläser, Paulus und Luther, 279. Zu beachten ist, daß sich Bläser mit seinem Urteil vor allem auf die Lutherinterpretation Ritschls, Reinhold Seebergs und Holls bezieht, die sich – man wird urteilen müssen: mit Recht – nicht durchgesetzt hat. Aber auch in der übrigen Lutherforschung ist zu beobachten, wie eine rein forensische Deutung zurücktritt.
77   Käsemann, Gottesgerechtigkeit.
78   a.a.O., 172.
79   a.a.O., 187.
80   a.a.O., 192.
81   Dantine, Rechtfertigung und Gottesgerechtigkeit, 43.

verstanden werden muß"[82] ist sich aber durchaus im Klaren, daß er sich mit seiner Neubestimmung des Sinnes der Gottesgerechtigkeit von der "uns bestimmende(n) reformatorische(n) Tradition"[83] entfernt.

Die Sicht Käsemanns ist nicht völlig neu. Schon Adolf Schlatter hatte 1917 den kosmischen Horizont des Rechtfertigungsgeschehens betont und dabei die Differenz zwischen Luther und Paulus herausgearbeitet.

"Beim negativen Werk der Gerechtigkeit, bei der Beseitigung der Strafe, die uns von Gott scheidet, verweilte Luthers Bitte deshalb, weil ihm nur der inwendige Zustand der einzelnen Seele, die in ihrer Sündhaftigkeit hilflos geworden ist, zur Frage trieb, wie sich Gott an ihr als der Gerechte offenbare und sie seiner Gerechtigkeit untertan mache. Das Gebet des Paulus begehrte dagegen dankend und bittend das Hervortreten der göttlichen Gerechtigkeit im ganzen menschlichen Zustand, weil er auf das universale Ziel des Christus sah, in dem das Werk der göttlichen Gnade seine die Welt umspannende Größe erlangt."[84]

Noch weiter als Käsemann geht sein Schüler Peter Stuhlmacher 1965 in seiner Dissertation "Gerechtigkeit Gottes bei Paulus"[85]. Dort behauptet Stuhlmacher, "Gottes Gerechtigkeit" meine bei Paulus überall Gottes heilschaffende Macht. Allerdings relativiert Stuhlmacher seine These 1981 in dem Aufsatz "Die Gerechtigkeitsanschauung des Apostels Paulus"[86].

Er räumt ein, es sei ein Fehler "den Begriff Gottesgerechtigkeit zu starr als einen festen terminus technicus, der immer nur die Bedeutung von Gottes eigenem Recht hat"[87] zu behandeln. Dann aber hält Stuhlmacher fest, es sei eine seiner "einstigen These ebenbürtige Einseitigkeit... daß Gottesgerechtigkeit bei Paulus vor allem den Sinn von Glaubensgerechtigkeit habe ..."[88] Die Gründe für diese Bewertung seien nicht allein exegetisch, sondern lägen auch "in der entschiedenen lutherischen Prägung"[89] der Opponenten.

Tatsächlich haben Käsemann und Stuhlmacher heftigen Widerspruch gefunden, bei dem konfessionelle Argumente eine gewichtige Rolle spielen. Der Vorwurf lautet letztlich: Käsemann und sein Schüler verstehen die Gerechtigkeit Gottes nicht mehr ausschließlich forensisch, genauer: von Gottes Gericht über den einzelnen Menschen her. Sehr deutlich ist der Verdacht Hans Conzelmanns, hier "drohe die Verwandlung der Theologie des Wortes in Heilsontologie"[90].

---

82 Käsemann, Perspektiven, 61.
83 Käsemann, Gottesgerechtigkeit, 182.
84 Schlatter, Luthers Deutung des Römerbriefes, 55 f.
85 Stuhlmacher, Gerechtigkeit Gottes bei Paulus.
86 Stuhlmacher, Die Gerechtigkeitsanschauung.
87 a.a.O., 105, Anm. 16.
88 a.a.O., 106, Anm. 16.
89 a.a.O.
90 Conzelmann, Randbemerkungen, 233. Günter Klein nimmt diesen Verdacht ausdrücklich auf in seinem engagierten Bericht "Gottes Gerechtigkeit als Thema der neuesten Paulus-Forschung", 225.

Ihm folgen Rudolf Bultmann[91] und Günther Bornkamm. Bei Bornkamm rücken Paulus und Luther wieder ganz nah zusammen. Von Gott und dem Gerechtfertigten gilt:

"Gerechtigkeit kann nun wirklich von beiden ausgesagt werden und ist und bleibt doch Gottes Gerechtigkeit. Der strikte Unterschied besteht jedoch darin, daß nur für Gott das Activum gilt: gerecht sprechen und damit gerecht machen ... vom Menschen dagegen das Passivum: gerecht gesprochen, gerecht gemacht werden ..."[92]

Der Akzent liegt – wie bei Luther – auf der iustitia passiva. Diese aber hat ihren Platz im Rahmen einer forensischen Struktur des Rechtfertigungsgeschehens.[93] Es muß auffallen, daß dieses Anliegen nur von Theologen der Bultmannschule vertreten wird und daß die Kritik an Käsemanns These ausschließlich aus dieser Richtung kommt. Natürlich bestreitet auch hier niemand den effektiven Charakter der Rechtfertigung, aber es ist eben die Effektivität von Gottes Urteil allein, die hier betont wird. Es erweist sich, daß die alte Alternative, ob der Mensch ist, wofür Gott ihn hält oder ob er wird, wozu Gott ihn macht, immer noch lebendig ist.

Betrachtet man die Arbeit katholischer Exegeten an der Struktur des paulinischen Rechtfertigungsverständnisses, so zeigt sich: Seit Otto Kuss[94] und Karl Kertelge wird der forensische Charakter nicht mehr bestritten, sondern ausdrücklich eingeräumt. Kertelge formuliert ganz ähnlich wie Wilfried Joest:

"Die Gerechtsprechung des Sünders hat nicht nur forensische, sondern als forensische auch effektive Bedeutung."[95]

Der Gegensatz von "forensisch" und "effektiv" scheint überwunden und auch das lutherische Interesse ist berücksichtigt, daß nicht das neue Sein Gottes rechtfertigendes Urteil ermöglicht und begründet, sondern umgekehrt Gottes rechtfertigendes Urteil effektive Kraft hat, d.h. schafft, was es sagt.

Wolfgang Trilling sagt im Blick auf die von Käsemann ausgelöste Debatte um Gottes Gerechtigkeit sehr abgewogen:

"'Gottesgerechtigkeit' ist zwar auf die 'Rechtfertigung des Sünders' bezogen und kommt in ihr ans Ziel. Sie ist nicht identisch mit Rechtfertigungs- oder Glaubensgerechtigkeit, sondern ... radikal theozentrisch, dynamisch-eschatologisch und zentral christologisch-konzipiert... Erst auf diesem Hintergrund kann die weitere Präzisierung der Gottesgerechtigkeit als Gnaden- und Glaubensgerechtigkeit zur Sprache kommen."[96]

Das Ergebnis ist eigentümlich: Ein altes kontroverstheologisches Problem, nämlich der Streit um den forensischen Charakter der Rechtfertigung,

---

91   Bultmann, ΔΙΚΑΙΟΣΥΝΗ ΘΕΟΥ.
92   Bornkamm, Paulus, 147.
93   "Es bleibt Gott der Richter und die Beziehung des Menschen zu ihm als Rechtsverhältnis gedacht." ebd.
94   Vgl. Kuss, Römerbrief, 122.
95   Kertelge, Rechtfertigung, 123.
96   Trilling, Evangelium, 142.

ist seit Ernst Käsemann zu einem Problem *innerhalb* der evangelischen Exegese geworden. Dabei wird nicht nur über den forensischen Charakter der Rechtfertigung allein gestritten, sondern auch darüber, ob die Rechtfertigung eher individuell-anthropologische Bedeutung hat – so die engere Bultmannschule – oder eher ekklesiologische bzw.. kosmologische Dimension – so Käsemann und seine Schüler. Für die katholische Exegese ist dieser Streit kaum zum Thema geworden, nachdem die alte Alternative "forensisch oder effektiv" überwunden war.

Sieht man genau hin, so war der Gegensatz forensisch-effektiv immer eine unechte Alternative; auch das orthodoxe Luthertum wollte keine "Als-ob-Rechtfertigung" lehren. Letztlich war es nur darum gegangen, ob Gottes Wort schafft, was es sagt, oder ob Gottes Wort bezeichnet, was Gott zuvor geschaffen hat. Darüber herrscht nun wohl Konsens, daß die Alternative im ersten Sinn zu entscheiden ist. Allerdings trägt auch der innerevangelische Streit noch deutlich die Signatur alter konfessioneller Gegensätze, mag es dabei auch der Intention nach um etwas anderes gehen, nämlich um das Verhältnis von Soteriologie und Politik.

Es ist im Rahmen dieses Exkurse nicht möglich, eine ausführliche Paulusexegese vorzulegen. Zwei Hinweise sollen jedoch gegeben werden, um zu verdeutlichen, wo in dem gekennzeichneten exegetischen Konflikt nach meiner Meinung die Lösung zu suchen ist.

Einmal ist in Röm 3, 26 deutlich, daß Paulus durchaus – auch in diesem für seine Rechtfertigungsverkündigung zentralen Kontext – von Gottes eigener Gerechtigkeit sprechen kann. Die These, δικαιοσύνη θεοῦ sei immer und überall als Genitivus objectivus zu deuten, läßt sich von daher wohl kaum begründen.

Wichtiger aber ist zum anderen, daß gerade in Röm 4, d.h. dort wo sich die Belege für die "Zurechnung" der Gerechtigkeit finden, von Gottes machtvollem, schöpferischem Handeln die Rede ist und zwar unter Hinweis auf die Auferweckung der Toten und auf die Creatio ex nihilo. Zwar wird Abraham sein Glaube "zur Gerechtigkeit gerechnet" (4,5.22), aber es ist der Glaube an den Gott, der "die Toten lebendig macht und ruft das, was nicht ist, daß es sei." (4,17). Von daher müßte es sich mindestens verbieten, imputierte Glaubensgerechtigkeit und Gottes Aufrichtung seines eigenen Rechtes gegeneinander auszuspielen.

In dem Streit um das sachgemäße Verständnis der Gottesgerechtigkeit bei Paulus zeigt sich m.E. noch einmal das Ineinander von exegetischer Arbeit und konfessioneller Position gerade innerhalb der lutherischen Theologie. Ein Motiv dieser konfessionellen Theologie kommt bei diesem Konflikt besonders klar zum Ausdruck: Der Mensch wird vor Gott als passiv gesehen, als der, der Gottes rechtfertigendes Urteil als einzelner empfängt. Auch beim Festhalten am Simul, also daran, daß die Sünde auch die Existenz des Christen bleibend kennzeichnet und bei Vorordnung der Rechtfertigung vor die Heiligung läßt sich dieses Motiv aufzeigen.

In der katholischen und der außerlutherisch-protestantischen Theologie findet dieses Motiv kaum Anklang. Vor allem aber scheint mir deutlich, daß dieses Motiv zwar Anhalt an Paulus hat, aber keinesfalls die zentrale Intention seiner Rechtfertigungsverkündigung oder Anthropologie darstellt.

II. Die Sünde

§ 4 Das Verständnis der Sünde -
subjektiv oder transsubjektiv

A. Das Problem

In seiner Schrift gegen Latomus bezweifelt Luther,

"ob der übliche Sprachgebrauch, der unter Sünden bestimmte Taten versteht, mit dem der Bibel übereinstimmt"[1]. Ihm "scheint sie jenen Sauerteig so (Sünde) zu nennen, der die bösen Werke und Worte als Früchte hervorbringt"[2].

Damit ist über die Frage nach der Wirklichkeit der neuen Gerechtigkeit hinaus ein weiterer kontroverstheologisch wirkungsvoller Punkt bezeichnet. Die Frage ist gestellt, ob die Bibel – in unserem Fall Paulus – von der Sünde eher als einer den Menschen versklavenden Macht redet, die sich dann in einzelnen sündigen Taten konkretisiert, aber nicht in diesen Taten aufgeht, oder ob "Sünde" nur der Sammelbegriff für eine bestimmte Klasse von Handlungen, etwa Gebotsübertretungen, ist. Anders formuliert: Ist der Mensch ein Sünder und sündigt er deshalb? Oder gilt: Der Mensch sündigt und macht sich dadurch zum Sünder?

Nun wird man vorsichtig sein müssen: Katholische Theologie hat weder vor noch nach Luther die Erbsünde geleugnet. Zwar spricht der Reformator von Theologen, "qui peccata ad sola opera deflexerunt"[3]; aber daraus folgt nicht, die Scholastik habe die Erbsünde nicht gekannt. Die manifeste dogmatische Differenz liegt dort, wo katholische Theologie lehrt, die Erbsünde werde in der Taufe getilgt. Wir sahen in den Überlegungen zu simul iustus et peccator bereits, wie Luther sich gegen diese Auffassung abhebt. Nun aber geht es um eine abgeleitete Differenz, es geht darum, ob die Sünde überhaupt, auch die vorchristliche, vom Einzelakt her verstanden werden muß, oder ob sie insgesamt von ihrem Machtcharakter her zu interpretieren ist. Im letzten Fall meint "Sünde" eine transsubjektive Wirklichkeit, der der Mensch unterworfen ist, der er dienen muß auch da – vielleicht gerade da –, wo er es nicht weiß. Im anderen Fall ist Sünde eine subjektive Tatsache. Deshalb muß sie nicht immer bewußt sein. Aber auch, wo das Gewissen nicht reagiert, bleibt die Sünde eine Tat (oder Unterlassung), die wenigstens prinzipiell der einzelne im Spiegel der göttlichen Gebote als Sünde erkennen kann.

Für Luther gilt zunächst beides: Die Sünde ist Tat und Macht. Der Akzent liegt aber eindeutig auf ihrem transsubjektiven Wesen. So kann der Reformator in der Römerbriefvorlesung formulieren:

---

1   Bornkamm, Martin Luther, 167.
2   WA 8, 104. Übersetzung nach: Bornkamm, Martin Luther, 167 f.
3   WA 56, 276 (zu Röm 4,7). Vgl. Iwand, Sed originale, vor allem 187.

"... sola fide credendum est nos esse peccatores, quia non est nobis manifestum, immo sepius non videmur nobis conscii."[4]

Auch katholische Theologie weiß um beides, um die Sünde als Tat und als Macht, aber sie setzt den Akzent genau umgekehrt. Daß die Sünde sola fide erkannt wird, könnte ein katholischer Theologe von Haus aus wohl kaum so sagen.

B. Die Diskussion des Problems in der katholischen Exegese

Auch bei der Frage nach dem Verständnis der Sünde ist es offenkundig, daß es ein Streit um ein angemessenes Verständnis paulinischer Texte ist. Schon die Häufigkeit von ἁμαρτία und sinnverwandten Begriffen bei Paulus spricht hierfür. Dann aber muß die Tatsache registriert werden, daß der Apostel vor allem im Römerbrief pointiert und exklusiv ἁμαρτία singularisch gebraucht (von alttestamentlichen Zitaten und traditionellen Wendungen abgesehen).

Es ist zu überprüfen, wie solche Beobachtungen in katholischer Exegese aufgenommen und bewertet werden.

a) Otto Kuss

Auch hier kann die Untersuchung wieder bei Otto Kuss einsetzen. Die frühere Literatur, die Kuss nennt, ist äußerst schmal[5] – es wird sich zeigen, daß sie sich auch seit Kuss nicht wesentlich erweitert hat.

Kuss beginnt in seinem Kommentar zum Römerbrief den Exkurs über "Sünde und Tod" mit der Feststellung,

daß im Alten Testament die "Auffassung der Sünde als eines Zuwiderhandelns gegen eine Willenskundgebung Gottes, gegen Gottes Gesetz in irgendeiner Form, eine führende Rolle" spielt und daß dieses Verständnis auch bei Paulus präsent ist.[6]

Aber Paulus gehe über diesen Ansatz weit hinaus:

"... aus der im Glauben gewonnenen Gewißheit ... daß durch Jesus Christus den Glaubenden und Getauften das ganze Heil zuteil wird", kann der Apostel "den Abgrund menschlichen Elends in unvergleichlich zutreffenderer Weise"[7] ausmessen, als jede vor- oder außerchristliche Theologie dies vermöchte.

Für Paulus gilt nach Kuss die "ihrem ganzen Umfange nach" neue Erkenntnis:

4 WA 56, 231.
5 Kuss, Römerbrief, 275.
6 a.a.O., 241.
7 a.a.O., 243.

"Der Mensch wird nicht erst Sünder, wenn man von Adam absieht, für den, wie es scheint, besondere Bedingungen gegeben waren, sondern er findet sich in dieser Welt als Sünder vor, er ist von Anfang an Sünder (Röm 5,19)."[8] Durch Adams Fall ist "die Sünde ($\dot{\eta}$ ἁμαρτία) wie eine machtvolle Herrscherin in diesen Kosmos eingezogen"[9].

Man wird nicht behaupten wollen, daß die Wirklichkeit der Sünde in dieser Darstellung moralisiert oder marginalisiert wird. Das augustinische "Nondum consideras ti quantum ponderis sit peccatum", das so häufig als Vorwurf gegen katholische Theologie angeführt wurde, läßt sich kaum gegen einen Theologen ins Feld führen, für den die Sünde als mächtige Herrscherin in den Kosmos eingezogen ist. Wer Luthers Wort von der Sünde als Sauerteig im Ohr hat, der wird die folgende Aussage nicht ohne weiteres von einem dezidiert katholischen Theologen erwarten:

"Hinter der düsteren Kulisse der relativ leicht konstatierbaren einzelnen Tatsünden aller Menschen, der Heiden wie der Juden, entdeckt Paulus ... die Verfallenheit aller Menschen an die 'Sündenmacht'; die mannigfaltigen sündigen Fakta führen als Symptome einer tiefer sitzenden Krankheit auf die fundamentale 'Sündigkeit' des Menschen hin, welche als ein – menschlicher Kraft schlechthin unzugänglicher – Herd der Bosheit in immer neue Tatsünden ausbricht."[10]

Tatsächlich formuliert aber Kuss so und es bleibt lediglich festzustellen, daß hier von der Macht der Sünde in einer Weise die Rede ist, die sich nicht mehr als konfessionell-katholisch einordnen läßt. Daß "Sünde als Tat und Sünde als Verhängnis" aufeinander bezogen sind, was Kuss festhält[11], wird auch ein strikt lutherischer Theologe zugeben. Aber der katholische Exeget sieht gerade das Neue und Eigene des paulinischen Sündenverständnisses im Machtcharakter der Sünde.

b) Karl Kertelge

Auch Karl Kertelge erkennt ausdrücklich den Machtcharakter der Sünde an, zunächst bei der Auslegung von 2. Kor 5,21[12], aber auch generell als Kennzeichen des theologischen Denkens des Apostels.[13] Nur gegen ein Sündenverständnis, das die Subjektivität des Menschen verkennt – so scheint es Kertelge bei Bultmann zu stehen – stellt er die Frage,

"ob hier die moralische Seite des Sündenbegriffs nicht zu kurz kommt. Sünde ist bei Paulus auch Übertretung des Gesetzes und eine Tat, die vor dem Gericht Gottes verantwortet werden muß"[14].

---

8   a.a.O., 244. Das deckt sich in frappierender Weise mit Luthers Erklärung zu Röm 5,12: "Actualia (peccata) enim omnia per diabolum intrant et intraverunt in mundum, sed originale per hominem unum." WA 56, 310.
9   Kuss, Römerbrief, 244.
10   a.a.O., 241.
11   ebd.
12   Kertelge, Rechtfertigung, 103.
13   a.a.O., 219-222.
14   a.a.O., 222.

Hier zeigt sich eine Besorgnis, die in entgegengesetzter Form schon öfters zu beobachten war. Ging es sonst darum, daß der Mensch nicht zum völlig passiven Objekt von Gottes Gnade wird, so ist es hier das Anliegen Kertelges, als Subjekt der Sünde den Menschen festzuhalten. Zwar ist der Mensch in seinem Dasein als Fleisch der Sünde radikal ausgeliefert. Aber es ist eben der Mensch, der in die Begierden des Fleisches einwilligt und nicht die Sünde. Man wird aber hieraus nicht folgern dürfen, daß das Verständnis der Sünde nun aufs Neue an moralischen Kategorien orientiert werden soll. Vielmehr soll im Rahmen eines transsubjektiven Verständnisses von Sünde die Tatsache nicht ausgeblendet werden, daß der Mensch sich auch nach Paulus vor Gottes Gericht für seine Taten zu verantworten hat. Daraus erklärt sich der Hinweis Kertelges auf Röm 2,12.16.[15]

Zusammenfassend läßt sich sagen: Katholische Paulusexegese hat sich das Verständnis der Sünde als transsubjektiver, den Menschen versklavender Macht angeeignet. Auch wo sie am moralischen Aspekt des Sündenbegriffs festhält, geschieht dies nicht, um den Machtcharakter der Sünde zu relativieren.

Daß dieses Urteil auch auf Karl Kertelge zutrifft, wird deutlich, wenn man sich seine Interpretation des transsubjektiven Charakters der Sünde in Röm 7 vor Augen hält:

Röm 7 macht "deutlich, daß Paulus den Menschen unter dem Gesetz als Sünder betrachtet und zwar nicht erst wegen der Übertretungen des Gesetzes, sondern wegen der in ihm wohnenden Sünde, die sich ständig in den Übertretungen konkretisiert"[16].

Soweit liegt Kertelge noch ganz auf der Linie des Verständnisses der Sünde als Macht. Dann aber präzisiert er: Deutlich wird nämlich außerdem,

"daß Paulus den Menschen unter dem Gesetz nicht deswegen für einen Sünder hält, weil er das Gesetz dauernd übertritt, sondern weil die Richtung des Gesetzesweges verkehrt ist."[17]

Diese Richtung führt nämlich zur Gerechtigkeit aus dem Gesetz bzw. zur Eigengerechtigkeit. Wenn aber die Sünde nicht nur in der Übertretung des Gesetzes besteht, wenn vielmehr die Richtung des Gesetzesweges als solche a limine falsch ist, dann ergibt sich eine Konsequenz, die Kertelge nicht ausdrücklich nennt, aber offenkundig akzeptiert: Auch und gerade die Erfüllung des Gesetzes ist Sünde.

Damit hat die Diskussion um den Machtcharakter, um die Transsubjek-

---

15 ebd.
16 a.a.O., 215.
17 ebd. Vgl. dazu Bultmann, Römer 7, S.54 f. Der grundsätzliche Vorwurf des Paulus ist nicht, "daß der Gesetzesweg falsch ist, weil er wegen der Übertretungen nicht zum Ziele führt ... vielmehr der, daß die Richtung dieses Weges verkehrt ist, und zwar deshalb, weil er seinen Sinn darin hat, daß er zur ἰδία δικαιοσύνη führen will (Rm 10,3; Phl 3,9)". Mir ist nicht klar, warum Kertelge seine auch verbale Anlehnung an Bultmann nicht noch deutlicher kennzeichnet.

tivität der Sünde, eine neue Ebene erreicht. Ihre Macht erweist sich nun darin, daß sie auch das Gesetz und die menschlichen Versuche, das Gesetz zu erfüllen, sich unterwirft. Es gilt nicht mehr nur, daß die Sünde nicht mit moralischen Kategorien zu erfassen ist, sondern mehr noch: Menschliche Moralität selbst wird zum Medium der Sünde. Man wird die Tragweite einer solchen, auf Rudolf Bultmann zurückgehenden Exegese von Röm 7 nicht leicht überschätzen. Dieter Zeller bemerkt durchaus hellsichtig, daß diese Auslegung dem Verständnis von Röm 7 als Beschreibung christlicher Existenz sachlich "verwandt" ist.[18] Tatsächlich ist Bultmanns Aufsatz, in dem er diesen exegetischen Ansatz begründet, 1932 erstmals erschienen[19], also kurz nach Werner Georg Kümmels entscheidender Dissertation[20] über Röm 7. Es ist deshalb zu erwarten, daß der konfessionelle Gegensatz an Bultmanns These aufs Neue aufbricht. Schlicht gefragt: Wie sollte katholische Theologie akzeptieren können, daß wegen der Sündenmacht auch das gute Werk, auch die faktische Erfüllung des Gesetzes selbst Sünde ist? Tatsächlich aber haben sich katholische Theologen diese Interpretation des paulinischen Sündenverständnisses sehr wohl angeeignet, was schon die zitierten Sätze Kertelges belegen. Daraus hat sich eine höchst verwickelte Diskussionslage ergeben.

Diese gilt es nun in Kürze nachzuzeichnen und theologisch zu bewerten.

C. Die Diskussion des Problems bei Rudolf Bultmann und Paul Althaus

Der Ausgangspunkt der neueren Diskussion auf lutherischer Seite liegt offenkundig in Bultmanns schon erwähntem Aufsatz von 1932. Dort polemisiert er gegen die Auffassung von Röm 7, die – nachdem der Text als Kennzeichnung des Menschen unter dem Gesetz anerkannt ist – nun einen subjektiven Konflikt beschrieben findet zwischen dem Wollen des Guten und dem faktischen Tun des Bösen. Einen solchen Konflikt gibt es nach Bultmann nicht. Denn es gilt:

"Der Mensch ist Sünder, auch wenn er das Gebot erfüllt."[21] Sünde "ist also das Selbst-verfügen-wollen des Menschen, das Selbst-Anspruch-erheben, das Sein-wollen wie Gott"[22].

Indem die Sünde dem Menschen vorspiegelt, durch das Tun des Gebotenen

18   Zeller, Römer, 146.
19   Bultmann, Römer 7.
20   Kümmel, Römer 7.
21   Bultmann, Römer 7, 59.
22   a.a.O., 61 f.

das Leben, seine Eigentlichkeit, erreichen zu können, führt es den Menschen zum Tod. Aber das ist eben kein bewußt erfahrener ethischer Konflikt:

"Die Eigentlichkeit des Menschen wird gerade durch sein Selbst-sein-wollen verfehlt, das sie erreichen will; darin besteht der Trug der Sünde ... Aber gerade, weil in dem Selbst-sein-wollen das Eigentlich-sein-wollen, wenngleich verkleidet und verdreht, erhalten bleibt, ist es möglich, von seinem Zwiespalt so zu reden, daß das eigentliche Ich dem faktischen Ich gegenübergestellt wird."[23]

Es ist an dieser Stelle nicht die gesamte Problematik dieses Ansatzes zu diskutieren. Wichtig ist in diesem Zusammenhang, daß Bultmann in den faktischen Übertretungen nicht den Zugang zum Verständnis der Sünde und noch weniger den Zugang zur paulinischen Rechtfertigungslehre insgesamt sieht. Wenn Paulus den Juden ihre faktische Gesetzesübertretung vorhält, so hat dies letztlich nur rhetorische Bedeutung:

Wenn die Juden sich "vor Gott über die Heiden erhaben dünken, so muß ihnen zum Bewußtsein gebracht werden, daß sie als Übertreter des Gesetzes nicht besser als jene sind (Röm 2,17-24)"[24].

In der Hauptsache aber wirft Paulus den Juden nach Bultmann gerade ihren Gesetzeseifer vor. Durch diese Interpretation der Sünde ist gesichert, daß die Rechtfertigung nicht lediglich als Vergebung vergangener Schuld und Eröffnung neuen Gesetzesgehorsams, also als Mittel zum ethischen Zweck erscheint. Heil wird dem Menschen nicht nur angesichts faktischer Sünde, sondern überhaupt und prinzipiell nicht zuteil,

"wenn er es selbst ergreifen will, wenn er sich selbst durchsetzen will, sondern nur, wenn er sich selbst preisgibt, wenn er sich dem Anspruch Gottes ausliefert, wenn er von Gott her ist"[25].

Weil Gott will, daß die Menschen aus seiner Gnade leben, deshalb finden sie ihre Gerechtigkeit nur in Christus, nicht etwa deshalb, weil sie alle Gottes Gebot übertreten haben. Und deshalb ist auch die eigentliche Gestalt der Sünde nicht die Übertretung, sondern die Verachtung oder Zurückweisung der Gnade. Es ist interessant, wie sich Bultmanns Anliegen in der Interpretation der Rechtfertigungslehre hier wieder mit dem Luthers zur Deckung bringen läßt – folgt man der Darstellung von Paul Althaus.

Althaus, der, wie gezeigt, sehr wohl einen ethischen Konflikt im Menschen unter dem Gesetz annimmt und hier von Bultmann weit entfernt ist, veröffentlichte 1935, kurz nach dem Erscheinen von Bultmanns "Römer 7 und die Anthropologie des Paulus" eine Studie: "Gottes Gottheit als Sinn der Rechtfertigungslehre Luthers"[26]. Althaus betont dort, daß bei Luther die Rechtfertigungslehre keinen anthropozentrischen oder "hamartiozentrischen" Sinn hat, sondern "theozentrischen".

---

23 a.a.O., 62.
24 a.a.O., 54.
25 a.a.O., 62.
26 Althaus, Gottes Gottheit.

Anders formuliert: Das sola fide hat seinen Sachgrund in Gottes Willen und nicht in der Sünde der Menschen. Zwar antwortet Luther auf die Frage, warum durch Werke des Gesetzes "kein Fleisch vor Gott gerecht wird", zunächst:

"weil kein Mensch Gottes Gesetz im Ernste erfüllt, kein einziger von Anbeginn der Welt bis zu ihrem Ende, auch kein Christ"[27].

Aber das ist weder Luthers letztes noch sein entscheidendes Wort. Letztlich gründet für den Reformator

"die Allgemeingültigkeit der Gnadenordnung ... nicht in der Lage des sündigen Menschen, sondern in dem Willen Gottes. Sie ist unbedingte Alleingültigkeit. Die Gnadenordnung ist nicht ein zweiter, durch die Sünde des Menschen bedingter Wille Gottes, eine Ausnahme von dem an sich gültigen ersten Willen, der Gesetzesordnung, die etwa gegenüber dem Wiedergeborenen jederzeit wieder in Kraft gesetzt werden könnte – sondern die Gnadenordnung ist Gottes ursprünglicher, wesentlicher ewiger Wille"[28].

Man wird nicht umhin können zu sagen, daß in dieser Darstellung die Rechtfertigung sola gratia und sola fide bei Luther supralapsarisch begründet ist, mag Althaus auch darauf hinweisen, daß sein Denken "überall ... infralapsarisch"[29] sei.

Die theologische Intention ist jedenfalls klar: Die Rechtfertigung sola gratia soll nicht eine Notordnung werden, nachdem die eigentlich richtige und angemessene Rechtfertigung durch das Gesetz an der faktischen Sünde des Menschen gescheitert ist. Letztlich geht es um die Geltung des solus Christus und um die alte Frage, ob Christus auch gekommen wäre, wenn die Menschen nicht gesündigt hätten.

So spekulativ wird heute zwar niemand fragen wollen, aber das Anliegen Bultmanns und Althaus' (bzw. Luthers) ist jedenfalls die Vorordnung der Christologie. Gottes souveräner Wille ist es, die Erlösung der Menschheit in Christus zu wirken und erst von daher läßt sich bestimmen, was Sünde ist. Luther ist hier – wieder der Darstellung von Althaus folgend – völlig konsequent:

"... die Ur-Sünde ist es, von etwas anderem vor Gott leben zu wollen als allein von seiner Huld"[30].

Bultmann führt nun diesen Ansatz so durch, daß er auch die eigenmächtige Erfüllung des Gesetzes, in der der Mensch seine Gerechtigkeit gerade nicht Gottes Gnade verdanken will als Gestalt der Sünde, ja als ihre eigentliche Gestalt interpretiert. Damit setzt er die Vorordnung der Christologie vor die Hamartiologie allerdings in seine anthropologischen Kategorien um. Denn zum Kriterium der Christozentrik in der Rechtfertigungslehre wird ja das

27   a.a.O., 11.
28   a.a.O., 14.
29   ebd.
30   ebd.

Sich-der-Gnade-Verdanken des Menschen. Genau hier liegt das dogmatische sowohl wie das exegetische Problem.[31]

D. Die Rezeption von Bultmanns Ansatz bei katholischen und evangelischen Exegeten

a) Heinrich Schlier

Daß Karl Kertelge Bultmann – wenn auch mit dem Hinweis darauf, daß die Sünde auch moralischen Charakter habe – folgt, wurde schon gezeigt. Noch wesentlich deutlicher und entschiedener übernimmt aber Heinrich Schlier Bultmanns Verständnis der Sünde. In seinem Alterswerk schreibt er: Sünde sei wesentlich ein falsches Selbstvertrauen,

nämlich "... das Selbstvertrauen des Menschen, der nun nicht nur Selbstsicherheit hat, sondern gerade wegen seines in der Tat das Gesetz erfüllenden Lebensvollzuges seine Gerechtigkeit hat... Im Tun der Werke, die das Gesetz fordert, liegt daher, wenn es als Suche nach der eigenen Gerechtigkeit verstanden ist, jenes schreckliche Rühmen, jenes Rühmen, das nichts anderes ist als das Nichtgeltenlassen der Gerechtigkeit, die Gott schenkt, ein Nichtwissen um sie und Nicht-sich Unterwerfen unter sie"[32].

Von daher muß Schlier dann auch die anthropologische Kennzeichnung des Wesens der Sünde übernehmen: Im Grunde gibt es immer nur eine Sünde,

"die Sünde des Gott-sich-nicht-verdanken-Wollens"[33].

Die gleiche Sicht findet sich bei Schlier auch in seinem Römerbriefkommentar in der Auslegung von Röm 7:

"Die Sünde spiegelt dem Menschen in, mit und unter dem Anruf des Gesetzes vor, daß er durch Übertretung oder (gegen den Juden gewendet) durch formale Erfüllung des Gesetzes, durch Gesetzesleistung das Leben gewönne."[34]

Aber schon wesentlich früher hat Schlier diese Position erstmals vertreten, bereits in seinem Kommentar zum Galaterbrief von 1949.[35] Auch damals verwendet Schlier bereits die gleichen Kategorien wie in später Zeit:

31 Zeller, Römer, 145, weist - allerdings ohne Nennung eines Belegs - darauf hin, daß "schon Luther ... das Begehren als Verlangen nach geistlichen Gütern" deutete. Man wird aber – gerade weil wir es häufig gewöhnt sind, Luthers Rechtfertigungslehre in den Denkformen der existentialen Interpretation zu interpretieren – gut daran tun, hier nicht zu schnell auch Luther für das skizzierte Verständnis der Sünde zu vereinnahmen.
32 Schlier, Grundzüge, 76 f.
33 a.a.O., 77.
34 Schlier, Römerbrief, 226.
35 Schlier, Galater, 184: "... wenn der in der Sünde auf sich bezogene, sich aus sich selbst verstehende und verhaltende Mensch durch das Gesetz zur Tat herausgerufen wird, die dieses erfüllt, dann wird er in dieser Tat und durch dieses Gesetz nicht von sich losgelöst und ein in den Willen Gottes Gewiesener, sondern im Gegenteil: er verfestigt

"Die Gerechtigkeit, die sich der nicht im Glauben von sich selbst abgelöste Mensch auf dem Wege der Gesetzesleistung verschafft, die Eigen- oder Selbstgerechtigkeit, ist für Paulus nur eine Form des Selbst-Vertrauens und eine Weise des Eigen-Ansehens oder Selbst-Ruhmes. Dieser kommt für Paulus nicht erst und unter Umständen zum Eingehen auf das Gesetz hinzu, sondern die Gesetzeserfüllung durch den immer schon von Adam her Gott abgeneigten und sich zugeneigten Menschen steht von vornherein unter dem Aspekt, nichts anderes als eine Selbstglorifizierung zu sein."[36]

Diese Sätze schreibt Schlier noch in seiner protestantischen Zeit als Schüler Bultmanns. Das in diesem Zusammenhang Wichtige und Interessante besteht darin, daß Schlier auch als Katholik daran festgehalten hat und unter den katholischen Neutestamentlern Zustimmung gefunden hat. Man muß sich klarmachen, was hier geschehen ist: Der Ansatzpunkt war "theozentrisch", wie Althaus es nennt, er bestand in der Einsicht, daß die Sendung Christi nach Paulus nicht eine Notlösung für eine Welt war, in der das Gesetz allein unglücklicherweise kein Heil bewirkte, sondern daß die Sendung Christi von vornherein Gottes gnädiger Wille ist und daß an ihr das Unvermögen des Gesetzes sich erst offenbart und das Ausmaß der Sünde ans Licht kommt. Um aber diese Einsicht zu sichern, wird nunmehr alle menschliche Gesetzeserfüllung von vornherein als in sich problematisch, weil selbstgerecht und ruhmsüchtig, disqualifiziert. Was als Bekenntnis zur Exklusivität und Universalität des Heils in Christus begonnen hatte, wird durchgeführt als anthropologisch abgesicherte Lehre von der Universalität der Sünde. Theozentrisch wird man die Sätze Schliers wohl kaum nennen wollen.

Allerdings hat nach Schlier auch kein katholischer Theologe mehr die These von der Sünde durch Gesetzeserfüllung in der gleichen Schärfe vertreten.

b) Josef Blank

Während Kertelge nur relativ kurz auf die Sünde als Tun des Guten um der Selbstrechtfertigung willen eingeht, hat Josef Blank eine bedenkenswerte Mittelposition. Einerseits stimmt er dem anthropologischen Ansatz Bultmanns zu:

"Im Begriff der justificatio impii ist die Einheit von Theologie und Anthropologie gegeben. Oder anders gesagt ... ist 'meine eigene Gerechtigkeit' vielleicht nur der in sich

---

sich in sich selbst als ein Selbst-leistender und damit Selbst-gerechter." Vgl. dazu die Kritik Andrea van Dülmens: "Wird die Gesetzesproblematik des Paulus wie bei Schlier auf eine Problematik der Gesetzlichkeit gedeutet, so wird die Frage rein anthropologisch betrachtet. Das Gesetz bewirkt dann nicht mehr nur die Übertretung, sondern es dient auch der Eigengerechtigkeit des zum Gehorsam gerufenen Menschen. Die Unheilsmächtigkeit des Gesetzes wird also in das Innere des Menschen verlagert: Die Gesetzeserfüllung erweist sich als äußerer, und das heißt scheinbarer Gehorsam und innere Abkehr von Gott." van Dülmen, Theologie des Gesetzes, 256.
36   Schlier, Galater, 184 f.

ınmögliche Versuch, mir selber das Leben zuzusprechen und zu sichern, so daß umgekehrt die Glaubensgerechtigkeit nichts anderes wäre als die dankbare Anerkennung, daß mir das Leben geschenkt ist, ich mir in meinem Leben geschenkt bin, grundsätzlich und für immer?"[37]

Blank bejaht diese Frage. In der Rechtfertigung des Sünders ohne die Werke des Gesetzes geht es um den Grund menschlicher Existenz schlechthin. Aber problematisch wird das Gesetz nicht in sich, sondern erst von Christus her:

'... die Problematik der Gesetzeswerke und die Gesetzesgerechtigkeit (konnte) rein toraimmanent nie in letzter Schärfe aufbrechen ... Um zu dieser Problematik vorzudringen, bedurfte es eines Standortes außerhalb der Tora...'[38]

Dieser Punkt außerhalb der Tora kann aber kein anderer sein als das Kreuz Christi:

"Der sachliche Grund, durch den für Paulus die Gesetzeskritik im Sinn des 'Endes des Gesetzes' aufgelöst wurde, ist tatsächlich Jesus Christus selbst, der Glaube an ihn, und das heißt Kreuz und Auferstehung Christi. Erst so war es möglich, den Hebel anzusetzen, der das Gesetz in seiner Heilsdeutung aus den Angeln hob."[39]

Wenn aber der Sachgrund für die Insuffizienz des Gesetzes Christus selbst ist, dann erübrigt sich eine Phänomenologie der Selbstgerechtigkeit, um diese zu begründen. Tatsächlich finde ich bei Blank auch nirgends die Aussage, das Wesen der Sünde konkretisiere sich in der eigensüchtigen Erfüllung des Gesetzes. Man könnte in Blanks Überlegungen den Versuch sehen, den christologischen Ansatz der Rechtfertigungslehre durchzuhalten und zugleich ihre anthropologische Tragweite auszumessen. Von daher kann er anerkennen, daß für Paulus einerseits die faktische Nichterfüllung des Gesetzes "zum Nachweis des Sünderseins der Juden"[40] dient, daß andererseits die Frage der Erfüllbarkeit und Nichterfüllung "des Gesetzes bei Paulus zwar anklingt, aber gar nicht das zentrale Problem ist."[41]

c) Ulrich Wilckens

Nun könnte man das Kapitel schließen und den von Blank eingeschlagenen Mittelweg an Paulus selbst überprüfen, wenn nicht durch Ulrich Wilckens eine völlig neue Situation entstanden wäre. Sein schon erwähntes Referat "Was heißt bei Paulus: 'Aus Werken des Gesetzes wird kein Mensch gerecht'?"[42] und ihm folgend sein Kommentar zum Römerbrief haben in

37 Blank, Warum sagt Paulus..., 56.
38 a.a.O., 60.
39 a.a.O., 62.
40 a.a.O., 58.
41 a.a.O., 59.
42 Wilckens, Was heißt bei Paulus...

mancher Hinsicht die Diskussion auf den Kopf gestellt. Vor allem aber stell
Wilckens' Position den radikalen Gegensatz zur Sicht Bultmanns dar.[4]
Wilckens' These lautet:

"Daß kein Mensch aus Gesetzeswerken gerechtfertigt wird, hat darin seinen Grund, daß
alle gesündigt haben. Die faktische Sünde aller Menschen hat sie ausnahmslos für Gottes
Zorngericht qualifiziert - darum ist ihnen das Heil Gottes, das allein den Gerechten
zusteht, verwehrt ... Paulus setzt in diesem Urteil – völlig in Übereinstimmung mit der
Struktur jüdischer Gerichtserwartung – voraus, daß Gott jeden, der sich in Werken als
gerecht erwiesen hat, dem Heil als der entsprechenden Folge der Gerechtigkeit anheim
geben werde..."[44]

Im folgenden kann Wilckens sogar sagen, daß Paulus konsequent "den
Gesichtspunkt der Werkgerechtigkeit durchführt"[45] und von daher alle
Menschen als der Rechtfertigung bedürftige Sünder erscheinen.

Die exegetische und zugleich ökumenische Tragweite von Wilckens'
Ansatz ist eminent. Durch eine solche – nun in der Tat infralapsarische –
Betrachtung der Rechtfertigungslehre bleibt diese zwar die Gestalt der
paulinischen Soteriologie und die prägnante Anwendung der Christologie
schlechthin. Dennoch ist ihre Bedeutung relativiert: Daß die Theologie des
Apostels insgesamt Soteriologie sei, läßt sich nun nicht mehr sagen. Die
prinzipiell positive Beurteilung des Werks erinnert an die Sicht Adolf
Schlatters[46] und läßt fragen, ob Wilckens wirklich nur die Paulus interpretation Bultmanns trifft oder ob – wie bei Schlatter – Luther selbst getroffen
werden soll.[47] Daß es um ein ökumenisches und – damit verbunden – um ein
grundsätzlich missionarisches Anliegen geht, führt Wilckens in seinem
Kommentar zum Römerbrief selbst aus: Das Urteil Bultmanns, das Bemühen um Erfüllung des Gesetzes sei selbst Sünde,

"das präzis der im Canon 25 der Sessio sexta des Konzils von Trient anathematisierten
Lehrmeinung entspricht, steht zu Röm 2,13 wie überhaupt zur Position des Paulus im
Widerspruch ... Das paulinische Evangelium ist in seinem Kern keineswegs werkfeind-
lich. Der Glaube, den Paulus verkündigt und zu dem er ruft, enthält keineswegs eine
ursprüngliche, tiefwirksame Verneinung aller Aktivität des Menschen, dem Guten in der
Welt Bahn zu brechen und dem Bösen zu wehren ... Eine Einigung der christlichen
Konfessionen in diesem entscheidenden Punkt würde zur Überwindung dieser verfehl-
ten aber verbreiteten Christentumskritik (nämlich, daß das Christentum in die Passivität
führt, R.O.), heute Wesentliches beitragen."[48]

Wer von lutherischer Theologie geprägt ist, der wird allerdings fragen, ob es
die Sache menschlicher Aktivität sei, "dem Guten in der Welt Bahn zu
brechen" und ob sich Wilckens nicht untreu wird, wenn er es einerseits für

43   Vgl. nur a.a.O., 82 f und öfter.
44   a.a.O., 81.
45   a.a.O., 82.
46   Schlatter, Luthers Deutung des Römerbriefes.
47   Wilckens nennt Schlatters Urteil über das paulinische Sündenbekenntnis "Im
Grundsätzlichen richtig". Was heißt bei Paulus..., 105.
48   Wilckens, EKK VI/1, 145 f.

verfehlt hält, die Priorität des Handelns Gottes zu sichern durch eine Akzentuierung menschlicher Passivität[49] und andererseits Barth vorwirft,

daß "eine politisch eindeutige Praxis als Zur-Geltung-Bringen der Gottesgerechtigkeit ... die Unterschiedenheit zwischen göttlichem und menschlichem Handeln faktisch aufhebt, die in der lutherischen Zwei-Reiche-Lehre gewahrt bleibt"[50].

Will Wilckens etwa so verstanden werden, daß die theologische Pointe lutherischer Rechtfertigungsverkündigung, nämlich das Durchhalten der Unterscheidung von Schöpfer und Geschöpf auch in der Soteriologie und Ethik, ihren Raum und ihre Berechtigung allein auf dem Feld des politischen Handelns habe?

Deutlich ist jedenfalls jenseits solcher – notwendig polemischer – Fragen, was für Wilckens bei der Interpretation der paulinischen Rede von der Sünde theologisch auf dem Spiel steht. Nach Wilckens' Urteil ist der evangelisch-katholische Dissens in der Rechtfertigungslehre nicht zu überwinden, wenn man Bultmann folgt; zugleich wird die Rechtfertigungslehre Ausdruck von Resignation und Passivität. Das Argument, es gehe in der Rechtfertigungs-lehre darum, daß der Mensch immer Geschöpf bleibe und niemals zum Schöpfer werde, auch nicht zum Schöpfer seiner selbst und seines Heils, kann Wilckens nicht aufnehmen. Für ihn handelt die Verkündigung der Rechtfertigung sola gratia allein davon, daß der faktisch schuldbeladene Mensch an den Folgen seiner Schuld nicht zugrundegehen muß, sondern leben darf. Davon allerdings handelt sie in vollem Ernst.

Wilckens weiß selbstverständlich von dem Gegensatz von Gottesgerech-tigkeit und eigener Gerechtigkeit bei Paulus, wie er etwa in Röm 9,30 ff und Phil 3,4 ff zu Tage tritt. Hier hat die Sünde auch nach Wilckens nicht mehr die Gestalt der Gesetzesübertretung, sondern meint das Nein des Menschen zur Glaubensgerechtigkeit. In diesen Texten ist nicht

"wie in Röm 1-3, wo die Sünde ante Christum beschrieben wird, die Gesetzesübertre-tung im Blick, sondern vielmehr das beharrliche Festhalten an der Gesetzesgerechtigkeit entgegen der durch Gottes Gnade heilsgeschichtlich jetzt eröffneten Glaubensgerechtig-keit post Christum"[51].

Damit hat die Sünde bei Paulus mindestens einen doppelten Charakter. Es wird sich noch zeigen, inwiefern sich dieses differenzierte Reden von der Sünde mit dem vom Gesetz berührt. Zeller nennt die Methode, mit der Wilckens diese differenzierten Bedeutungen erarbeitet, treffend "Entflech-tung der Kontexte"[52]. Auch hier ist wiederum das systematische Gewicht der exegetischen Entscheidung hervorzuheben. Die Christozentrik der paulini-schen Theologie kommt bei Wilckens schon darin zur Geltung, daß am Christusgeschehen auch die Wirklichkeit der Sünde eine andere wird.

---

49   a.a.O., 145.
50   a.a.O., 231.
51   Wilckens, Was heißt bei Paulus..., 102.
52   Zeller, Zusammenhang, 196.

Wurde ante Christum der Begriff der Sünde am Gesetz gewonnen, so ist er post Christum nur noch christologisch zu fassen. Sünde meint nun das Nichtgeltenlassen dessen, was Gott in Tod und Auferstehung Christi gewirkt hat.

d) Günter Klein

Die systematische Auseinandersetzung mit Wilckens über das Verständnis der Sünde nahm als einziger protestantischer Exeget m.W. bisher Günter Klein auf.[53] In sehr griffiger Sprache wirft er Wilckens vor:

"... indem aus dem paulinischen Sündenverständnis die Komponente des Sicherheitsstrebens eliminiert und so faktisch geleugnet wird, daß Sünde für Paulus zwar moralische Folgen hat, jedoch kein moralisches Phänomen ist, wird aus der Botschaft von der Rechtfertigung des Gottlosen die Kunde von der Gnade für den Unmoralischen und den moralischen Schwächling"[54]

Paulus dagegen will

"der ungeheuerlichen Einsicht Bahn brechen ... daß die Einlassung des Menschen auf das Gesetz dem Verhängnis grundsätzlich so wenig entnommen ist wie die Übertretung"[55].

Klein wiederholt nicht nur die bereits referierte Position Bultmanns, er untermauert sie auch mit einer Reihe einzelexegetischer Argumente, die – wenigstens teilweise – noch zu bedenken sein werden. Für diesen Zusammenhang aber ist wichtig, daß Klein unbedingt "für Paulus ein einheitliches Sündenverständnis nachzuweisen"[56] sucht (so Dieter Zeller) und damit zugleich die prinzipiell anthropologische Orientierung aufrechterhält.

e) Dieter Zeller

Dieter Zeller nimmt zur innerprotestantischen Kontroverse zwischen Wilckens und Klein in höchst aufschlußreicher Weise Stellung. Er wirft Wilckens zunächst vor:

"Daß sich Gesetzeswerke und Glaube im Kontext der Rechtfertigung 3,20.27 ausschließen, kommt nicht genügend zur Geltung."[57] An Abraham, dem "Urbild des gerechtfertigten Christen" ist Paulus wichtig – was Wilckens so nicht anerkennt – "daß er glaubend nichts zu tun braucht. Hier stehen sich tatsächlich Werk und Gnade grundsätzlich gegenüber... Das bedeutet aber keine Disqualifizierung des Tuns als solchen"[58].

Zum anderen äußert Zeller den Verdacht, daß

53 Klein, Sündenverständnis.
54 a.a.O., 253.
55 a.a.O., 265.
56 Zeller, Zusammenhang, 196.
57 a.a.O., 210.
58 a.a.O., 205.

"Christus auch als Ziel des Gesetzes propagiert wird, damit sein Heilswerk nicht sozusagen den Anschein einer 'Notverordnung' erhält, wo doch das Prinzip, daß man sich durch Handeln Leben zu erwerben habe, bestehen bleibt"[59].

Schließlich könnte Wilckens ohne Schaden zugeben, daß in Röm 7,7 ff "das Gesetz zum Instrument der Sünde wird"[60].

Ohne Zweifel hat Zeller damit die heikelsten Punkte von Wilckens' Exegese benannt (ohne im übrigen Klein bzw. Bultmann zuzustimmen). In der Tat steht Wilckens ja in der Gefahr, seinen Infralapsarismus soweit zu treiben, daß Christus als "Notverordnung" erscheint. Dann wäre das Gesetz die Konstante und Christus wäre eingetreten, um der Forderung des Gesetzes Erfolg zu verschaffen. Anders formuliert: Zeller legt den Akzent auf den christologischen Ansatz der paulinischen Rechtfertigungsverkündigung und betont – und damit unterscheidet er sich von Wilckens – die Exklusivität der Christologie. Christus ist wirklich das Ende des Gesetzes und nicht seine "Unterbrechung"[61].

Auch der Gegensatz von Glaube und Werk ist als ein christologisch begründeter ernster zu nehmen als Wilckens es tut. Von daher läßt sich dann auch der Mißbrauch, den die Sünde mit dem Gesetz treibt, eher wahrnehmen.

f) Ergebnis

Man wird also hier nicht urteilen dürfen, daß die konfessionellen Gegensätze vertauscht seien. Weder trifft das auf das Verhältnis Blank – Wilckens ohne weiteres zu, noch gar auf das Verhältnis Zeller – Wilckens. Die beiden katholischen Neutestamentler verbindet gewiß nicht die klassische Position Bultmanns[62], wohl aber die Betonung der Exklusivität des Heils in Christus auch gegenüber dem Gesetz. Für das Verständnis der Sünde bleibt festzuhalten, daß Blank die anthropologische Tragweite der Rechtfertigung nicht reduzieren lassen möchte auf die Frage der faktischen Nichterfüllung des Gesetzes, während Zeller der "Entflechtung der Kontexte" weithin folgt. Damit kann er Wilckens zustimmen, wenn dieser die Erkenntnis der faktischen Sünde aus dem Gesetz lehrt, ihm aber zugleich widersprechen, wenn es so scheint, als ginge es in Christus nur um eine Reparatur. "Katholisch" an Zeller ist sicherlich, daß er die Sünde nicht als transempirisches Phänomen der Anschauung entschwinden lassen will, daß er moralische und transmoralische Aspekte im Sündenbegriff zusammenhalten

59   a.a.O., 208.
60   a.a.O., 210.
61   Diese Anfrage Stuhlmachers an Wilckens nimmt Zeller auf. Zeller, Zusammenfassung, 208, Anm. 76.
62   Zeller meint, Blank stehe "unter dem Eindruck dieser imponierenden Konzeption" (Bultmanns). a.a.O., 195.

will, so wie es schon bei Kertelge sichtbar wurde und wie es auch von Blank angedeutet wird.[63] Es fragt sich nur, ob dieses "katholische" Anliegen nicht dem paulinischen Befund widerspricht.

E. Rückfrage bei Paulus

Im wesentlichen geht es für die Antwort auf diese Frage um die Exegese zweier Texte aus dem Römerbrief: Röm 3,20 und Röm 7,7-13.

a) Röm 3,20

Legt man, wie Klein es tut, Röm 3,20 nach Röm 7,7 ff aus, so muß man festhalten,

"daß der Begriff ἐπίγνωσις hier keinen kognitiven Sinn hat, vielmehr das existentielle Innewerden im Sinne der akuten Realisierung meint, Paulus also das Gesetz nicht als Spiegel, sondern als Auslöser konkreter Sünde verstanden wissen will"[64].

Doch schon rein konkordanzmäßig ist eine solche Interpretation nicht zwingend. Sie gilt zwar für 2. Kor 5,21, nicht aber z.B. für Röm 1,28.32. Vor allem aber ist zu fragen, warum Paulus zuerst einen Grundsatz wie Röm 2,13 aufstellt, sich in 2,17 ff um den Nachweis der Sünde der Juden am Gesetz bemüht, und den Schriftbeweis in 3,9 ff mit dem Grundsatz von 3,19 abschließt, um dann in 3,20 alles souverän beiseitezuwischen und eine solche Sündenerkenntnis für unmöglich zu erklären. Man kann durchaus zugeben, daß Röm 2,13 nur hypothetischen Charakter hat und daß Röm 3,20a der eigentliche Kernsatz ist, weil er die Front offenbar macht, an der Paulus kämpft. Man kann mit Zeller betonen:

"Das Gesetz dient also zur Aufdeckung von Schuld im Prozeß, den Paulus vom Standpunkt des Evangeliums aus gegen die Welt führt."[66]

Dennoch bleibt bestehen, daß Paulus nach Röm 2,1 dem Sünder gerade die Möglichkeit nehmen will, sich zu entschuldigen und daß er dazu auf reale

63   Blank, Warum sagt Paulus..., 58. "Paulus kennt weiter nach Röm 2 das Problem der Erfüllbarkeit des Gesetzes und rechnet mit den Juden auf dieser Grundlage ab, indem er die Nichterfüllung, das Versagen der Gesetzesforderung gegenüber unnachgiebig bloß- stellt. Die Nichterfüllung dient ihm zum Nachweis des Sünderseins der Juden. Trotzdem ist das Problem der Erfüllbarkeit noch nicht das eigentliche Problem, sondern genau wie dies Röm 7 zeigt, nur das augenfällige Symptom, in welchem sich die tiefere Problema- tik anzeigt."
64   Klein, Sündenverständnis, 261. Daß Klein behauptet, die Richtigkeit dieser Deutung sei "längst festgestellt" und als Beleg einzig auf Bultmann verweist, ist m.E. eine petitio principii.
65   a.a.O., 198.
66   Zeller, Zusammenhang, 208.

und anschauliche Sünde hinweisen muß. M.E. ist eine sachgemäße Zuordnung von Röm 1,18 - 3,20 einerseits und Röm 3,21 ff andererseits nur möglich, wenn man zugleich betont, daß Paulus die Universalität der Sünde erst von Christus her erkennt, und von dieser Erkenntnis aus im ersten Hauptteil des Römerbriefes die Wirklichkeit der Sünde mit Hilfe des Gesetzes demonstrieren will. Von einer Sünde durch Erfüllung des Gesetzes ist dort keinesfalls die Rede. Eine solche These würde die paulinische Argumentation in 2,1 ff absurd erscheinen lassen. Paulus würde dann die Unterlassung von Taten Sünde nennen, deren Vollbringung erst recht Sünde wäre. Man wird einwenden: Nur die eigensüchtige Erfüllung des Gesetzes nennt Paulus Sünde. Aber auch so ergibt Röm 2 keinen Sinn. Es ist nicht einzusehen, warum Paulus dauernd von Tatsünden redet, wenn diese gar nicht das eigentliche Problem sind.

b) Röm 7,7 ff

Nicht zu bestreiten ist, daß in Röm 7,7 ff das Gesetz selbst "zum Instrument der Sünde" wird. Wenn Wilckens hier nur ausgesprochen findet, daß das Gesetz "mich erkennen (läßt), daß ich gesündigt habe"[67], so hält er m.E. seine eigene Entflechtung der Kontexte nicht durch. Denn in Röm 7 geht es Paulus doch wohl kaum darum, daß sich von Christus her das Gesetz als prinzipiell insuffizient erweist. Es ist zum Leben gegeben (V 10), aber die Macht der Sünde verhindert, daß das Gesetz seine eigentliche Funktion erfüllt. Erst Christus erweist sich mächtiger als die Sünde (Röm 7,25a; 8,2 f), das Gesetz aber ist ihr unterlegen. Die Frage ist nur, ob das Gesetz diese Unterlegenheit darin erweist, daß seine eigenmächtige Erfüllung zur Sünde wird oder ob die Sünde das Gesetz so mißbraucht, daß sie mit seiner Hilfe den Menschen betrügt (V 11) und ihm vorspiegelt, in der Übertretung das Leben zu finden. Eine Auslegung, die die ἐπιθυμία vor allem darin am Werk sieht, daß sie das Gesetz eigenmächtig zu erfüllen trachtet, kommt bedenklich in die Nähe der These, die Paulus entschieden bestreitet, nämlich, daß das Gesetz selbst Sünde sei. Der Apostel will ja gerade einschärfen, daß das Gesetz "heilig" (V 12), "geistlich" (V 14) und "zum Leben gegeben" (V 10) ist. Heißt es nicht schließlich, den Sinn des Apostels für Paradoxien übermäßig zu strapazieren, wenn man ihm zutraut, zugleich den Inhalt des Gesetzes als "Du sollst nicht begehren" (V 7) zu kennzeichnen und das Wesen des Begehrens in der eigenmächtigen Erfüllung gerade dieses Gesetzes Ausdruck finden zu lassen? Es bleibt deshalb m.E. kein anderer Schluß als der, daß Paulus auch hier die Sünde in der Übertretung des Gesetzes findet. Natürlich erhebt sich gegen eine solche Exegese die

---

67 Wilckens, EKK VI/2, 80.

Frage, ob Paulus im Römerbrief tatsächlich eine natürliche Sündenerkenntnis postuliere und von dieser zu Christus hinführe. Die Antwort kann nur lauten, daß der Ansatzpunkt bei Paulus nicht die empirische Sünde, sondern das Christuszeugnis ist, daß er aber von da aus die Universalität des Sündenverhängnisses ad oculos zu demonstrieren bereit ist.

Das "sola fide credendum est nos esse peccatores" findet von Paulus her eine differenzierte Aufnahme: Nicht bestritten darf werden, daß die Sünde auch empirischen Charakter hat. Wohl aber lehrt erst die fides Jesu Christi die Universalität und Macht der Sünde erkennen. Von daher ergibt sich am Schluß dieser Überlegungen eine neue Perspektive: Bei Bultmann und seinen Schülern ist – in den Kategorien von Althaus gesprochen – der Ansatz der Rechtfertigungslehre theozentrisch und nicht anthropozentrisch (bzw. harmartiozentrisch), aber die Durchführung geschieht anthropologisch, nämlich unter ständigem Rekurs auf Eigenmächtigkeit und Sicherheitsstreben des Menschen. Wilckens akzentuiert seinerseits den christologischen Charakter der Rechtfertigungsverkündigung, kommt aber durch seinen radikalen Infralapsarismus dann doch zu einer anthropologischen, am gegebenen Gesetz allein orientierten Sündenerkenntnis. Angesichts ihrer faktischen Universalität tritt die Macht der Sünde bei ihm merkwürdig zurück.

Die zu Rate gezogenen katholischen Exegeten – von Schlier abgesehen – aber versuchen, die Exklusivität und Universalität des Heils in Christus festzuhalten, das die Sünde überwindet, sie aber als überwundene erst in ihrem vollen Ausmaß erkennen läßt.

III. Der Glaube

§ 5 Das Verständnis des Glaubens –
Gnade und Werk

"Glaube ist nicht nur ein Thema, sondern das Thema der Reformation, wenn es um die Rechtfertigung des Sünders allein im Vertrauen auf das Werk Jesu Christi und nicht auf die Werke von Menschen geht."[1]

Dieses Urteil Reinhard Slenczkas wird gewiß unwidersprochen bleiben. Zu klären ist allerdings, was die spezifische Spitze des reformatorischen Glaubensverständnisses ausmacht und worin die konfessionelle Differenz besteht. Daß es dabei um eine Frage der Paulusauslegung geht, braucht nicht lange begründet zu werden, wenn man weiß, daß von 243 Stellen im Neuen Testament, an denen πίστις vorkommt, allein 22 auf den kurzen Galaterbrief und 40 auf den Römerbrief entfallen. Hinzu kommen etwa im Römerbrief 21 Stellen mit πιστεύειν.[2] Wichtiger als diese statistischen Angaben ist die Feststellung, daß bei Paulus Glaube und Rechtfertigung aufs engste miteinander verbunden sind. Offen ist aber, wie Glaube und Rechtfertigung zusammenhängen und was Glaube bei Paulus genau bedeutet.

A. Der traditionelle Konflikt um den Glauben

a) Die Kontroverse um den "rechtfertigenden Glauben"

Um sich Luthers Interpretation und damit dem Ansatzpunkt der kontrovers-theologischen Diskussion um Paulus zu nähern, muß man zunächst auf seine Übersetzung von Röm 3,28 hinweisen:

"So halten wir nun dafür, daß der Mensch gerecht wird ohne des Gesetzes Werke, allein durch den Glauben."

Dieses "allein", für das im griechischen Text kein Äquivalent zu finden ist, liefert bekanntlich ein reformatorisches Hauptstichwort: Sola fide. Die Abgrenzung dieser particula exclusiva richtet sich gegen ein falsches "und": Rechtfertigung geschieht nicht durch Glaube *und* Gesetz, Glaube *und* Werke, Glaube *und* Liebe, sondern allein durch den Glauben.

Luther wendet sich also zuallererst gegen eine Ergänzungsbedürftigkeit des Glaubens. Dagegen verteidigt noch 1966 der katholische Exeget Norbert Brox das katholische "*und*". Dem reformatorischen sola fide stellt er entgegen:

---

1   Slenczka, Glaube, 320.
2   Vgl. Haacker, Glaube, 292.

"Die Überzeugung der katholischen Kirche ist seit eh und je dieselbe geblieben: 'Aus Glaube und aus Werken'."[3]

Und 1951 hatte Peter Bläser geurteilt:

"In den katholischen Arbeiten über die Rechtfertigungslehre des Paulus erscheint entweder der Glaube als selbständiges Glied (nämlich als Fürwahrhalten der Heilstatsachen) neben der Ethik, wobei dann beide als Grundlage der Rechtfertigung genannt werden..." oder man "faßt Glaube als Inbegriff des Fürwahrhaltens und des sittlichen Verhaltens und bezeichnet diesen 'lebendigen Glauben' als Grundlage der Rechtfertigung".[4]

Im ersten Fall liegt die Ergänzungsbedürftigkeit des Glaubens auf der Hand, der zweite ist davon nur insofern unterschieden, als der Terminus Glaube dem durch die Liebe ergänzten "Fürwahrhalten der Heilstatsachen" vorbehalten bleibt. Geht es einmal um den Glauben ohne Werke bzw. ohne Liebe, der als toter Glaube nicht rechtfertigt, so in der zweiten Möglichkeit um den lebendigen rechtfertigenden Glauben, den Glauben, der in der Liebe tätig ist. Als paulinischer Beleg hierfür dient immer wieder Gal 5,6.

In den beiden Weisen, in denen nach Bläser katholische Paulusexegese vom Glauben spricht, erkennt man unschwer die dogmatische Unterscheidung wieder, mit der auch Luther konfrontiert war: Die Unterscheidung von fides informis einerseits und fides caritate formata bzw. fides infusa andererseits. Letztere wurde wenigstens von einem Teil der mittelalterlichen Theologie als eigentlicher Glaube angesehen. Sie ist von Gott eingegossene Tugend ("infusa"), wobei man sich hierfür auf Röm 5,5 beruft, und ist identisch mit dem Stand in der heiligmachenden Gnade. Die fides informis ist lediglich eine Zustimmung zu den geoffenbarten Heilstatsachen, zu der zwar auch die helfende Gnade nötig ist, die aber den Namen Glauben nur uneigentlich verdient, da sie allein nur ein toter Glaube ist.[5]

Luther hält nun allein Glauben, der rechtfertigt, für wahren Glauben, wenn er auch die Wendung fides caritate formata ablehnt. Er macht die fides informis als eine fides acquisita, einen "angenommenen" Glauben, verächtlich. Das Tridentinum hingegen geht über die mittelalterliche Lehrbildung hinaus, in dem es lehrt, daß auch der Todsünder einen wahren Glauben, nämlich diese fides informis haben könne, Sünde und Glaube also nebeneinander im Menschen bestehen können.[6] Damit ist festgeschrieben, daß es einen wahren und dennoch nicht rechtfertigenden Glauben gibt und daß der

---

3   Brox, Paulus, 102.
4   Bläser, Glaube und Sittlichkeit, 114 f.
5   Vgl. hierzu und zum folgenden: Hirsch, Glaube, vor allem 86 ff.
6   "Fides ist in diesem Zusammenhang vor allem die Zustimmung zum Glaubensbekenntnis und die Zugehörigkeit zur Kirchengemeinschaft und es sind wiederum die von der pastoralen Seite kommenden Erwägungen, aus denen in Can. 15/Can. 27 und 28 die Auffassung verurteilt wird, die Todsünde sei nur die infidelitas, bzw. durch Sünde und fehlende Liebe werde nicht nur die Gnade, sondern der Glaube überhaupt verloren und man sei dann kein Christ mehr." Slenczka, Glaube, 329.

Weg des Christen von diesem ersten, noch toten, Glauben fortschreiten muß zum zweiten, in der Liebe lebendigen, Glauben, der die Rechtfertigung im Gericht empfangen wird. Zugleich wird deutlich, warum man Luthers Formel von der Rechtfertigung sola fide mißverstehen und ablehnen mußte. Da man seine Aufhebung der Unterscheidung von fides informis und fides formata nicht verstand, konnte man sein Glaubensverständnis nur als eine fides sola interpretieren. Diese aber ist immer zu wenig zur Rechtfertigung. Denn das bloße Fürwahrhalten der Heilstatsachen ist zur Rechtfertigung zwar notwendig, aber niemals hinreichend. Luther hingegen bestreitet nirgends, daß Glaube und Liebe zusammengehören. Er betont vielmehr, daß der Glaube, wo er wahrer Glaube ist, niemals ohne Werke sein kann.[7]

Allerdings gehören die Werke des Glaubens nicht in die Gottesbeziehung des Menschen, sondern in seine Beziehung zum Nächsten.[8] In das Gottesverhältnis des Christen gehört nur der Glaube, weil kein Mensch ein gutes Werk an Gott tun kann. Auch der Glaube ist kein solches gutes Werk des Menschen an Gott, also auch kein Fürwahrhalten der Heilstatsachen, das Gott etwa zur Gerechtigkeit anrechnen würde. Vielmehr ist Glaube fiducia, Vertrauen des Christen auf das Werk Gottes für ihn in Christus. Deshalb gehört Gott in Christus der Glaube des Christen, weil dieses Heilsvertrauen die einzig mögliche Antwort des Menschen auf Gottes Heilswerk ist. Die eigentlich unmögliche Antwort ist der Unglaube, der als wahre Todsünde nicht mit dem Glauben zusammen bestehen kann.[9] Im Unglauben bleibt der Mensch bei sich selbst. Im Glauben aber wendet er sich Christus zu, findet

---

7   Vgl. nur: "O, es ist eyn lebendig, schefftig, thettig, mechtig ding den glawben das (es) unmuglich ist, das er nicht on unterlas solt gutts wircken. Er fraget auch nicht, ob gutte werck zu thun sind, sondern ehe man fragt, hat er sie gethan und ist ymer ym thun." WADB 7, 10.
8   Vgl. dazu Luthers Aussage aus der Schrift "Von der Winkelmesse und Pfaffenweihe" von 1533: Ein ganzes christliches Leben soll sein glaube und liebe, glaube gegen Gott, der Christum ergreiffet und vergebung der sunde kriegt on alle werck. Dar nach liebe gegen den nehesten, welche, als des glaubens Frucht, beweiset, das der glaube recht und nicht faul noch falsch, sondern thettig und lebendig ist. Darumb er nicht sagt, das die Liebe thettig, Sondern der glaube thettig sey, das der glaube die liebe ube und thettig mache, und nicht die liebe den glauben, wie es die Papisten verkeren und also der liebe alles und dem glauben nichts zu schreiben, Sanct Paulus aber alles dem glauben zu schreibt, als der nicht allein die gnade empfehet von Gott, Sondern auch thettig ist gegen dem nehesten und die liebe odder werck von sich gebirt und wircket." WA 38, 227.
9   Dies scheint im Kontrast zu stehen zur Formel "simul iustus et peccator". Doch täuscht dieser Eindruck. Denn nirgends anders als im Glauben ist der Christ gerecht; unter Absehung vom Glauben – remota fide – ist er ein Sünder. "Diese doppelte Beurteilung ist der geschärfte Ausdruck dafür, daß der Glaube als transitus, als Hinübergang des Herzens von sich zu dem lebendigen Gott, das Centrum vitae aus dem Menschen herausverlegt hinein in den lebendigen Gott ... daß die Gerechtigkeit, die wir in der Vergebung empfangen, erlittene Gerechtigkeit ist, die in Gottes Ansehen und Ziehen ihr Sein hat. Nähme man Gottes Vergebungswort weg, so wäre ich nichts als Sünder ..." Hirsch, Glaube, 121.

die Vergewisserung seiner Existenz nicht in sich, sondern im Christusgeschehen. Insofern ist die Formel sola fide nur die unmittelbare Konsequenz des solus Christus. Der Glaube ist nichts anderes als Sein in Christus und Sein Christi im Menschen. Weil aber Christus allein die Rechtfertigung des Menschen vor Gott bringt, deshalb muß gelten, daß sie allein im Glauben empfangen wird.

"sed si est vera fides est quaedam certa fiducia cordis et firmus assensus quo Christus apprehenditur sic ut Christus sit obiectum fidei, imo non obiectum, sed ut ita dicam, in ipsa fide Christus adest."[10]

Gerade auf diese lutherische Bestimmung des Glaubens antwortet der katholische Dogmatiker Gottlieb Söhngen in einem Aufsatz über "Christi Gegenwart in uns durch den Glauben (Eph 3,17)":

"Im Gegensatz zu Luthers Begriff vom rechtfertigenden Glauben erkennt also die katholische Lehre die gegenwartschaffende Bedeutung (nämlich Christi Gegenwart, R.O.) dem Glauben zu, der mit der Liebe eine lebendige Einheit bildet ... Glaube und Geist, Geist und Liebe, und so Glaube und Liebe, bilden in dem Glauben, der nicht tot, sondern lebendig ist, eine unzerreißbare lebendige Einheit."[11]

Unabhängig davon, daß katholische und lutherische Position letztlich nicht vergleichbar sind, weil Luther die Alternative von totem und lebendigem Glauben aufgehoben hat und den toten Glauben überhaupt nicht als Glaube gelten ließ, liegt dennoch an dieser Stelle einer der entscheidenden Kontroverspunkte zwischen katholischer und evangelischer Theologie.

b) Folgerungen aus der Grunddifferenz für die Bestimmung des Glaubensbegriffs

Nun ist aber mit der Formel sola fide, verstanden als Nein zu einer Rechtfertigung aus Glaube und Werk noch nicht der ganze interkonfessionelle Gegensatz abgedeckt. Es ergeben sich aus diesem Ansatz Folgerungen für das jeweilige Glaubensverständnis, die hier genannt werden müssen.

α) Glaube als "Fürwahrhalten"
Eine erste Konsequenz betrifft die Bedeutung, die das *"Fürwahrhalten"* für den Glauben hat. Selbstverständlich spielt Luther nicht Vertrauen gegen

---

10 Luther in der großen Galatervorlesung, WA 40 I, 228 f.
11 Söhngen, Christi Gegenwart, 336 f. Vgl. dazu etwa Karl Rahner: "In diesem Sinn ist der antwortende Akt auf die Gnade Gottes, die allein heilig macht, nicht Werk, sondern – paulinisch gesprochen – Glaube. Daß dieser Glaube nicht bloß ein dogmatisches Theorem ist, daß dieser Glaube innerlich getragen sein muß von einer Hoffnung auf die reine Gnade Gottes und innerlich durchleuchtet und vollendet sein muß durch das, was die Heilige Schrift als Liebe kennt, als rechtfertigende, heiligende Liebe, das ist katholische Lehre; auch ein evangelischer Christ kann, im Grunde genommen, nichts dagegen einwenden." Rahner, Grundkurs, 349.

Fürwahrhalten aus, so als sei die fides qua ablösbar von der fides quae. Aber Luther würde dem Fürwahrhalten keine selbständige theologische Bedeutung zubilligen und gleich gar keine verdienstliche. Wird aber die fides informis als wahrer, wenn auch unzureichender Glaube gedeutet, vielleicht sogar in der Form der fides implicita (d.h. der Bereitschaft, der Glaubensverkündigung der Kirche zu folgen, auch wo man sie im einzelnen nicht kennt), so wird man im Fürwahrhalten einen von der helfenden Gnade mitbewirkten und also für das Heil nicht unbedeutenden Akt einerseits sehen und andererseits dieses Fürwahrhalten als sittliche Pflicht des Menschen gegen Gott verstehen. Insofern ist tatsächlich ein konfessioneller Unterschied zu bemerken: Bei Luther hat der assensus zu den Heilstatsachen (von denen die Schrift Zeugnis ablegt) keine selbständige Funktion. Er ist vielmehr ein Teil des Heilsvertrauens, der fiducia, auf Christus und sein Werk.

Im Katholizismus ist der assensus ein selbständiger erster Akt im Rechtfertigungsgeschehen, der zwar noch der Formierung durch die Liebe bedarf, aber auch an sich eine eigene Dignität hat. In der Folge wird es denkbar, daß das Fürwahrhalten sich aus den soteriologischen Zusammenhängen löst und eine Zustimmung zu den von Schrift oder Kirche vorgelegten Wahrheiten wird, deren Charakter als "Heilswahrheiten" nicht mehr in jedem Fall eingesehen werden muß.[12]

β) Glaube als Willensakt

Mit dem ersten Differenzpunkt ist ein zweiter eng verbunden. Wird das Fürwahrhalten bzw. die gehorsame Annahme der Verkündigung zum beherrschenden Element im Glaubensbegriff, so erscheint Glaube in erster Linie als ein *Willensakt*. Er gehört in die Ethik als eine der wichtigsten bzw. die wichtigste Pflicht des Menschen gegenüber Gott. Selbst wenn man betont, daß nach dem paulinischen Zeugnis der Glaube das Gegenstück zu den Werken des Gesetzes ist, so kann man den Gegensatz auch so verstehen: An die Stelle der vielen Werke des mosaischen Gesetzes tritt das eine Werk des Glaubens an Christus. Dann aber ist im neuen Bund der Glaube die vom Menschen geforderte Leistung.

---

12   So auch nach Karl Rahner, a.a.O., 370. "Ein katholischer Christ lebt immer aus dem einen Glaubensverständnis der Glaubensgemeinde Jesu Christi, das er in seiner Kirchengemeinschaft findet. Aber das bedeutet dennoch nicht notwendigerweise, daß er nun gehalten sei, die ganze geschichtliche und sachliche Differenziertheit und Auseinandergefaltetheit des Glaubens nachzuvollziehen. Es gibt für den einzelnen, auch katholischen Christen, der die Autorität der Kirche absolut nimmt, ein legitimes Ausweichen in die fides implicita der Kirche." Der Streit kann nicht darum gehen, ob ein Christ jeden Lehrsatz seines Bekenntnisses kennen muß. Vielmehr ist zu fragen, ob es biblisch angemessen ist, den Glauben so sehr als Zustimmungsakt zu verstehen, daß eine fides implicita nötig wird als Zustimmung zu im Prinzip bejahten, aber nicht reflex bewußten Sätzen.

"Der wirkliche Glaube entsteht, wenn der Mensch nun ... sich entschließt, wirklich alle ihm von der römischen Kirche vorgelegten und noch vorzulegenden Credenda um der Autorität Gottes willen, die hinter dieser Kirche steht, für wahr zu halten. Dieser Entschluß, dieser Zustimmungsakt gilt als jedem hinreichend über die römische Kirche unterrichteten Menschen frei verfügbar und ebenso jedem solchen Menschen unbedingt moralisch zumutbar."[13]

Man wird bei diesem Urteil von Emanuel Hirsch die Situation des Jahres 1931 berücksichtigen und die Entwicklung katholischer und evangelischer Theologie seither, man wird zum anderen Hirschs antikatholische Position wahrnehmen, und dennoch wird man feststellen, daß sich an der Interpretation des Glaubens als einer geforderten und auch zumutbaren Leistung bis hin zu Otto Kuss und Norbert Brox nicht allzuviel geändert hat.

Lutherische Theologie hat demgegenüber immer betont, daß Glaube kein Werk des Menschen sei. Glaube als Vertrauen (fiducia) auf das Heilswerk Christi für mich und darin eingeschlossenes Bekenntnis zu diesem Heilswerk (assensus) ist gerade das Gegenteil eines Werkes, ist vielmehr die Anerkennung der Gratuität des Heils. Man wird sich nun allerdings die Markierung der kontroverstheologischen Alternative nicht zu leicht machen. Auch katholische Theologie würde bestreiten, daß der Glaube ein Werk des Menschen ist, wenn damit ein Werk des Gesetzes im strengen Sinn gemeint ist. Festhalten aber würde sie zugleich, daß der Glaube ein Akt des Menschen ist, dem Verdienstlichkeit zukommt als einem von der Gnade ermöglichten und getragenen Akt. Die Differenz liegt also dort, wo der Glaube vom Heilswerk Christi her verstanden wird, also als eher passives Geltenlassen dieses Heilswerkes für mich, und wo er eher aktiv verstanden wird als von der Gnade getragene willentliche und sittlich gebotene Zustimmung zu diesem Heilswerk. Schlagwortartig könnte man sagen: Die Differenz liegt im christozentrischen oder anthropozentrischen Verständnis des Glaubens.

γ) Glaube und Individuum

Ein dritter Differenzpunkt bleibt zu markieren: Das *individuelle Verständnis des Glaubens*. Luthers Akzentuierung der fiducia, des Vertrauens auf das Heilswerk Christi, in dem dieses Heilswerk selbst im Glaubenden gegenwärtig wird, macht den Glauben streng zu einem Glauben des einzelnen. Nur der einzelne kann Gewißheit der Sündenvergebung für sich haben; nur der einzelne kann das Wirken von Gottes anklagendem und freisprechendem Wort an sich erfahren.

"Der Glaube ... ist aber dahin gerichtet und besteht darin, daß wir fest glauben, daß Christus, Gottes Sohn, für uns steht und alle unsere Sünde auf seinen Hals genommen hat und die einzige Genugtuung für unsere Sünde ist und uns vor Gott dem Vater versöhnet."

13   Hirsch, Glaube, 79.

So redet Luther etwa 1522 in seinen Invokavit-Predigten.[14] Dann ist es konsequent, wenn Melanchthon in der Apologia Confessionis den Begriff der "Fides specialis" prägt:

"Haec igitur fides specialis, qua credit unusquisque sibi remitti peccata propter Cristum, et Deum placatum et propitium esse propter Christum, consequitur remissionem peccatorum et iustificat nos."[15]

Dieser "Spezialglaube" meint nicht nur den speziellen Glauben an Sündenvergebung und ewiges Leben. Speziell ist er auch insofern, als durch ihn dem einzelnen die Vergebung seiner Sünden gewiß wird, dieser Glauben also dem einzelnen persönliche Heilsgewißheit vermittelt.

Gerade an diesem Zusammenhang von fides specialis und persönlicher Heilsgewißheit entzündet sich der Widerspruch katholischer Theologie. Schon in den letzten Kapiteln wurde darauf hingewiesen, daß katholische Paulusexegeten bis hin zu Karl Kertelge bestreiten, daß Paulus eine solche persönliche Heilsgewißheit kennt. Nun wird deutlich, daß dies in einem anderen Verständnis des Glaubens begründet ist. Nach katholischer Auffassung richtet sich der Glaube nicht so sehr auf den soteriologischen Bezug des Heilswerkes auf den einzelnen, als vielmehr auf das Christusgeschehen insgesamt. Tod und Auferstehung Christi werden im Glauben und im Bekenntnis als absolut gewiß erkannt und ausgesprochen. Ebenso gewiß ist, daß das Christusgeschehen nicht ohne "Frucht" bleibt. Aber diese Frucht gilt der ganzen Kirche, ebenso wie der Glaube eben der Glaube der Kirche ist und das Bekenntnis das Bekenntnis dieser Kirche. Für den einzelnen und sein Heil gibt es eine "Hoffnungsgewißheit", aber keine subjektive Heilsgewißheit, die der objektiven Glaubensgewißheit gleichkäme. Vielleicht wird hier das jeweilige Proprium in der Rechtfertigungslehre am deutlichsten sichtbar. Indem er Luthers Arztgleichnis aufgreift, formuliert Lothar Steiger:

"In der überlieferten, römisch-katholischen Gnadenlehre sind nach dem aristotelischen Theorie-Praxis-Verständnis Gewißheit und Werden ein Prozeß. Der Arzt wird gleichsam erst am Ende der von ihm angeordneten Therapie, die von Unterärzten überwacht wird, in Person zur letzten Visite kommen, um festzustellen oder das endgültige Urteil darüber zu sprechen, ob Theorie und Praxis zur Deckung gelangt, d.h. der Patient gesund geworden sei. Heilsgewißheit kann es indessen, d.h. unterdessen nicht geben. Dies und

14 WA 10, III, 49.
15 AC IV, 45. Vgl. dazu Peters, Rechtfertigung, 79 ff etwa 79 f: "Die wahre Heilsgewalt rechten Glaubens tritt erst dort heraus, wo sich unser Herz und Gewissen ganz in Gottes Gnadenzusage hineinbirgt. Dies bezeichnet Melanchthon als rechtes Vertrauen, oder als eigentlichen Spezialglauben (fides specialis), durch welchen sich ein jeder persönlich die Heils-taten Christi zueignet. Dem entspricht innerhalb der Heilstaten Gottes, wie sie im 'Credo' aufgezählt werden, die Sündenvergebung und das ewige Leben als die Zielursachen der Heilsgeschichte." Peters weist auch darauf hin, daß Luther die Unterscheidung von fides generalis und fides specialis schon 1518 herausgearbeitet hat. a.a.O., 80, Anm. 97.

nichts anderes – ist die Differenz zwischen der reformatorischen und der römisch-katholischen Gnaden- oder Rechtfertigungslehre."[16]

Selbst wenn man Steiger nicht folgen und gerade hier den alleinigen Differenzpunkt in der Rechtfertigungslehre sehen will, so bleibt festzuhalten, daß in der Frage von fides specialis und Heilsgewißheit ein entscheidender Kontroverspunkt zur Sprache kommt.

Ich habe also die kontroverstheologische Debatte um das sachgemäße Verständnis des Glaubens dargestellt anhand der Exklusivpartikel sola fide und entfaltet in den Fragen der Deutung des Glaubens als Fürwahrhalten, als Leistung des Menschen und als objektives Bekenntnis bzw. subjektive Heilsaneignung.

Bevor ich aber der Erforschung des paulinischen Glaubensverständnisses in der exegetischen Arbeit nachgehe, sind noch einige Hinweise nötig.

c) Exkurs: Die Sicht des Gegensatzes im Verständnis des Glaubens in der liberalen Theologie

Einmal muß man sich klarmachen, daß Luthers Betonung der fiducia und ihre Abgrenzung von der fides acquisita bzw. fides historica im 19. Jahrhundert angesichts der historisch-kritischen Erforschung des Neuen Testaments eine besondere Wirkung erlangte. Zugleich wurde Luthers Glaubensverständnis aber auch umgebildet. Hatte Luther eine strenge Christusbezogenheit des Glaubens gelehrt, ja den Glauben als Gegenwart Christi und seines Heilswerkes im Christen verstanden, so wird nun Glaube zumindest tendenziell als reines Gottvertrauen im Unterschied zu allem Autoritätsglauben interpretiert. Ein solches Gottvertrauen, das am Christuszeugnis des Neuen Testaments entsteht, es aber nicht zum Inhalt hat, ist ungefährdet auch durch noch so kritische historische Forschung. Stellvertretend sei hier Wilhelm Herrmanns Aufsatz "Der geschichtliche Christus als Grund unseres Glaubens" aus dem Jahr 1892 angeführt. Dort lautet die Gegenüberstellung so:

"Denn ein Glaube, der sich gegen die Wahrheit verhärtet und den Kampf gegen die Forschung nach der Wahrheit aufnimmt, ist katholischer Glaube. Er wird immer die Frucht des Strebens sein, die Bibel als das Gesetzbuch religiöser Lehre vor der historischen Forschung zu retten." "Hat dagegen ein Mensch erfahren, daß er angesichts des persönlichen Lebens Jesu Gott nicht leugnen kann, so ist der Keim des weltüberwindenden Glaubens in ihm vorhanden. Dieses Widerfahrnis erleidet er. Es ist das die Zeugung eines neuen persönlichen Lebens in ihm durch eine Person, die ihn ganz und gar gefangennimmt und ihn zu grenzlosem Vertrauen zwingt."[17]

Die Strukturelemente des reformatorischen Glaubensverständnisses werden hier wieder sichtbar: Die Ablehnung des Glaubens als reines Fürwahrhalten,

---

16 Steiger, Der junge Luther, 65.
17 Herrmann, Grund unseres Glaubens, das erste Zitat dort 156, das zweite 183 f.

die Leugnung seines Werkcharakters, die Betonung seines individuellen
Heilsvertrauens. Aber das katholische Gegenüber hat sich gewandelt. Es
geht nun nicht mehr um die Abwehr einer fides-formata-Lehre oder einer als
verdienstlich gewerteten fides historica. Als katholisch gilt Herrmann
nunmehr – gewiß unter dem Eindruck des 1. Vaticanums – eine Bindung des
Glaubens an eine gesetzlich verstandene Schriftautorität. Ihr stellt Hermann
den Glauben als von der Christusbegegnung inspiriertes und getragenes
Gottvertrauen gegenüber. Wenn aber Christus (bzw. die Begegnung mit dem
inneren Leben Jesu) auf die Seite des Glaubensgrundes gestellt wird,
während die Christologie auf die Seite der (den Glauben nicht tragenden)
Glaubensgedanken gehört, kann man wohl urteilen, daß dieses Glaubensverständnis theozentrisch, aber nicht mehr im Sinne Luthers christozentrisch ist.[18] Gerade in dieser Gestalt ist die kontroverstheologische Differenz
im Glaubensverständnis sehr wirkungsvoll geworden.

d) Exkurs: Die Interpretation des Gegensatzes bei Werner Georg Kümmel

Ein zweiter Hinweis ist nötig auf die Interpretation, die Werner Georg
Kümmel dem konfessionellen Gegensatz im Glaubensverständnis gegeben
hat. Sein Aufsatz "Der Glaube im Neuen Testament, seine katholische und
reformatorische Deutung"[19] ist einer der ganz wenigen expliziten Beiträge
evangelischer Exegese zur kontroverstheologischen Problematik. Kümmel
unterscheidet zunächst zwischen dem Verständnis des Glaubens bei Jesus,
Paulus und Johannes einerseits und etwa im Hebräer- und Jakobusbrief und
den Pastoralbriefen andererseits. Dann stellt er fest:

"Wird nun Glaube in erster Linie als Fürwahrhalten dogmatischer Wahrheiten verstanden, so widerspricht das zwar nicht dem Judasbrief oder den Pastoralbriefen, wohl aber
Jesus, Paulus und Johannes. Und wenn die katholische Theologie seit dem Tridentinum
gegen die Auffassung des Glaubens als Vertrauen protestiert hat, so hat sie gegen das
Vertrauen auf Gottes Tat protestiert, das Jesus und Paulus gefordert haben."[20]

---

18   Vgl. dazu Fischer-Appelt, Verständnis des Glaubens. Fischer-Appelt spricht von
dem objektiven Ergebnis und der subjektiven Tragik der "Berufung Hermanns auf
Luther und die reformatorische Korrelation von 'promissio Christi' und 'fides iustifi-
cans'." Nämlich: "Die wörtliche Verheißung Christi ist in pure Offenbarung verwandelt
und der nur wörtlich verfaßte Glaube an die Verheißung in reine Religion aufgelöst. An
die Stelle einer Korrelation ist damit das reine Entsprechen der menschlichen Seele zum
göttlichen Wohlwollen getreten, das sich dem Menschen in die Unmittelbarkeit einer
bloß geschichtlichen Vermittlung einstellt, damit er im Vertrauen darauf die Gerechtigkeit eines mit sich selbst einigen Lebens in freier Tat empfängt und bewährt." a.a.O., 72.
19   Kümmel, Glaube.
20   a.a.O., 77.

Kümmels Argumentation ist aller Aufmerksamkeit wert: Die katholische Auslegung des Glaubensbegriffes kann sich sehr wohl auf bestimmte Aussagen in bestimmten neutestamentlichen Schriften gründen. (Die These eines Frühkatholizismus im Neuen Testament steht offensichtlich im Hintergrund.) Die Hauptzeugen des Neuen Testaments aber, Jesus, Paulus und Johannes, stehen auf der Seite der Reformatoren. Das aber ist nicht Kümmels letztes Wort. Es finden sich nämlich im katholischen Glaubensverständnis auch Elemente, die im vollen Gegensatz zum Neuen Testament stehen: Die Betonung der freien Entscheidung zum Glauben als menschliche Mitwirkung mit der Gnade, die Explikation des Glaubensobjektes als einer Lehre und die Stellung der die Lehre vorlegenden Kirche, vor allem aber die Ergänzungsbedürftigkeit des Glaubens.

"Der Glaube ist im Katholizismus Vorbedingung, nicht das Wesen des christlichen Heilverhältnisses. Das kommt daher, daß der Glaube hier nicht als Eintritt in ein Heilsgeschehen, sondern als Anerkennung einer ruhenden Wahrheit verstanden wird... Damit aber hat der Glaube aufgehört, eine Bestimmung meines ganzen Seins zu sein, und der Glaube stellt mich auch nicht als ganzen Menschen in das Heilsgeschehen am Ende der Zeiten hinein... Damit aber haben wir uns endgültig vom neutestamentlichen Heilsverständnis entfernt."[21]

Wird der Glaube paulinisch verstanden, nämlich als "das Leben in einer eschatologischen Heilszeit"[22], so ist der Glaube selbst Empfang des Heils. Ausgeschlossen ist damit, daß dieser Glaube das Heil verdient, denn dann wäre er ja nur eine Vorbedingung des eigentlichen Heils. Ausgeschlossen ist aber auch, daß der Glaube der Ergänzung bzw. Formierung durch die Liebe bedarf. Als Leben im Heil ist er in der Liebe tätig. Ergänzungsbedürftig könnte nur ein Glaube sein, der weniger wäre als das Leben in der Heilszeit, der etwa auf einen intellektuellen Akt beschränkt wäre. Es kann also keinen Zweifel für Kümmel geben: Der katholische Glaubensbegriff in seiner tridentinischen Ausgestaltung hat den Boden des Neuen Testaments verlassen.[23] Aber auch an den Reformatoren ist vom Neuen Testament her Kritik zu üben.

Dieses "sieht in der von Gott empfangenen Vergebung der Sünden einen Teil, nicht aber das Ganze des Glaubensinhaltes. Daß der Glaube aber Eintritt in das Heilsgeschehen bedeutet, daß der Glaube ein Weltgeschehen ergreift, können wir nur aus dem Neuen Testament lernen."[24]

Dieser Einwand Kümmels betrifft das, was ich als den Individualismus des reformatorischen Glaubensverständnisses zu kennzeichnen versuchte. Er wird hier nicht weiter ausgeführt und die Folgen für die Frage der Heilsge-

---

21   a.a.O., 78.
22   a.a.O., 72.
23   Anzumerken ist freilich, daß sich Kümmel in seiner Darstellung des katholischen Glaubensbegriffs auf die alles andere als neutrale Arbeit von Emanuel Hirsch stützt, die hier schon erwähnt wurde.
24   a.a.O., 80.

wißheit werden nicht erwogen. Aber mit Kümmels Ja und Nein ist das Spannungsfeld gekennzeichnet, in die durch die exegetische Arbeit auch das reformatorische Reden vom Glauben geraten ist. Doch zunächst ist nun das Glaubensverständnis gegenwärtiger katholischer Paulusexegese zu erheben.

B. Der Glaube in der katholischen Paulusexegese

a) Rechtfertigender und nicht rechtfertigender Glaube

Die traditionelle katholische Exegese, wie sie etwa Kornelius a Lapide (1567 – 1637) repräsentiert[25], expliziert letztlich immer neu anhand der Bibeltexte die tridentinischen Bestimmungen.

Dies zeigt sich – um ein Beispiel herauszugreifen – etwa an der Exegese von 1. Kor 13,2.8. Aus den Worten "wenn ich allen Glauben hätte" folgert Kornelius, daß hier der rechtfertigende Glaube gemeint sei, der allerdings doch nicht rechtfertige, da er ohne die Liebe bleibe. Auch sein Interpret Gerhard Boss sieht die Widersprüchlichkeit dieser Aussage und führt die Erklärung des Kornelius an:

"Ein toter Glaube ist wahrer Glaube. Er ist gleichsam ein seelenloser Kadaver und dennoch ein wahrer Leib, wie auch ein Glaube ohne Werke ein wahrer Glaube ist..."[26]

Daß 1. Kor 13 im Zusammenhang der Kapitel 12 und 14 steht, also der paulinischen Aussagen über die Geistesgaben erscheint, schlägt in der Auslegung nicht durch. Der Glaube von 13,2.13 wird deshalb nicht als Geistesgabe des Glaubens, als Wunderglaube verstanden, sondern als rechtfertigender Glaube. Damit aber dient er als Beleg gegen die lutherische Rechtfertigungslehre. Daraus ergibt sich dann auch die Ablehnung der Bestimmung des Glaubens als fides specialis und als fiducia. Und zum sola fide ist zu sagen:

"Vor Gott gilt jeder Glaube, der durch die Liebe wirkt. Der allein rechtfertigende Glaube der Lutheraner ist kein Glaube, der durch die Liebe wirkt; wird doch von ihm

---

25 Vgl. dazu Boss, Rechtfertigungslehre.
26 a.a.O., 35. Vgl. dazu die Polemik Lothar Steigers, Meditation, 137, Anm. 9. Er führt zunächst J. Gerhard an: "Jedoch nämlich nicht von dem rechtfertigenden Glauben, sondern von dem Wunderglauben redet der Apostel, was wir aus dem Skopus, aus dem Vorhergehenden und Folgenden beweisen, ja noch mehr aus dem Innersten dieses Textes." Steiger fährt fort: "Eine solche Klarstellung sucht man in den historisch-kritischen Kommentaren von Heinrici bis Conzelmann vergeblich. Entsprechend ist die Verlegenheit mit V. 13! Es ist an der Zeit, das Vorurteil zu zerstören, als beginne das genaue Textverständnis jenseits der dogmatischen Auslegung. Die Liebe ist also nicht größer als der rechtfertigende Glaube, – die nicht kommensurabel sind! – sondern als die Gabe des Glaubens."

vorausgesetzt, daß er allein, d.h. ohne die Liebe, rechtfertigende Kraft hat. Also ist der alleinrechtfertigende Glaube der Lutheraner nicht jener, der vor Gott gilt."[27]

Dabei bleibt es in der katholischen Exegese wenigstens bis zu Bernhard Bartmann.

Er wiederholt 1897 nochmals, 1. Kor 13,2 lehre "mit augenscheinlicher Klarheit", daß Paulus "auch eine einseitige, rein religiöse Entwicklung der xxx ohne sittliches Verhalten für möglich hält... Indessen hat der Apostel eine solche anomale Entwicklung nicht weiter verfolgt; in seiner eigenen Vorstellung lag beim Gebrauch des Wortes πίστις der Begriff der fides caritate formata."[28]

Eine "fides sola" wollte Paulus nach Bartmann keineswegs lehren. Ein deutlich anderer Akzent wird – m.E. erstmals – bei Max Meinertz sichtbar, der 1950 eine "Theologie des Neuen Testaments" vorlegt. Er kann der Formel sola fide, soweit sie allein die Übersetzung von Röm 3,28 betrifft, einen positiven Sinn abgewinnen:

"Der Glaube ... ist, der neue Gnadenweg, den Christus ermöglicht hat und der im scharfen Gegensatz zu den Werken des Gesetzes steht... Wenn Luther Röm 3,28 das Wort 'allein' eingeschoben hat, so ist es als Gegensatz zu den 'Gesetzeswerken' eine Unterstreichung der Ausschließlichkeit des Glaubensweges und insofern im Sinne des paulinischen Gedankens."[29]

Es gilt die hier gewonnene Einsicht, richtig einzuschätzen. Meinertz erkennt lediglich an, daß Luthers Übersetzung den polemischen Kontext bei Paulus trifft.

"Gesetz und Gnade stehen sich gegenüber."[30]

Nimmt man "Glaube" als Chiffre für den "neuen Heilsweg" bzw. den "neuen Gnadenweg", so steht er tatsächlich im ausschließlichen Gegensatz zum "Gesetz" – dieses wieder verstanden als Chiffre für den Heilsweg an der Gnade in Christus vorbei. Über einen prinzipiellen Gegensatz des Glaubens zu jeder Art von Werk, zu jedem denkbaren Gesetz, über seinen Vorrang auch vor der Liebe, wenn es um das Ergreifen des Heils geht, ist damit noch nichts gesagt. Überhaupt ist die inhaltliche Füllung des Glaubens durch seinen Gegensatz zum alten Heilsweg des Gesetzes noch nicht entschieden. Meinertz fährt deshalb folgerichtig fort:

"Unrichtig ist aber die Einschränkung des Glaubens in den Fiduzialglauben, da dies eine einseitige Verengung des umfassenden Glaubensbegriffes des Apostels bedeutet."[31]

Was zu diesem umfassenden Glaubensbegriff gehört, wird noch erörtert werden. Jedenfalls: Die fiducia beschreibt sein Wesen nicht. Was Luther in der Formel sola fide intendiert, das findet Meinertz bei Paulus nicht wieder.

27 Boss, Rechtfertigungslehre, 44.
28 Bartmann, St. Paulus und St. Jacobus, 56.
29 Meinertz, Theologie, 129.
30 a.a.O., 119.
31 a.a.O., 129.

Damit ist eine Linie vorgegeben, die sich bis in die Gegenwart ausziehen läßt.

Eher schärfer als Meinertz urteilt Otto Kuss:

"Das 'sola fide' ist – rein sprachlich und dem Kontext entsprechend und einmal abgesehen von seiner geschichtlichen Geprägtheit – als Wiedergabe des von Paulus Gemeinten an sich vollkommen gemäß; freilich muß man dann, um Mißverständnissen vorzubeugen, sogleich hinzufügen, daß die Problematik des Paulus nicht die Problematik Luthers ist. Paulus stellt dem jüdischen Heilsweg 'auf Grund von Werken des mosaischen Gesetzes' kritisch die Predigt von der eschatologischen Gerechtsprechung 'auf Grund von Glauben' gegenüber; die These Luthers beruht auf einer einseitigen und in ihrer Gültigkeit bestreitbaren Anwendung paulinischer Texte auf eine ganz andersartige und zudem rein innerchristliche Situation."[32]

Was bei Meinertz angedeutet ist, führt Kuss aus: Die Situation Luthers ist von der des Paulus grundverschieden und deshalb erhält das sola fide bei dem Reformator eine Bedeutung und Tragweite, die weit über das hinausgeht, was beim Apostel angelegt ist. Norbert Brox stößt hier nach:

"Was Paulus im ersten Jahrhundert nach 'draußen' an die Juden und die in die Kirchen einbrechenden judaisierenden Tendenzen über die Bedeutung des mosaischen Gesetzes gesagt hatte, das wenden sie (die Reformatoren) auf die innerkirchliche Situation und dehnen es auf alle Gesetzlichkeit, auf die Heilsbedeutung jedes Werkes des Christen aus... Wo Paulus ganz eindeutig vom mosaischen Gesetz geredet hat, dort dehnt die reformatorische Auslegung auf 'alles Gesetz' aus."[33]

Auch noch Karl Kertelge ist anzuführen, der das "allein" in Röm 3,28 begründet mit dem Hinweis:

"Das viel umstrittene Wörtchen 'allein' ist an dieser Stelle aus dem Grunde berechtigt, weil es Paulus hier um die Unverdienbarkeit der Gabe Gottes geht."[34]

Bei Kertelge ist allerdings auch ein Umschlag in der Argumentation festzustellen. Es wurde schon darauf hingewiesen, daß dieser Exeget die Theorie von einer ersten gnadenhaften Rechtfertigung und einer zweiten Rechtfertigung aufgrund der mit Hilfe der Gnade geleisteten Werke ablehnt. Am Schluß des Paragraphen über die "Anrechnung des Glaubens zur Gerechtigkeit" urteilt er:

"Es erscheint daher für Paulus unmöglich, an einen Glauben zu denken, dem die 'Gerechtigkeit' als das eschatologische Heilsgut von Gott her nicht zuerkannt würde."[35]

Damit ist aber – ohne daß dies explizit gesagt wurde – die tridentinische Theorie eines wahren, aber dennoch nicht rechtfertigenden Glaubens als unpaulinisch ausgewiesen. Offenkundig markiert diese Aussage eine Wende in der Darstellung der paulinischen Theologie.

---

32 Kuss, Glaube, 192.
33 Brox, Paulus, 104.
34 Kertelge, Rechtfertigung, 192, Anm. 165.
35 a.a.O., 195.

Bernhard Bartmann hatte, wie gezeigt, noch das Gegenteil vertreten, wenn er auch betonte, daß Paulus den Gedanken des wahren, aber toten Glaubens nicht weiter verfolge.

b) Die Bestimmung des Glaubensbegriffs

Nun muß untersucht werden, wie die Exegeten, die ein – vom reformatorischen Denken deutlich abgesetztes – sola fide vertreten, den paulinischen Begriff des Glaubens weiter analysieren.

α) Max Meinertz
Angeführt sei nochmals Meinertz.

Er erkennt an den meisten Stellen, an denen Paulus vom Glauben redet, diesen als "die Grundhaltung, die der Mensch der Erlösung in Christus gegenüber einnimmt und einnehmen muß, um an ihr Anteil zu haben"[36]. Diese Grundhaltung läßt sich nun in mehrere Komponenten zerlegen als "geistige Funktion des Fürwahrhaltens"[37], als "Wissen"[38], als "Erkenntnis"[39], als "ein Akt des Gehorsams gegenüber der göttlichen Autorität"[40]. Zuletzt kann aus dem Gehorsamsakt auch das Vertrauen abgeleitet werden: "... eben weil dahinter die höchste göttliche Autorität steht, darum steckt in diesem Glaubensgehorsam auch volles Vertrauen."[41]

Schon aus dieser kurzen Übersicht wird deutlich, daß Glaube hier nicht als Gegensatz zum Werk verstanden ist, sondern als dasjenige Werk, das dem neuen Heilsweg in Christus entspricht. Wenn das Vertrauen als Merkmal des Glaubens eingeordnet werden kann, nach dem geistigen Akt des Fürwahrhaltens und dem Willensakt des Gehorsams, so liegt es nahe, dieses Vertrauen als affektive Komponente des Glaubensaktes zu deuten: Jedenfalls bezeichnet es in dieser Zusammenstellung keinen Gegensatz zum Werk.

β) Otto Kuss
Bei Otto Kuss lautet die Bestimmung dessen, was Paulus Glaube nennt, folgendermaßen:

"Der Glaube ist also nach Paulus wesentlich auf sein Objekt bezogen ... die Offenbarung Gottes in seinem Heilswirken durch Tod und Auferstehung Jesu Christi und alles, was im engeren und weiteren Sinne dazugehört. Glauben heißt also wesentlich: für-wahr-halten, eben diese Offenbarung und im weiteren Sinne auch alles, was in notwendigem Zusammenhang mit ihr steht, als wahr annehmen und bezeugen."[42]

36 Meinertz, Theologie, 121.
37 a.a.O., 122.
38 ebd.
39 a.a.O., 123.
40 a.a.O., 124.
41 a.a.O., 126.
42 Kuss, Glaube, 196.

Daraus ergibt sich:

"Glaube ist ... zuerst Entscheidung für eine fürderhin das ganze Leben bestimmende Annahme des Evangeliums, er ist wesentlich Gehorsam..."[43] Wenn der Glaube aber echte Entscheidung ist, dann ist er auch "Wagnis"[44]. Und schließlich gilt: "Insofern das Heil nicht sichtbar ist, sondern eben 'geglaubt' werden muß und insofern es seine Vollendung erst in der Zukunft finden wird, enthält der Glaube ohne jeden Zweifel ein starkes Element Vertrauen."[45]

Noch deutlicher kann die klassisch-katholische Position kaum formuliert werden, als Kuss es hier tut. Glaube ist im wesentlichen der vom Menschen geforderte Akt der Annahme des Evangeliums. Vertrauen ist er nur insofern, als das Heil noch unanschaulich ist. Solches Vertrauen bezieht sich auf die Offenbarung einer jetzt noch unsichtbaren Wirklichkeit und nicht auf das jetzt gegenwärtige Evangelium, in dem der Christ seine Sorge um sich selbst aufgehoben wissen darf. Dann ist aber dieses Vertrauen nicht das, was man auf lutherischer Seite Heilsvertrauen oder fiducia nennen würde, sondern vielmehr die Ausweitung der gehorsamen Annahme der Glaubensverkündigung auf eine jetzt noch ausstehende Wirklichkeit. Kuss' ganze Beschreibung des Glaubens läuft also zusammen im Akt des Gehorsams gegen die Autorität Gottes.

Unwillkürlich fühlt man sich an Emanuel Hirschs Urteil erinnert, nach katholischem Verständnis bestehe der Gottesbezug des Glaubens eigentlich nur darin, daß die Glaubensverkündigung um der Autorität Gottes willen gehorsam angenommen wird:

"Die dem römischen Glaubensbegriff gebliebene einzige Beziehung auf Gott ist, daß man um der Autorität Gottes willen den Akt des Fürwahrhaltens vollzieht."[46]

Von Kuss' Konzeption her wäre es zumindest schwierig, ein solches Urteil zu widerlegen. Es ist dann nur folgerichtig, wenn der Glaube als "Leistung" bezeichnet wird. Nach Kuss

"bleibt der Glaube eine wirkliche Entscheidung des Menschen und insofern ... schließlich auch eine 'Leistung', wenngleich natürlich kein 'Werk' in dem Sinne, in welchem Paulus von 'Werken des Gesetzes' spricht"[47].

Alle – auch bei Kuss betonte – Initiative Gottes beim Glauben kann diesen Leistungscharakter nicht aufheben.

γ) Norbert Brox und Josef Pfammatter

Norbert Brox lehnt sich mit seiner Bestimmung des Glaubens weitgehend an Kuss an. Nach ihm gilt:

43   a.a.O., 197.
44   a.a.O., 198.
45   a.a.O., 200.
46   Hirsch, Glaube, 92.
47   Kuss, Glaube, 197.

"Der Glaube kommt vom Hören, ist Ge-horsam. Insofern ist er die Aktivität, die dem Menschen von Gott abverlangt wird."[48]

Wie wirkungsvoll Kuss' Bestimmung des Glaubensbegriffes gewesen ist, zeigt sich auch an ihrer Rezeption bei Josef Pfammatter in "Mysterium Salutis"[49].

Auch für ihn ist Glaube "Annahme der Botschaft", "Fürwahrhalten", "Wissen" und "Hoffnung", insoweit der Glaube "sich in die Zukunft richtet" (nach Kuss).[50]

Dazu kommt der "Verzicht auf jede Form von Selbstherrlichkeit"[51]. Auch er betont, daß an einer ganzen Reihe von Stellen die "Zielrichtung" paulinischer Aussagen gebunden ist

"durch die Notwendigkeit, falsche Vorstellungen über den christlichen Heilsweg zu berichtigen. Aus diesem Grund erhält die Lehre vom Heilsglauben (in Abwehr einer irrigen Einschätzung der Gesetzeswerke) ein Gewicht, das in der innerchristlichen Kontroverse oft am unrichtigen Platz in die Waagschale geworden worden ist."[52]

Es liegt auf der Hand, daß auch das Bild, das die Kuss folgenden Exegeten vom paulinischen Verständnis des Glaubens gezeichnet haben, gut katholisch ist: das sola fide gilt nur insoweit, als es den christlichen Heilsweg vom jüdischen bzw. mosaischen abgrenzt. Im übrigen ist der Glaube vor allem als gehorsames Fürwahrhalten der Heilsbotschaft und insofern mehr oder minder deutlich als eine vom Menschen zu bringende Leistung gekennzeichnet.[53] Wenn betont wird, daß es nicht bei der bloßen notitia bleiben könne, weil die Tatsache, um die es gehe, eben Heilstatsachen seien, so ändert das am Gehorsams- und Werkcharakter des Glaubens offensichtlich nichts.

δ) Karl Kertelge

Es ist nun zu überprüfen, ob sich auch in der inhaltlichen Füllung des Glaubensverständnisses bei Kertelge eine Wende abzeichnet ähnlich wie in der Verabschiedung der Rede von einem wahren, aber toten Glauben. Auch für Kertelge hat der Glaube den Charakter des Fürwahrhaltens

---

48   Brox, Rechtfertigung, 83. Brox charakterisiert in diesem Zusammenhang den Glauben als "Gehorsam" (82), als "Entscheidung" (83), als "Bekenntnis" (84) und als "Wagnis" (89). Zunächst aber ist der Glaube auch bei ihm als Glaube "an etwas" ein "Fürwahrhalten" (79).
49   Pfammatter, Glaube. Eine explizite Aufnahme Kuss' findet sich dort etwa 807 f und 809.
50   a.a.O., 809.
51   ebd.
52   a.a.O., 807.
53   Es muß allerdings festgehalten werden, daß die Bestimmung des Glaubens als Leistung bzw. Beitrag des Menschen zu seinem Heil, die hier "katholisch" genannt wird, sich vielfach bei evangelischen Exegeten findet. Vgl. dazu Friedrich, Glaube, vor allem 109 ff.

"und zwar bezüglich des Berichts von der Heilsbedeutung Jesu"[54].

Daneben hat er auch Entscheidungscharakter

"insofern die Bekehrung des Menschen zum Evangelium eine persönliche Entscheidung erfordert"[55].

Aber diese beiden Bestimmungen haben keineswegs zur Folge, daß der Glaube als "Leistung" des Gläubigen interpretiert werden darf.

Vielmehr bemerkt Kertelge kritisch gegen Kuss, daß eine solche Bezeichnung "mißverständlich" sei, "da bei diesem Wort leicht an einen selbständigen Beitrag des Menschen zu seinem Heil gedacht wird"[56].

Einerseits will Kertelge festhalten, daß der Glaube nicht nur die subjektive Seite des Rechtfertigungsgeschehens ist, andererseits ist der Glaube keine Heilsbedingung im Sinne eines an die Stelle der Gesetzeswerke tretenden Werkes. Kertelges Lösung lautet: Der Glaube ist das "Prinzip der Rechtfertigung". Das heißt:

"Nur dem Glauben, der sich selbst ganz Gott verdankt, ist die Rechtfertigung als Gabe Gottes geschenkt. Dieser Glaube ist wirklich Heilsglaube: Er vermittelt dem Menschen das Heil Gottes."[57]

Damit ist Entscheidendes gesagt, was nun zu entfalten ist. Nimmt man den Ausdruck "Prinzip" in seiner klassischen Bedeutung als "Ursprungsgrund", also das, "wovon etwas in irgendeiner Weise seinen Ausgang nimmt"[58], so läßt sich nach der angeführten Aussage nicht mehr behaupten, die Rechtfertigung geschehe aus Glauben *und aus* Werken. Der Glaube ist nicht mehr ein Akt, der, von der Gnade bewirkt, weitere Begnadigung verdient, sondern er selbst ist Empfang des Heils und Einführung in das Heil. Angesichts dieser Grundeinsicht erscheint es als sekundär, ob die fides quae – auf die sich das Fürwahrhalten bezieht – oder die fides qua – das Vertrauen – mehr betont wird.[59] Es ist deshalb konsequent, wenn Kertelge feststellt:

"Das sola-fide, das in der Reformationszeit programmatische Bedeutung erhielt, hat also im Rahmen der paulinischen Rechtfertigungsbotschaft seine volle und eigentliche Bedeutung. Jedoch darf dieser Glaube nicht auf einen 'Fiduzialglauben' eingeschränkt werden. Der Glaube bedeutet bei Paulus immer Gehorsam gegen den Heilswillen Gottes

---

54   Kertelge, Rechtfertigung, 172.
55   a.a.O., 173.
56   a.a.O., 174, Anm. 87.
57   a.a.O., 184.
58   Brugger, Prinzip, 304.
59   Vgl. dazu Kertelges Hinweis: "Daß katholische Exegeten bei der Erklärung der πίστις ᾽Ιησοῦ Χριστοῦ die inhaltlich-dogmatische Seite des Glaubens herausstellen, geschieht wohl im Gegensatz zu dem von Protestanten vielfach in den Vordergrund gerückten Fiduzialglauben." Rechtfertigung, 166, Anm. 25. Auch Kümmel hatte nicht so sehr den "intellektualistischen Glaubensbegriff" des Katholizismus kritisiert als vielmehr die Tatsache, daß dieser Glaube die "Vorbedingung, nicht das Wesen des christlichen Heilsverhältnisses" sei. Kümmel, Glaube, 78.

und enthält insofern ein aktives Element, als der Mensch dem Anspruch Gottes entspricht."[60]

Die Betonung dieses aktiven Elementes, die bei Kertelge schon öfters zu beobachten war, soll hier ein Verständnis des Glaubens als rein passives "Erlebnis der Rechtfertigung" abwehren. Die Formel "Glaube und Werke" bleibt ausgeschlossen,

denn der "Glaubende ist der μὴ ἐργαζομένος (Röm 4,5), d.h. derjenige der seine 'Werke' nicht zum tragenden Grund seiner Rechtfertigung werden läßt"[61].

Fügt man zu dieser Einsicht noch die schon erwähnte hinzu, daß Paulus keinen anderen Glauben gelten lassen würde, als den, der die "Gerechtigkeit" zugesprochen erhält, so zeigt sich die Kontur klassischen katholischen Glaubensverständnisses, die bei Kuss noch so deutlich geworden war, praktisch nicht mehr. Daß 1. Kor 13,2 in diesem Zusammenhang überhaupt nicht erscheint und Röm 5,5 nicht im traditionell-katholischen Sinne angeführt wird[62], bedarf fast keiner Erwähnung.

Fragt man, welcher theologische Impuls diese tiefgreifende Wandlung bewirkt hat, so ist die Antwort leicht zu finden. Nachdem bereits Pfammatter den Glauben auch als "Verzicht auf jede Form von Selbstherrlichkeit" gedeutet hatte, ist diese Sicht bei Kertelge voll zur Geltung gebracht. Das Gegenteil von "Glaube" ist nun nicht mehr "Unglaube" oder "Ungehorsam", sondern "Sich-Rühmen" bzw. die "Eigengerechtigkeit". Der Glaubende ist

"der 'Nur Glaubende', der in seinem Verzicht auf jegliches καύχημα (Röm 4,2) die 'Gerechtigkeit' als eschatologisches Heilsgut ergreift"[63].

Im Hintergrund steht offensichtlich die Theorie, daß gerade die eigenmächtige und eigensüchtige Erfüllung des Gesetzes Sünde sei, weil der Mensch, der diesen Weg geht, sich nicht radikal Gott verdanken, sich nicht durch Gottes Gnade beschenken lassen wolle. Nach dieser Auffassung stehen sich Gesetz und Gnade und daher auch Gesetz und Glaube als einander a limine ausschließende Prinzipien gegenüber.[64] Aus ihr folgt notwendigerweise, daß alles Werkhafte aus dem Glauben ausgeschlossen sein muß.

---

60   Kertelge, Rechtfertigung, 225.
61   ebd.
62   Erst Dieter Zeller weist überhaupt wieder auf die kontroverstheologische Bedeutung von Röm 5,5 hin: Dieser Vers habe eine "Schlüsselstellung" in der Diskussion (gehabt). Denn: "Einmal interpretierte Augustinus V 5 fälschlich auf die Liebe zu Gott. An der daran anknüpfenden katholischen Lehre von der fides caritate formata entzündete sich bis heute protestantische Polemik." Zeller, Römer, 112.
63   Kertelge, Rechtfertigung, 225. Vgl. auch 215 und passim.
64   Vgl. a.a.O., 195. "Daß Gesetz und Glaube als Heilsprinzipien radikal einander ausschließen, durchzieht die gesamte Verkündigung des Apostels." Das heißt hier ungleich mehr und anderes, als etwa der geradezu zufällige Gegensatz von mosaischem Gesetz und Christusglauben bei Otto Kuss meint.

Das Erstaunliche ist nur, daß hier eine für den theologischen Ansatz Bultmanns kennzeichnende und – wie gleich zu zeigen sein wird – seine Auffassung des paulinischen Glaubensverständnisses tragende These übernommen ist, die nicht nur der bisherigen katholischen Paulusexegese fremd gegenübersteht, sondern auch sehr deutlich die Signatur des Lutherischen trägt.[65]

ε) Heinrich Schlier
Allerdings ist Kertelge nicht der erste, der dieser These innerhalb der katholischen Theologie zur Anerkennung verholfen hat. Heinrich Schlier, der sie seit langem vertreten hatte, faßt sie in seinem Spätwerk so zusammen:

"Der Gehorsam des Glaubens ist ein Sich-der-Gerechtigkeit-Gottes-Unterwerfen in Jesus Christus, also der im Evangelium zur Sprache kommenden gnädigen Bundestreue, und zwar unter ausdrücklichem Verzicht auf alle ἰδία δικαιοσύνη, auf alle Eigengerechtigkeit, in der der Mensch meint bestehen zu können. Der Gehorsam des Glaubens ist ein Sichablösen von jener Selbstsicherung und jeder Selbsterbauung in den Leistungen und zwar der Werke und der Erkenntnis."[66]

Bei Schlier scheint in der Entgegensetzung zu aller Selbstsicherung das eigentliche Wesen des Glaubens zum Vorschein zu kommen.

Der bisherige Schwerpunkt katholischer Theologie in Sachen "Glaube", die gehorsame Annahme des Christuskerygmas, könnte etwa in folgendem Satz anklingen:

"Der Glaube ist auf das Evangelium bezogen, weil das Evangelium die Tat Gottes in Jesus Christus begegnen läßt."[67]

Aber dieser Aspekt tritt doch deutlich hinter der Interpretation des Glaubens als Preisgabe aller Selbstsicherung zurück. Diese Wende läßt sich nur verstehen, wenn man sich die Bedeutung Rudolf Bultmanns für das Verständnis des paulinischen Glaubens klarmacht.

---

65 Vgl. Zeller: eine "Auslegung, die von R. Bultmann ... initiiert wurde." Aber "schon Luther deutete das Begehren als Verlangen nach geistlichen Gütern". Römer, 146.
66 Schlier, Grundzüge, 221.
67 a.a.O., 216.

C. Das Verständnis des Glaubens in der protestantischen Forschung - Rudolf Bultmann pro und contra

a) Vorgeschichte

Was die Arbeit Bultmanns für die Interpretation des paulinischen Glaubensbegriffes bedeutet, erkennt man sehr schnell, wenn man einen Blick auf die Beiträge der liberalen Exegese zu dieser Frage wirft. Vor allem an zwei Forscher wäre hier zu denken: Erwin Wissmann und Wilhelm Mundle.

Wissmann[68] hatte an die These der Religionsgeschichtlichen Schule von der Existenz zweier getrennter Gedankenreihen in der paulinischen Soteriologie angeknüpft und zwischen πίστις und Christusfrömmigkeit scharf unterschieden.

"Glauben" heiße bei Paulus "nicht vertrauen, sondern glauben im nackten, nüchternen Sinn der bejahenden Aneignung und Zustimmung"[69].

Erst die "Christusfrömmigkeit" – ein anderer Ausdruck für die "Mystik des Seins in Christus" – schaffe ein lebendiges Verhältnis zu Christus.

Darauf hatte Wilhelm Mundle 1932 reagiert in seiner Schrift "Der Glaubensbegriff des Paulus"[70]. Mundles Gegenthese fügt Glauben und Christusgemeinschaft in der Taufe wieder ganz eng zusammen.

"Macht man ernst mit der Einsicht, daß das paulinische πιστεῦσαι das 'Christwerden' bezeichnet, den Anschluß an die christliche Gemeinde, wie er in der Taufe vollzogen wird, in sich begreift, so läßt sich die Folgerung nicht umgehen, daß dieses Gläubigwerden auch den Eintritt in die Christusgemeinschaft durch die Taufe bedeutet und beides als ein einheitlicher Akt verstanden werden muß. Es folgt dann von selbst, daß der Glauben als 'Christsein' mit dem Stehen in der Christusgemeinschaft zusammenfällt..."[71]

"Glaube" ist – etwas vergröbert formuliert – nach Mundle ein anderer Ausdruck für "Christentum" und die Hinwendung zum Glauben hat es nicht mit der Abkehr von der Werkgerechtigkeit zu tun, sondern mit der Abkehr vom Heiden- und Judentum. Wo Taufe und Glaube so zusammengeordnet werden, da läßt sich das Gottesverhältnis des Glaubenden nicht mehr als ein dauerndes Geschehen der Rechtfertigung des Sünders verstehen. Eine Rechtfertigung, die in der Taufe geschieht, impliziert als solche noch keinen Gegensatz von Glaubens- und Werkgerechtigkeit.

Dies alles erkannte Mundle sehr wohl. In dem Schlußkapitel "Die Bedeutung des paulinischen Glaubensbegriffes für die Dogmengeschichte" zieht der Exeget selbst die dogmatischen Konsequenzen aus seinen Überlegungen:

68 Wissmann, Verhältnis.
69 a.a.O., 67.
70 Mundle, Glaubensbegriff.
71 a.a.O., 170.

"Erst von dieser umfassenden Bedeutung der Worte πίστις und πιστεύειν aus erschließt sich uns das Verständnis des paulinischen Rechtfertigungsglaubens, den man nicht von der späteren, ganz anders orientierten Fragestellung Luthers aus interpretieren darf. Die Werke, die Paulus bekämpft, sind nicht die Werke der katholischen Buß- und Beichtpraxis des Mittelalters, sondern die Werke des mosaischen Gesetzes. Der Satz, daß der Glaube rechtfertigt und nicht die Werke, bedeutet für Paulus, daß nicht das Judentum, das an das Gesetz sich hält, sondern die Kirche, die an Christus glaubt und mit ihm in sakramentaler Gemeinschaft steht, die Heilsgemeinschaft ist."[72]

Mit anderen Worten: Es geht dem Apostel gar nicht um die Unterscheidung oder gar Entgegensetzung von Glaube und Werk als solchen. Vielmehr bezeichnet dieses Wortpaar die Unterscheidung des neuen Heilswegs vom alten, des neuen Gottesvolkes vom alten[73], des Christentums vom Judentum. Ohne Zweifel ist dies die katholische Auffassung, als deren typischer Vertreter uns Otto Kuss erschien, dem "das kluge Buch von Wilhelm Mundle", "sehr wichtig und bedeutsam" ist[74]. Festzuhalten ist, daß Mundle Paulus zumindest in wichtigen Punkten nicht als den Vorläufer Luthers, sondern "der späteren altkatholischen Kirche"[75] sieht, womit der sogenannte Frühkatholizismus gemeint ist.

b) Rudolf Bultmann

Vor diesem Hintergrund heben sich die Bestimmungen Bultmanns deutlich ab. Er widmet der "Struktur der πίστις" einen Paragraphen seiner "Theologie des Neuen Testaments"[76] und beginnt diesen mit der Definition:

"Die Haltung des Menschen, in der er das Geschenk der δικαιοσύνη θεοῦ empfängt und in der sich die göttliche Heilstat an ihm verwirklicht, ist die πίστις."[77]

Als Haltung des Menschen ist sie einer anthropologischen Kennzeichnung durchaus zugänglich:

Sie ist des Menschen "Tat im eigentlichen Sinne, in der der Mensch als er selbst ist"[78]. Sie ist ein "Akt des Gehorsams" als "gläubige Annahme der Botschaft"[79]. Sie ist als Bekenntnis "immer bezogen auf ihren Gegenstand, auf Gottes Heilstat in Christus" und insofern "ein Wissen"[80], allerdings nicht im objektivierenden Sinne, da die "Verkündigung ja kein Referat über historische Vorgänge, keine Lehre über objektive Sachverhalte

---

72   a.a.O., 175.
73   Vgl. dazu folgenden Satz: "... daß der Glaubensbegriff mit dem Tauf-empfang und der Zugehörigkeit zur Kirche unlöslich verbunden wird. Die Kirche aber tritt als das Israel Gottes (Gal 6,16), als das neue Gottesvolk, dem Israel nach dem Fleisch (I. Kor 10,18), dem jüdischen Volk gegenüber." a.a.O., 174.
74   Kuss, Glaube, 189.
75   Mundle, Glaubensbegriff, 174.
76   Bultmann, Theologie, 315 ff.
77   a.a.O., 315.
78   a.a.O., 317.
79   a.a.O., 316.
80   a.a.O., 318.

ist, die ohne existentielle Wandlung für wahr gehalten werden können"[81]. Sie ist Hoffnung insofern sie auf die Zukunft gerichtet ist[82] und Furcht im Blick auf die eigene Existenz: "Im Blick auf sich selbst muß er (der Glaube) stets den φόβος enthalten als das Wissen um die eigene Nichtigkeit und das ständige Angewiesensein auf Gottes χάρις."[83] Schließlich ist die πίστις noch Vertrauen "das sich auf die Heilstat Gottes gründet in der Übernahme des Kreuzes"[84].

Es fällt auf, daß sich alle diese Bestimmungen auch in den katholischen Untersuchungen des paulinischen Glaubensbegriffes wiederfinden lassen, einschließlich der für Bultmann besonders wichtigen Kategorie "Entscheidung"[85]. Auch seine Aussage, daß bei Paulus die πίστις als "Bedingung für den Empfang der διακαιοσύνη ... an die Stelle der ἔζγα tritt"[86] paßt in den katholischen Kontext.

Doch Bultmann treibt die anthropologische Bestimmung des Glaubens weiter voran als alle katholischen Exegeten vor ihm. Der Glaube ist nämlich erst dann "echter Gehorsam", wenn er das Gegenteil allen Stolzes, alles menschlichen Verfügens über sich selbst wird.

"Die Haltung der πίστις ist der des καυχᾶσθαι radikal entgegengesetzt."[87]

Dann aber schließen sich "Glaube" und "Werk" radikal aus. Denn "Werk" ist ja der Inbegriff dessen, was der Mensch leisten, worauf er stolz sein und wessen er sich rühmen kann.

"Als echter Gehorsam ist die πίστις vor dem Verdacht geschützt, eine Leistung, ein ἔργον zu sein ... als solche wäre sie kein Gehorsam, da in der Leistung sich der Wille gerade nicht preisgeben, sondern durchsetzen will und nur ein formaler Verzicht stattfindet, indem sich der Wille den Inhalt der Leistung von einer außerhalb seiner liegenden Instanz geben läßt, gerade so aber auf seine Leistung stolz sein zu können meint. Die πίστις als der radikale Verzicht auf die Leistung, als die gehorsame Unterwerfung unter den von Gott bestimmten Heilsweg, als die Übernahme des Kreuzes Christi ... ist die freie Tat des Gehorsams, in der das neue Ich an Stelle des alten sich konstituiert."[89]

Der Gegensatz zwischen neuem und altem Heilsweg ist nicht eine inhaltliche – also christologische – Differenz, sondern vor allem eine anthropologische - nämlich durch die Radikalisierung des Gehorsams, der zwar eine Tat des Menschen ist, aber gerade die Tat, in der der Mensch darauf verzichtet, sich auf seine Taten zu berufen. Wenn Glaube im paulinischen Sinne das Gegenteil (und zwar per definitionem das Gegenteil) jener Haltung ist, in der der Mensch "aus eigener Kraft vor Gott bestehen will"[89],

---

81 a.a.O., 319.
82 a.a.O., 320.
83 a.a.O., 321 f.
84 a.a.O., 323.
85 a.a.O., 317.
86 a.a.O., 315.
87 a.a.O., 316.
88 a.a.O., 316 f.
89 a.a.O., 284.

so sind wirklich alle Werke und nicht nur jene des mosaischen Gesetzes aus ihm ausgeschlossen.

Durch diese – ebenso geistreiche wie folgenreiche – exegetische These löst Bultmann ein für ihn entscheidendes Problem. Er kann den Glauben anthropologisch beschreiben als die Tat des Gehorsams, ja er kann das Verständnis des Gehorsams sogar anthropologisch radikalisieren und gerade darin das sola fide zur Geltung bringen. Solange man den Glauben als gehorsame Annahme der Verkündigung oder als Eintritt in die Christusgemeinschaft oder als beides zugleich definierte, war nicht mehr deutlich zu machen, warum nur der Glaube allein und nicht etwa der Glaube zusammen mit den Werken des Glaubens oder der in der Liebe tätige Glaube die Rechtfertigung empfangen soll. Bultmann interpretiert den Glauben als diejenige Tat des Menschen, in der er auf das Geltendmachen von Werken prinzipiell und auf das Geltendmachen des Glaubens selbst als Werk verzichtet. Dann aber ergibt sich der Empfang der Rechtfertigung sola fide aus dem Glaubensbegriff selbst und zugleich ist der Verdacht – wenigstens vorläufig – abgewendet, daß der Glaube das einzige nach Paulus vom Christen geforderte Werk sei.

Von daher wird deutlich, warum jüngere katholische Exegeten – von Schlier abgesehen, der selbst aus Bultmanns Schule kommt – sich für diese Konzeption des paulinischen Glaubensverständnisses öffnen konnten. Der anthropologische Ansatz, die Beschreibung des Glaubens als Tat des Menschen mit kognitiven, affektiven und voluntativen Elementen ist für katholisches Denken ohne weiteres zugänglich. Zugleich aber will Bultmann dem reformatorischen Anliegen, insbesondere dem lutherischen gerecht werden. Er tut dies, indem er die anthropologische Entfaltung des Glaubensverständnisses weiterführt und den Glauben als Gegensatz aller menschlichen Selbstmächtigkeit, alles Sich-Rühmens, darstellt. Die Frage ist nur, ob die exegetischen Voraussetzungen diese Systematisierung tragen, ob bei Paulus wirklich die πίστις vom Gegensatz zum καυχᾶσθαι her zu verstehen ist, ob die Bezeichnung "Tat des Gehorsams" sich halten läßt. Wenn diese Frage verneint werden muß, dann ist die ökumenische Verständigung über das sola fide, die sich etwa zwischen Bultmann und Kertelge abzuzeichnen scheint und die zwischen Bultmann und Josef Blank[90] noch viel leichter möglich wäre, noch nicht gelungen.

Bultmann selbst gibt einen Hinweis in dem knappen und isoliert dastehenden Abschnitt über "Die πίστις als eschatologisches Geschehen". Dort formuliert er:

"... der Glaubende kann seine Entscheidung, da er ihre Möglichkeit als Gnade erfährt, nur als Geschenk der Gnade selbst verstehen – aber eben gerade seine Entscheidung."[91]

90 Blank, Warum sagt Paulus...
91 Bultmann, Theologie, 330.

Diesen einigermaßen widersprüchlichen Satz – es soll ja die "Tat des Gehorsams", die "Entscheidung des Glaubenden" vermittelt werden mit der Erfahrung, daß der Glaube eben nicht die Möglichkeit des Glaubenden, sondern Gottes ist – kann man nur so deuten, daß Bultmann paulinische Aussagen, die den Glauben als Werk und Gabe Gottes bezeichnen, in seine Konzeption integrieren möchte. Ob er damit Aussagen wie Gal 3,23.25 und Phil 1,29 gerecht wird, ist allerdings fraglich.

c) Die Kritik an Bultmann

α) Fritz Neugebauer

In der Tat hat Bultmanns Auffassung inzwischen vielerlei Kritik erfahren, die in diesem Zusammenhang wichtig ist. Einen ersten Versuch unternahm 1961 Fritz Neugebauer mit seiner Untersuchung zum paulinischen Glaubensverständnis "In Christus"[92]. Anknüpfend an die Arbeit Ernst Lohmeyers stellt er fest:

"So kann von der πίστις ... wie von dem eschatologischen Heilsereignis selbst gesprochen werden, und zwar in dem Sinn, daß mit ihrem Kommen die Herrschaft des Nomos aufhört. Da andererseits Christus das Ende des Gesetzes ist, so besagt diese Redeweise nichts anderes, als dies, daß der Glaube mit dem Christusereignis kam und geoffenbart wurde."[93]

Daraus folgt einmal, daß "der Glaube primär die Entscheidung Gottes ist"[94] und zum anderen daß der Begriff des Glaubens viel weniger individuell und viel mehr ekklesiologisch gedacht werden muß. Was bei Bultmann Anhang war, tritt bei Neugebauer in den Mittelpunkt: der Glaube als eschatologisches Geschehen. Konnte Bultmann den Glauben nicht anders denken, denn als gehorsame Tat des Subjekts, so ist es für Neugebauer die überindividuelle Wirklichkeit des Glaubens, in die der einzelne Einlaß findet.

β) Hermann Binder und Wolfgang Schenk

Noch deutlicher gegen Bultmann stellt sich 1968 Hermann Binder:

"πίστις ist bei Paulus nicht ein zum Schema gewordenes Abstraktum zu dem entsprechenden Tätigkeitswort, dem der Mensch notwendigerweise als Subjekt hinzuzudenken wäre, sondern das von Gott herkommende Geschehen im Neuen Bund, das den Charakter einer transsubjektiven Größe, einer göttlichen Geschehenswirklichkeit hat."[95]

Ihm folgt wiederum 1972 Wolfgang Schenk, der z.B. für Röm 3,22 zeigen will:

"Aus der πίστις folgt das πιστεύειν, bildlich gesprochen: Substantiv und Verb

---

92 Neugebauer, In Christus.
93 a.a.O., 164.
94 a.a.O., 165.
95 Binder, Glaube, 5.

verhalten sich zueinander wie die Eröffnung eines Geschäfts und unser Eintritt in dieses."[96]

Wichtig ist, daß er in der ὑπακοὴ πίστεως "einen Terminus zur Bezeichnung der Verkündigung"[97] sieht, worin ihm 1981 Gerhard Friedrich kräftig beipflichtet.[98]

Damit aber ist Bultmanns Rede vom Glauben als der Tat des Gehorsams weit abgewiesen. Der Glaube ist als eschatologisches Ereignis der individuellen Anthropologie entrissen und der Christologie zugeordnet. Glaubensverkündigung ist nichts anderes als Christusverkündigung und das Kommen des Glaubens ist identisch mit dem Kommen Christi. Damit aber ist der Glaube auch aus dem Zusammenhang der Frage nach der subjektiven Gewißheit gelöst. Daß das "ich glaube" des lutherischen Bekenntnisses bei Paulus nicht begegnet, hat bereits Ernst Lohmeyer angemerkt.[99]

γ) Ulrich Wilckens

Neben dieser Linie der Bultmann-Kritik, die das objektive Geschehen des Glaubens betont, existiert noch eine zweite, die an der Verbindung von Glaube und Christologie ansetzt.

Ulrich Wilckens protestiert gegen eine Interpretation der paulinischen Rechtfertigungslehre, die das Judentum als Negativfolie benötigt.

"Für die Juden sei Gerechtigkeit Resultat aufgrund eigenen Tuns, also Lohn aufgrund von Leistung; für den Christen Geschenk der Gnade an den, der auf alle selbst erworbene Gerechtigkeit verzichtet."[100]

Träfe diese Sicht zu, dann ginge es um den Übergang vom Leistungsprinzip zum Gnadenprinzip und Glaube wäre genau da, wo das Gnadenprinzip regiert. Ein solcher Übergang wäre eine Verwandlung, eine Neuorientierung des Menschen, wäre ein anthropologisches Geschehen. Doch diese Beschreibung trifft historisch nicht zu.[101] Sie trifft das antike Judentum nicht und für Paulus gilt:

"Nicht eine Haltung des Menschen, der Wechsel vom religiösen Leistungsprinzip zum

---

96 Schenk, Gerechtigkeit, 170.
97 a.a.O., 166.
98 Friedrich, Glaubensgehorsam. An anderer Stelle polemisiert Friedrich heftig dagegen, den Glauben zu einer Bedingung für das Heil und zu einer Leistung zu machen. Er will jedoch das objektive Geschehen des Glaubens nicht soweit vom subjektiven Glaubensakt abheben, wie Binder das tut: "Wenn dort (in Gal 3) in personhafter Weise vom Glauben gesprochen wird, so soll der Glaube damit nicht als eine selbständige Größe charakterisiert werden, sondern mit dem Kommen des Glaubens ist Christus gemeint, der das Glauben zur Errettung möglich macht." Friedrichs Lösung liegt in der Vorordnung der Verkündigung vor den Glauben. Friedrich, Glaube, 105.
99 Lohmeyer, Grundlagen, 116.
100 Wilckens, Glaube, 79.
101 Vgl. dazu neben Wilckens das monumentale Werk von Sanders, Paulus (das englische Original erschien 1977).

Glaubensprinzip im Sinne reinen Empfangs ist gemeint, sondern der Glaube, der sich auf diese neue und letzte Heilstat der Bundesgerechtigkeit Gottes in Christi Sühnetod ausrichtet..."[102]

Dieser Glaube aber ist

"eben der Glaube zu dem Jesaja Ahas ermutigte (Jes 7), aufgrund dessen Gott Abraham die Gerechtigkeit zurechnet und Habakuk seinem verzagenden Volk das Leben zusprach. Das Neue besteht nicht im Glauben als solchem, sondern einzig in der neuen Heilssetzung des Gottes Israels im Sühnetod Christi, aufgrund dessen Sünder nun an Gott glauben dürfen"[103].

Wilckens will also gegen die anthropologische Interpretation des paulinischen Glaubens eine christologische setzen. Deshalb wird für ihn die im Tod Jesu Christi von Gott gewirkte Sühne zur zentralen christologischen Aussage. Sie ist nicht – wie für viele Exegeten der Bultmannschule – ein Interpretament des Todes Christi neben anderen, sondern die Eröffnung des Zugangs zu Gott, der durch die Sünde für alle Menschen verstellt war. Glaube ist bei Paulus der durch den Sühnetod Christi aufs neue ermöglichte Zugang des Menschen zu Gott:

"Der Glaube nach paulinischem Verständnis setzt aber deswegen und daraufhin auf Gott, weil Gott im Sühnetod Christi die Sünde der Welt aufgehoben hat."[104]

Dann aber ist das Gegenteil des Glaubens nicht das menschliche Geltungsbedürfnis, nicht der Selbstruhm und auch nicht die ἰδία δικαιοσύνη, sondern allein der Unglaube, der Gottes Werk nicht gelten läßt. Dann steht auch nicht jedes Werk im Gegensatz zum Glauben, sondern nur dasjenige, das an Gottes Tat in Christus vorbei Gerechtigkeit zu erlangen sucht. Es steht nicht so,

"daß die Gesetzeswerke selbst, der Wille überhaupt, das Gesetz durch Werke zu erfüllen und dadurch sich vor Gott als Gerechten zu qualifizieren, von Paulus im Blick auf die Rechtfertigung des Menschen grundsätzlich bestritten werden, daß also, was das Gesetz seinem Täter zusagt, in Wahrheit falsch sei"[105].

An dieser Stelle kann sich Wilckens auf die Arbeit Dieter Lührmanns berufen. Auch er wendet gegen Bultmann ein:

102 Wilckens, Glaube, 88.
103 a.a.O., 95. Vgl. dazu auch Wilckens, Was heißt bei Paulus..., und etwa EKK VI/1, 89: "So sehr in der Tat durch die These der Rechtfertigung 'aus Glauben' eine Rechtfertigung 'aus Gesetzeswerken' ausgeschlossen wird, (3,21.28; Gal 2,16), so wenig ist dieser Gegensatz so gemeint, daß an die Stelle der Werke, die den Täter als Gerechten ausweisen, der Glaube als eine andere Grundhaltung: als die Haltung des auf selbsterwirkte Gerechtigkeit verzichtenden, reinen Vertrauens auf Gott, die Gerechtigkeit vor Gott konstituiere. Nicht der Glaube als solcher, sondern der Glaube an den gekreuzigten Christus als den Grund aller Gerechtigkeit vor Gott, der Glaube an Gott, der den Gottlosen rechtfertigt (4,5), tritt der jüdischen These der Werk-Gerechtigkeit entgegen." Außerdem vgl. Wilckens, Christologie und Anthropologie.
104 Wilckens, EKK VI/1, 202.
105 Wilckens, Was heißt bei Paulus..., 94.

"Wenn beide Größen, pistis und nomos, wirklich vergleichbar sein sollen, dann kann nicht wie bei Bultmann nomos stillschweigend durch 'Sich-Rühmen' (Kauchesis) ersetzt werden, so daß sich zwei unterschiedliche menschliche Verhaltensweisen gegenüberständen; nomos wird erst durch die Assoziation von Leistungsdenken o.ä. zu einer solchen."[106]

d) Ergebnis

Dies mag als – unvollständige – Übersicht über die jüngere protestantische Forschungsgeschichte zum Thema "Glaube bei Paulus" genügen. Deutlich sollte dabei vor allem geworden sein, welche Stellung dem Ansatz Bultmanns (und seiner Schule) zukommt.

Mundle als Repräsentant der liberalen Forschung vor ihm sah die Spannung zwischen Glaube und Werk nur als den *historischen* Gegensatz vom Mosegesetz (mosaischer Religion) und Christentum.

Wilckens als Vertreter einer Exegese, die aus dem Kreis der dialektischen Theologie herausgetreten war, kann seinerseits den Gegensatz von Glaube und Werk nicht als maßgebliche Alternative erkennen, um die die Theologie des Apostels kreist. Für ihn liegt das Zentrum des paulinischen Denkens nicht in der anthropologischen Alternative von Tun und Empfangen, auch nicht in der Bultmannschen Fassung als Alternative von Selbstmächtigkeit und Sich-der-Gnade-verdanken, sondern in dem durch den Sühnetod Christi den Sündern eröffneten Zugang zu Gott.

Eine andere Linie protestantischer Forschung, die bereits bei Bultmanns Zeitgenossen Ernst Lohmeyer beginnt, versteht den Glauben als objektives eschatologisches Geschehen, als "Christusglaube". Dieser ist nach Lohmeyer "nicht nur der Glaube, den Christus hat, auch nicht der, den er gibt, sondern vor allem der Glaube, der er selber ist"[107]. Dieser Christusglaube steht im exklusiven Gegensatz zum Gesetz. Aber wiederum heißt die Alternative nicht "Glaube oder Werk", sondern "Gesetz" oder "Glaube" bzw. "Gesetz oder Christus".

D. Zusammenfassung und Beurteilung

a) Zusammenfassung

α) Die Situation in der katholischen Exegese
Die Zusammenfassung der Entwicklung in der katholischen Exegese ist schnell formuliert. Von einer Paulusexegese, die sich bemühte, die tridenti-

---

106 Lührmann, Glaube, 52 f.
107 Lohmeyer, Grundlagen, 121.

nische Bestimmung in der Rechtfertigungslehre biblisch zu belegen, die dafür, was den Glaubensbegriff betrifft, auch Stellen wie 1. Kor 13,2.8 in Anspruch nahm, und die schließlich vor allem gegen den angeblichen reformatorischen "Fiduzialglauben" polemisierte, führt der Weg zunächst einmal zu einer, allerdings eingeschränkten, Anerkennung der Exaktheit von Luthers "allein" in Röm 3,28.[108] Die Berechtigung des sola fide sah man zunächst darin, daß der christliche Glaube tatsächlich in einem exklusiven Gegensatz zum Heilsweg über das Gesetz steht. Nicht aber sah man den Glauben im Gegensatz zu jeglichem Werk und zwar in zweifacher Hinsicht nicht: Einmal ist der Glaube immer in der Liebe tätig, zum anderen hat er selbst aktiven Charakter, ja ist er selbst eine Leistung. Erst unter dem – vermutlich von Heinrich Schlier vermittelten – Einfluß Bultmanns gingen katholische Exegeten einen entscheidenden Schritt weiter. Indem sie die Spannung zwischen καύχησις und πίστις anerkannten, konnten sie den Glauben als Empfang der Gerechtigkeit von Gott und Verzicht auf jede eigene Gerechtigkeit verstehen und damit das sola fide in einem neuen und umfassenderen Sinn rezipieren. Bultmann hatte den Weg dazu eröffnet, indem er zwischen Tat und Werk unterschied und den Glauben als (in einem anthropologischen Koordinatensystem beschreibbare) Tat des Menschen, die im Gegensatz zu jedem Werk steht, interpretierte.

β) Die Situation in der evangelischen Exegese

In der evangelischen Exegese läßt sich gerade am Verständnis des paulinischen Glaubens zeigen, wie Rudolf Bultmann versuchte, im Rahmen einer anthropologischen Konsequenz das reformatorische bzw. lutherische Anliegen des sola fide zur Geltung zu bringen (ähnlich wie bei seiner Lösung der Frage von simul iustus et peccator). Dieser Versuch braucht hier nicht nochmals dargestellt zu werden. Die Frage ist allerdings, ob dieser Versuch gelungen genannt werden kann. Schon die Einteilung der Darstellung paulinischer Theologie in die beiden Hauptabschnitte "Der Mensch vor der Offenbarung der πίστις" und "Der Mensch unter der πίστις" läßt fragen, ob ein solcher Entwurf einholen kann, was Luther gemeint hat: Die Gegenwart

---

108 Auf dieser Linie scheint die Anmerkung zu Röm 3,27-31 in der Einheitsübersetzung zu liegen: "Gesetz und Glaube stehen zueinander im Gegensatz, wenn das Gesetz als Weg zum Heil angesehen wird. Zum Heil kann nach der Offenbarung Gottes in Jesus Christus nur der Glaube führen. Das 'Gesetz' wird gleichwohl 'aufgerichtet', das heißt seine Forderung wird erfüllt durch den 'Glauben, der in der Liebe wirksam ist' (vgl. Gal 5,6; Röm 13, 8-10)." Einheitsübersetzung, 1266 f. Vgl. dagegen Kertelge, Rechtfertigung, 277. "Nicht der Glaube ist die Erfüllung des Gesetzes, sondern 'die Liebe' (Röm 13,10; Gal 5,14) und der Wandel nach dem Geiste (Röm 8,4). Der Glaube, und zwar der in der Liebe wirkende Glaube (Gal 5,6) bleibt der ständige Ermöglichungsgrund der Freiheit, 'für die Christus uns frei gemacht hat'(Gal 5,1)." Zur Problematik der Anmerkungen in der "Neuen Jerusalemer Bibel" und ihres Verhältnisses zur Exegese vgl. Locher, Fragen zur "Neuen Jerusalemer Bibel".

Christi durch den Glauben. Das Urteil Fischer-Appelts wird durch das hier Referierte plausibel:

"Die Problematik dieser Bestimmung des Glaubens aus seinem radikalen Gegensatz zum Werk besteht darin, daß der Schein entsteht und nicht mehr zu tilgen ist, als ob der Glaube eine ursprüngliche Funktion sei, denn seine kategorische Bestimmung fließt ganz aus der Antithese gegen das Werk, ergibt sich also eigentlich nicht im ursprünglichen Konstitutionshorizont der 'promissio Christi', sondern bestimmt diesen umgekehrt in heimlicher Weise. In bestimmtem Sinne scheint der Glaube auch hier noch ein Werk zu sein, sofern es der Glaubende selber ist, der kraft der Ermächtigung durch das Wort des Evangeliums auf jede eigenmächtige Begründung seiner Existenz verzichtet."[109]

Für Luther hat Hans Joachim Iwand schon 1930 gezeigt, daß sich die Gerechtigkeit sola fide und die fides Jesu Christi nicht auseinanderreißen lassen. Er resümiert seine Untersuchung "Rechtfertigungslehre und Christusglaube":

"Wir zeigten, daß die Rechtfertigung allein aus dem Glauben den Glauben an die Gottheit Christi in sich schließt, denn wenn sein Tod nicht für uns geschah, dann ist die Berufung auf ihn nur eine Theorie ... Wenn das sola fide in erster Linie auf das Werk Christi ging, die fides Christi aber auf die Person, dann wird der Sinn der Korrelation klar ... die Einheit von Person und Werk Christi hat in ihr und damit in der Rechtfertigungslehre Luthers ihren beredten Ausdruck gefunden."[110]

Es ist fast verwunderlich, daß sich Wilckens für sein christologisches Verständnis des Glaubens und für seine Akzentuierung des Sühnetodes Christi als Ermöglichung des Glaubens nirgends auf die Arbeit Iwands beruft. Jedenfalls hätte er es tun können. Gerade dieser christologische Ansatz schützt den Glauben eher davor, zum Werk zu werden, als seine Bestimmung in irgendeinem anthropologischen Koordinatensystem es vermöchte. Dennoch wird man festhalten müssen, daß Wilckens den Gegensatz von Glaubensgerechtigkeit und Werkgerechtigkeit in einer für lutherische Tradition fremdartigen Weise relativiert.[111] Die Leichtigkeit seiner Verständigung mit Otto Kuss[112] und die Aufgeschlossenheit auch gegenüber der fides-caritate-formata-Formel[113] belegen dies nochmals.

---

109 Fischer-Appelt, Verständnis des Glaubens, 78.
110 Iwand, Rechtfertigungslehre, 110 f.
111 W. Schmithals faßt sogar so zusammen: "Es gibt also keinen prinzipiellen Gegensatz zwischen der Gerechtigkeit aus dem Gesetz und der Gerechtigkeit aus dem Glauben bzw. zwischen 'Abraham' und 'Mose', wie die protestantische Theologie seit Luther lehrt." Schmithals, Zwischen Historie und Kerygma, 137.
112 Wilckens, EKK VI/1, 524 f. Merkwürdig ist, wie a.a.O., 254, Anm. 800, Kertelge zwar als Beleg ökumenisch-exegetischer Verständigung angeführt wird, aber im folgenden verschwiegen wird, inwieweit sich dieser Exeget Bultmann angeschlossen hat. Ebenso merkwürdig ist, daß an der gleichen Stelle Kuss mit seiner Aussage zitiert wird, der Glaube sei eine "Bewegung des Menschen, die vom Apostel niemals ein Werk oder eine Leistung genannt wird". Nur zwei Seiten vorher in der zitierten Schrift erklärt Kuss nämlich, der Glaube sei "eine 'Leistung' wenngleich natürlich 'kein Werk' in dem Sinne, in welchem Paulus von 'Werken des Gesetzes' spricht." Kuss, Römerbrief, 138.
113 Wilckens, EKK VI/1, 300-305.

γ) Die Möglichkeit ökumenischer Verständigung
Für die Bemühung um ein ökumenisches Paulusverständnis ergibt sich aus der exegetischen Arbeit Wilckens' – ganz gegen ihre Absicht – zunächst eine Komplizierung. Wie Kertelge zeigt, ist es katholischer Theologie durchaus möglich, Paulus mit den Kategorien Bultmanns zu interpretieren. Dies wäre *eine* Ebene der Verständigung. Folgt man Wilckens, so wird sich die Verständigung auf einer anderen Ebene abspielen müssen, nämlich in der Form der Reflexion des exklusiv-christologischen Verständnisses der Erlösung. Schmithals legt den Finger auf den wunden Punkt, wenn er betont,

daß "die von Wilckens bekämpften exegetischen Einsichten inzwischen auch unter katholischen Exegeten und Systematikern verbreitet sind"[114].

Man wird Wilckens zugute halten, daß er einen Fehler vermieden hat, den Sanders der überwiegenden Mehrheit deutschsprachiger Exegeten vorwirft:

"Das von Wissenschaftlern seit Weber bis zu Thyen (und zweifellos noch darüber hinaus) unterstellte gesetzliche Judentum hat eine überaus eindeutige Funktion. Es dient als Folie, von der höhere Formen von Religion abgehoben werden. Es gestattet ... Theologie so zu schreiben, als handele es sich um Geschichte. Festzustellen ist insbesondere, daß hier auf das Judentum projiziert wird, was Protestanten am römischen Katholizismus für höchst anstößig halten: das Vorhandensein eines Schatzes von Verdiensten, der durch überschüssige gute Werke gespeist wird. Wir haben es dabei mit der Übertragung einer Debatte zwischen Protestanten und Katholiken in die frühe Geschichte zu tun, wobei das Judentum die Rolle des Katholizismus übernimmt und das Christentum den Part der Lutheraner."[115]

In der Tat: Einen solchen Mißbrauch des Judentums als Negativfolie für das um so hellere Leuchten der Gnade hat Wilckens vermieden. Die Frage ist aber, ob er der von Sanders beschriebenen Identifikation nicht in umgekehrter Weise zum Opfer gefallen ist, wenn er glaubt, durch die konsequente Interpretation des Römerbriefes unter dem Thema der Einheit von Juden und Heiden[116] auch die Frage der Einheit von Katholiken und Lutheranern lösen zu können.

b) Rückfrage bei Paulus

α) Voraussetzungen
Bei der Rückfrage nach Paulus darf der exklusiv-christologische Ansatz der paulinischen Theologie (der nicht identisch ist mit einer christologischen Interpretation der πίστις) als selbstverständlich vorausgesetzt werden. Er ist das zwischen Katholiken und Lutheranern nicht (oder nicht mehr) Umstrittene. Die Ablehnung jedes Synergismus ergibt sich daraus notwendig. Auch die Geltung des sola gratia und des sola fide folgen daraus, sofern

---

114 Schmithals, Zwischen Historie und Kerygma, 137 f.
115 Sanders, Paulus, 52.
116 Wilckens, EKK VI/1, 48 f.

"fides" generell den in Christus eröffneten Heilsweg meint. In diesem Fall sind die beiden particulae exclusivae lediglich Anwendungen der Exklusivität der Christologie auf die Soteriologie. Die offene Frage ist, ob das sola fide darüber hinaus noch eine spezifizierbare soteriologisch-anthropologische Bedeutung hat. Von der Antwort auf diese Frage hängt es ab, auf welcher Ebene man die Verständigung über das paulinische Glaubensverständnis finden wird. Wilckens würde die Frage verneinen, Bultmann und seine Schüler sie entschieden bejahen. Es zeigt sich aber, daß die anthropologische Durchführung des sola fide bei Bultmann die Priorität der Christologie gefährdet. Deshalb ist sie zwar ein überaus beachtlicher Versuch, der reformatorischen Paulusauslegung zu neuer Geltung zu verhelfen, verfehlt aber m.E. den Schwerpunkt paulinischer Argumentation in der Rechtfertigungslehre, nämlich die Neuordnung der Welt durch das kontingente Christusgeschehen.

Zur Skizzierung eines Lösungsvorschlages greife ich zwei Hinweise auf. Ernst Lohmeyer hält die relativ einfache Beobachtung fest, daß Paulus einen eigentümlichen Sprachgebrauch in Sachen "Glauben" hat:

> "Ungleich häufiger ist das Nomen Glaube als das Verbum Glauben. In der nominalen Verwendung findet verhältnismäßig selten die Verbindung mit persönlichen Fürwörtern, niemals mit 'mein' oder mit 'unser', häufiger mit 'euer'. Am zahlreichsten ist der absolute Gebrauch des Nomens oder die Verbindung mit dem Namen Christus in einem Genitiv oder genitivartigen Wendung."[117]

Besonders zu denken ist hier an Gal 3,23.25, wo vom Kommen des Glaubens die Rede ist. Der Kontext zeigt, daß das Kommen des Glaubens parallel, ja fast identisch ist mit dem Kommen Christi. Der Glaube ist hier also eine übersubjektive Größe. In ihm finden sich die Christen, so wie sie sich auch "in Christus" finden.

Ein zweiter Hinweis stammt von Jürgen Roloff. Er formuliert im Hinblick auf die Rechtfertigungslehre von AC IV:

> "Die Rechtfertigung ist (in der AC) eine neue Geltung vor Gott: Aber ist sie auch ein neues Seinsverhältnis zu Christus? Oder würden wir nicht bei der Auslegung des Gleichnisses vom Weinstock dem Moment des 'Bleibens in IHM' viel stärker Rechnung tragen müssen, als das in Apologie IV geschehen ist?"[118]

Diese Betonung der Christuszugehörigkeit läßt sich nach Roloff nicht auf das Johannesevangelium begrenzen:

> "Das johanneische Zeugnis über die Verbindung des Gerechtfertigten mit Christus (etwa Joh 15,1 ff) wird jedoch in der Schrift auch von Paulus unterstützt (Gal 2,20). Der Christus pro nobis ist zugleich der Christus in nobis."[119]

Neben dem von Roloff angeführten Beleg wäre etwa Gal 3,26 f zu nennen. Die Aussage "Ihr seid alle durch den Glauben Gottes Kinder in Christus

---

117 Lohmeyer, Grundlagen, 115 f.
118 Roloff, Apologie IV, 60.
119 a.a.O., 73.

Jesus" begründet Paulus damit, daß alle, die auf Christus getauft sind, Christus angezogen haben.

β) Glauben als Bleiben im Heilsraum Christi
Nimmt man beides ernst, das Kommen des Glaubens als einer übersubjektiven Wirklichkeit und sein Verständnis als Christuszugehörigkeit, so legt sich m.E. folgende Erklärung nahe: Glaube meint – zumindest in Gal 3,23 ff – den von Christus eröffneten Raum des Heils. Davon zu unterscheiden ist das Verb, das das Leben in diesem Heilsraum bezeichnet. Gewiß darf man nicht – wie Binder – in letzter Schärfe zwischen Verb und Substantiv trennen.[120] Man wird damit rechnen, daß "Glauben" an vielen Stellen bei Paulus auch als substantiviertes Verb zu deuten ist. Aber der Ansatz bei Glauben von Gal 3,23 ff bewahrt davor, in einen individuell-anthropologischen Ansatz zurückzufallen. Auch wo "Glauben" ganz verbal gebraucht wird, meint es m.E. nichts anderes als das Leben und Bleiben im von Christus eröffneten Raum des Heils, im Raum des Glaubens also. Zu denken ist dabei auch an eine Stelle wie Röm 8,30 ff. Die Rechtfertigungsaussage von V 30 wird begründet und vertieft in der Rede vom Eintreten Christi für die Seinen.

Worin Wilckens Recht hat, das ist also der christologische Ansatz auch beim Verständnis des Glaubens selbst. Es muß aber betont werden, daß es nicht nur um die einmalige Eröffnung der Möglichkeit des Glaubens geht, sondern um das dauernde Angewiesensein auf Christus, eben um das Bleiben im Raum des Heiles.

Offensichtlich bleibt in diesem Raum nicht, wer aufs neue "unter dem Gesetz" sein will (Gal 4,21; 5,4). Wie es einen Heilsraum Christi gibt, so gibt es anscheinend auch einen Raum des Gesetzes. Es stehen sich Christus und das Gesetz gegenüber, zugleich aber der Heilsraum Christi, d.h. der Glaube, und der Raum des Gesetzes. Und wie es ein Bleiben im Raum des Glaubens gibt, eben das "Glauben", so gibt es ein Bleiben im Raum des Gesetzes, nämlich das Tun der Gesetzeswerke. Nur deshalb, nur um des Bleibens bei Christus willen, stehen sich Glaube und Werk gegenüber, nicht aber weil die Werke in sich etwas Problematisches wären oder weil der Glauben in sich einen höheren Wert hätte als das Tun. Man sollte nicht vorschnell von bildhafter Sprache reden im Blick auf Gal 5,4. "Ihr habt Christus verloren, die ihr durch das Gesetz gerecht werden wollt, und seid aus der Gnade gefallen." Gesetzesgerechtigkeit ist hier einfach das Verlassen des Heilsraumes Christi.

Offenbar bleibt im Heilsraum Christi auch nicht, wer sich einer anderen Sache rühmen will, als allein des Kreuzes Christi (Gal 6,14). Wenn sich Paulus seiner Schwachheit rühmt (2. Kor 12,9) dann deshalb, weil er mit seiner Schwachheit geborgen ist im Heilsraum Christi. Darum soll, wer sich

120 Zur Kritik an Binder vgl. Lührmann, Glaube, 57 f.

rühmt, sich des Herrn rühmen (1. Kor 1,31; 2. Kor 10,17), nicht weil das Rühmen eine so verwerfliche Sache wäre, sondern weil das Vertrauen des Christen allein Christus gebührt und keiner Leistung oder Eigenschaft seiner selbst.

Eine weitere Begründung erhält dieses Verständnis des Glaubens durch die Tatsache, daß Paulus zwar mahnen kann, im Glauben zu stehen (1. Kor 16,13) bzw. sich zu prüfen, ob man im Glauben steht (2. Kor 13,5), und daß der Paulusschüler zum Bleiben im Glauben aufrufen kann (Kol 1,23), daß aber "glauben" nie im Imperativ vorkommt. Zum Glauben selbst läßt sich genausowenig aufrufen wie zum Sein in Christus, zum Empfang der Kindschaft (Gal 3,26.29) oder des Erbes (Gal 3,29; 4,1 ff). Wohl aber kann man darum bitten, im Glauben zu bleiben. Dieser Ansatz vereinfacht auch die Interpretation von Röm 14,22 ff. Weder muß man den Glauben hier, wie katholische Exegeten es häufig tun, herunterspielen zur subjektiven sittlichen Gewißheit, noch ist schlechterdings jedes Tun Sünde, solange es nicht unter Gottes Freispruch steht. Vielmehr ist alles das Sünde, was den Christen aus dem Heilsraum des Christusglaubens herausführt. Ein Essen von Götzenopferfleisch, das nicht im Vertrauen auf die umfassende Herrschaft Christi geschieht, würde offenbar aus dem Raum des Glaubens herausführen.

Die hier dargestellte Konzeption macht deutlich, daß der Glaube niemals eine Leistung, ein Werk oder auch nur eine Tat des Christen sein kann. Der Glaube ist immer Indikativ und niemals Imperativ. Deshalb sind die anthropologischen Analysen, wie sie Bultmann und die katholischen Exegeten im Umkreis von Otto Kuss vorlegen, nicht von vornherein falsch. Natürlich ist der Raum des Glaubens auch der Ort des Vertrauens auf Christus, natürlich hat es das Bleiben bei ihm auch mit Gehorchen und Festhalten am Bekenntnis (Heb 4,14 – wobei ich den Hebräerbrief im weitesten Sinne zur Paulusschule zähle) zu tun. Aber damit ist das Wesen des Glaubens nicht erfaßt, das eben nur christologisch bestimmt werden kann als Raum der heilvollen Gegenwart und Herrschaft Christi und als das Leben darin.

γ) Ökumenische Konsequenzen

Von diesem Ansatz aus läßt sich auch die Frage nach dem Verhältnis von Glaube und Werken bzw. nach der sachlichen Berechtigung der fides-formata-Lehre beantworten.

Wilckens wirft gerade den lutherischen Theologen, die den christologischen Charakter der Rechtfertigungslehre betonen, vor, sie lehnten es ab, "sich auf eine Aufnahme des Anliegens der fides-formata-Lehre theologisch einzulassen"[121]. Damit trifft Wilckens

---

121 Wilckens, EKK VI/1, 304. Wilckens nennt als Beispiel Ernst Wolf und verweist auf weitere Literatur bei O.H. Pesch, Theologie der Rechtfertigung bei Martin Luther und Thomas von Aquin, 1967 (WSAMA. T 4), 715, Anm. 20. Eine solche Anmerkung existiert bei Pesch jedoch nicht. Statt dessen vgl. Pesch, Um Christi willen, 20 f: "Neu

m.E. die Sache nicht. Man braucht nur eine der zentralen Aussagen aus Iwand "Rechtfertigungslehre und Christusglaube" heranzuziehen, um diese Behauptung zu widerlegen: "Luther wehrt sich also gegen zwei Fronten: in dem extras nos i.e. in Christo gegen die Wertübertragung aus der Gabe auf die Person, und in dem in nobis gegen die Zerstörung der Seinseinheit durch das Dazwischentreten sittlicher Begriffe. Dort wird dem Menschen verwehrt, sich ohne Bezug auf Gott, hier Gott ohne Bezug auf sich gerecht zu nennen. Dort ruht in Christus die Werteinheit, hier die Seinseinheit. Denn in Christo hat Gott den Menschen gerecht gemacht, daher darf, wer an Christus glaubt, Gott nicht gerecht nennen, er nenne sich dann zugleich gerecht."[122]

Treffen diese Sätze nicht nur auf Luther, sondern auch auf Paulus zu – und das wird hier behauptet – so ergibt sich eben keine pauschale Ablehnung des Anliegens der fides-formata-Lehre, sondern eine differenzierte Beurteilung. In Christus, d.h. aber im Glauben an ihn, ist der Mensch gerecht. Solcher Gerechtigkeit werden aber Taten der Liebe folgen. Doch hat der Christ diese Gerechtigkeit nicht abgesehen von Christus, d.h. abgesehen vom Bleiben im Raum des Glaubens. So sind diese Werke niemals Ursache der Rechtfertigung, auch nicht einer zweiten, endgültigen Rechtfertigung, von der Paulus ohnehin nichts weiß. Versteht man Gal 5,6 in diesem Kontext, so erledigen sich die alten Streitfragen: Wer durch das Gesetz gerecht werden will, verläßt den Heilsraum Christi (5,4). Dagegen zählt bei Christus das Bleiben in diesem Raum, also der Glaube, der tätig ist in der Liebe und nicht in Gesetzeswerken. Einen anderen Glauben als den tätigen kennt der Apostel nicht. Es ist müßig zu fragen, ob zum Glauben die Liebe hinzukommen müsse.

Das sola fide gilt also auch hier nicht deshalb, weil der Glaube das Andere zu jedem Werk ist, sondern weil der Glaube und nichts anderes als der Glaube die heilvolle Gegenwart Christi beim Menschen ist. Das sola fide gilt, weil es Anwendung des solus Christus ist. Die oben gestellte Frage, ob das sola fide über die allgemeine Anwendung der Exklusivität der Christologie auf die Soteriologie noch einen speziellen anthropologischen Sinn hat, ist nun also so zu beantworten: Wollte man aus einer Analyse der Struktur des Glaubens einen anthropologischen Sinn dieses Glaubens gewinnen, der über eine konsequent christologische Interpretation hinausgeht, so wäre der Glaube in Gefahr, auf mehr oder weniger subtile Weise zum Werk zu werden. Daß der Glaube als Werk erscheint, ist bei vielen katholischen Exegeten der Fall, die der Formel sola fide erst allmählich nähergetreten sind. Es ist in seiner besonderen Weise auch bei Rudolf Bultmann der Fall,

---

ist (bei bestimmten Lutherforschern) die einschränkungslose Gleichsetzung von Christusverkündigung und Rechtfertigungslehre: 'Christus id est fides Christi'. Neu ist die christozentrische Interpretation des Christenlebens als einer personalen Identifikation mit Christus, die jenseits des Konsolitätsschemas einerseits und einer 'mystischen Einheit' andererseits steht und als solche das Wesen des Glaubens ausmacht." Als Namen nennt Pesch Hans-Joachim Iwand und Ernst Wolf.

122 Iwand, Rechtfertigungslehre, 37.

dem an der Geltung des sola fide von vornherein viel lag. Nötig ist statt
dessen eine konsequent christologische Interpretation des Glaubens im
Sinne des Paulus. Ökumenisch muß eine solche Interpretation erst noch
werden. Allerdings verlaufen die Trennungslinien einmal mehr quer durch
die Konfessionen.

Von den drei am Anfang des Paragraphen aufgeworfenen Fragen braucht
nur eine hier nochmals genannt zu werden. Zur Frage des Glaubens als
Fürwahrhalten und als Leistung ist genug gesagt. Wie steht es aber mit der
fides specialis und der individuellen Heilsgewißheit? Man kann vermuten,
daß Bultmann seine Interpretation des Glaubens so radikal angesetzt hat,
weil ihm an der subjektiven Gewißheit des einzelnen entscheidend viel lag,
und daß der Kampf gegen die fides-formata-Lehre von vielen lutherischen
Theologen so entschieden geführt wurde, weil sie in ihr eine Gefährdung der
Heilsgewißheit erkannten. In jüngster Zeit hat Dieter Zeller die Frage bei der
Kommentierung von Röm 5,1-11 aufgegriffen.

"Zum anderen könnte sich eine christliche Heilsgewißheit auf unseren Text berufen, die
das Tridentinische Konzil als 'wahnhaftes Vertrauen der Häretiker' verurteilte ...
Demgegenüber müssen wir festhalten, daß es Paulus nicht um die Selbstvergewisserung
über den individuellen Gnadenstand zu tun ist."[123]

Von dem hier vertretenen Verständnis paulinischen Glaubens her wird man
Zeller nicht widersprechen, wenn er zweierlei moniert: die Reduktion des
Glaubens auf die Gewißheitsfrage und die Zentrierung auf den einzelnen.
Wollte man das sola fide in dieser reduzierten Weise verstehen, so würde es
von Paulus wegführen. Noch viel weiter ist aber die tridentinische Position
von Paulus entfernt. Denn das Leben im Heilsraum Christi meint ja gerade
die Befreiung von der Angst um das eigene Heil. (Röm 8,34 und der Kontext
können hier nicht oft genug angeführt werden.)

Das Leben im Raum des Glaubens ist nicht das Leben mit der Möglichkeit
des Heils, sondern mit seiner Wirklichkeit. Und Gottes Rechtfertigung gilt
absolut und nicht unter der Bedingung späterer Bewährung. Erst wenn diese
Einsichten festgehalten sind, kann man auch sagen, daß der in Christus
eröffnete Zugang zu Gott im Glauben das Individuum weit umgreift. Erst
dann kann man auch sagen, daß Paulus es mit Gemeinden zu tun hat und
nicht mit Einzelchristen und daß die Heilssphäre eben der Leib Christi, die
Kirche ist. Die Betonung des subjektiven sola fide hat einen Grund sicher
auch in der Abwehr der sakramentalen Heilsverwaltung durch die Kirche.
So berechtigt eine solche Abwehr ist, so notwendig ist es, daß die reformatorische Theologie von einem neuen Verständnis des Glaubens aus auch die
Ekklesiologie neu durchdenkt. Aber indem der einzelne entlastet ist von der
Nötigung, die "Entscheidung" vollziehen und die "Tat des Gehorsams"
vollbringen zu müssen, wird die Gewißheit des Heils nicht kleiner, sondern
größer.

123 Zeller, Römer, 112.

IV. Das Evangelium

§ 6 Evangelium als Lehrinhalt und als Kraft Gottes

"Evangelium" ist vielleicht das Hauptstichwort reformatorischer Theologie. Noch in der Bezeichnung der aus der Reformation hervorgegangenen Kirchen als "evangelische" Kirchen schwingt etwas mit von dem Bewußtsein, Kirche des "Evangeliums" zu sein. Gottlieb Söhngen kann einmal von der Entgegensetzung "der aus dem Evangelium erneuerten Kirche des Evangeliums gegen die Papstkirche des Gesetzes"[1] sprechen.

Auch bei Paulus ist "Evangelium" ein Kernwort. Das zeigt schon ein Blick in die Konkordanz. Entscheidend aber ist, daß Luthers "reformatorische Wende" sich nach seinem eigenen Zeugnis bei der Auslegung von Röm 1, 16-17 vollzog, beim Nachdenken über die Offenbarung der Gerechtigkeit, "die vor Gott gilt". Dieses Evangelium ist für reformatorische, insbesondere für lutherische, Hermeneutik die "Mitte" der Schrift. Es wird verstanden aus der Unterscheidung vom Gesetz. Ebenso wichtig aber ist das Verständnis des Evangeliums als "Kraft Gottes", d.h. nicht als einer Doktrin, die zu glauben wäre, sondern als eines lebendigen Handelns Gottes. Alle drei Bestimmungen des Evangeliums als Schlüssel zur Schrift, als das Andere des Gesetzes, als ausgezeichnetes Handeln Gottes sind Gegenstände der Kontroverstheologie gewesen.

Am Anfang dieser Untersuchung soll die Frage nach dem Evangelium als Kraft Gottes stehen. M.E. erklärt sich nur von hier aus die Bedeutung des Evangeliums für reformatorisches Denken. Zugleich aber ist diese Bestimmung des Evangeliums in der gegenwärtigen ökumenischen und exegetischen Diskussion weithin vernachlässigt.

A. Die lutherische Einsicht und ihre Verankerung bei Paulus

Daß "das Wörtlein Evangelium nicht in einerlei und gleichem Verstande allwegen, sondern auf zweierlei Weise" in der Heiligen Schrift gebraucht werde, räumt schon die Konkordienformel ein. Dabei unterscheidet sie die "generalis definitio", von der gilt:

"Gleichfalls auch nennet Paulus seine ganze Lehr das 'Evangelium' Acto 20. Er fasset aber die Summa solcher seiner Lehr in diese Häuptstück: Buße zu Gott und den Glauben an Christum."[2]

---

1 Söhngen, Gesetz und Evangelium, (Cath), 325.
2 FC-SD V, 4 f, BSLK 593.

Dieser allgemeine Gebrauch des Wortes ist aber nicht der entscheidende, denn in ihm kommt die Unterscheidung von Gesetz und Evangelium nicht genügend zur Geltung. Der Akzent der Konkordienformel liegt deshalb auf dem engeren Verständnis von Evangelium:

"Dann alles, was tröstet, die Huld und Gnade Gottes den Übertretern des Gesetzes anbeut, ist und heißet eigentlich Evangelium, eine gute und fröhliche Botschaft, daß Gott die Sünde nicht strafen, sondern nach Christus willen vergeben wolle."[3]

Dieses Evangelium, das tröstet und Gottes Gnade und Huld darbietet, ist

"eine 'Kraft Gottes selig zu machen alle die, so daran gläuben', das die 'Gerechtigkeit predigt' und den 'Geist gibet'."[4]

Bei der Unterscheidung eines weiteren und eines engeren Begriffs von Evangelium in der Schrift und – wie die zitierten Texte zeigen – innerhalb der Verkündigung des Apostels Paulus hat die Formel das Problem der exklusiven und inklusiven Zuordnung von Gesetz und Evangelium im Auge. Nur beim engeren Verständnis des Evangeliums ist es streng vom Gesetz unterschieden. Zugleich aber wird deutlich: So wie das Gesetz nicht nur eine Lehre über Gottes Willen ist, sondern diesen Willen dem Hörer zuspricht, von ihm Gehorsam fordert und ihn seiner Sünde überführt, so ist das Evangelium auch im eigentlichen Sinne nicht eine Lehre über Gottes Gnade und Erbarmen, sondern der Zuspruch von Gnade und Erbarmen an den Menschen. Das Evangelium predigt Gerechtigkeit und teilt sie damit aus und gibt den Heiligen Geist. Wenn dabei von "potentia Dei" die Rede ist, so meint dies ebensowenig wie iustitia Dei eine in sich ruhende Eigenschaft Gottes, sondern die aktuelle, die Menschen ergreifende und zum Heil führende Kraft Gottes. Diese wirkende Kraft ist das Evangelium, das hier selbstverständlich nicht ein Lehrkorpus meint, auch nicht die Lehre von der Rechtfertigung des Sünders allein aus Gnade, sondern die Verkündigung als Akt. Denn nicht die Lehre als solche, als Kodex, kann wirksame, dynamische Kraft sein, sondern nur die zugesprochene, angewendete Lehre.

Der paulinische Hauptbeleg für diese Aussagen des lutherischen Bekenntnisses ist Rom 1,16 (parallel dazu das Wort vom Kreuz als Gottes Kraft 1. Kor 1,18.24). Tatsächlich zeigt der Kontext auch, daß es um die Offenbarung der Gerechtigkeit Gottes im Evangelium geht, also um ein Verkündigungsgeschehen. Überspringt man die "Riesenparenthese" 1,18-3,20, so wird deutlich: Es geht um eine Bewegung. Was verborgen war, ist offenbar geworden – die Gerechtigkeit Gottes. Sie wird im Evangelium verkündigt und zwar so, daß diese Verkündigung εἰς σωτηρίαν παντὶ τῷ πιστεύοντι geschieht. Außerdem schließt Röm 1,16 an V 15 an, wo Paulus von seiner Absicht spricht, auch in Röm das Evangelium zu predigen. Vom Verb in V 15 zum Substantiv in V 16 ist offenbar nur ein gleitender Übergang.

3   FC-SD V, 21, BSLK 958 f.
4   FC-SD V, 22, BSLK 959.

B. Das traditionelle katholische Unverständnis

Der klassische Vorwurf gegen die katholische Exegese und Dogmatik ist nun, daß sie genau das Verständnis des Evangeliums als rettender Kraft Gottes verfehle, daß sie stattdessen nur den weiteren Begriff von Evangelium als Name bestimmter Lehrinhalte erkenne und anerkenne und damit auch den Schlüssel zur Unterscheidung von Gesetz und Evangelium verliere. Tatsächlich trifft dies wohl weithin zu. Noch 1965 kann ein katholischer Theologe formulieren:

"Wir haben die Wertung des Wortes Gottes theologisch, aber auch glaubens- und lebensmäßig ungenügend zur Darstellung und Geltung gebracht."[5]

Zwei Aufsätze von Franz Mußner aus der gleichen Zeit belegen, wie auch dieser Exeget Evangelium bei Paulus vor allem als Lehrkorpus versteht: Wenn er 1961 nach der "Mitte des Evangeliums in neutestamentlicher Sicht"[6] fragt, so zeigt schon der Titel ein Problem an. Von der "Mitte des Evangeliums" kann ein lutherischer Theologe nicht reden. Für ihn ist das Evangelium die "Mitte der Schrift" oder er spricht davon, daß die Schrift auszulegen sei in der Unterscheidung von Gesetz und Evangelium. Fragt man hingegen nach der Mitte des Evangeliums so wird deutlich, daß man dieses Evangelium seinerseits wieder für einen Teil der Schrift hält (z.B. das gesamte Neue Testament), der eine – noch zu bestimmende – Mitte hat.

Mußner formuliert als Mitte des Evangeliums (und meint offenkundig damit die Mitte des Neuen Testaments)

"die Proklamation, das εὐαγγέλιον vom Anbruch der eschatologischen Heilszeit in Jesus Christus"[7].

Von dieser These behauptet er, sie wirke

"nicht als Sprengstoff im neutestamentlichen Kanon, sondern viel eher als seine verbindende Klammer ... Die Rechtfertigungslehre hat darin ihren organischen Platz, einen sehr beachtlichen Platz sogar, aber sie wird nicht isoliert, sondern bleibt in dem Rahmen, der ihr durch die Heilsgeschichte gegeben ist."[8]

Mußner befürchtet, daß, sobald die paulinische Rechtfertigungslehre zur Mitte des Evangeliums wird, sofort Spannungen aufbrechen, etwa zur Theologie des Jakobusbriefs, aber auch zu der des Matthäus. Demgegenüber möchte er die Mitte des Evangeliums so bestimmen, daß ein gemeinsamer Nenner für alle neutestamentlichen Schriften gefunden wird. Deutlich ist dabei, wie gegen einen Lehrsatz, der eher abgrenzende Bedeutung hat, ein anderer gestellt wird, der als Verbindungsmittel wirkt. Daß "Evangelium" von den Reformatoren, insbesondere von Luther, gar nicht als Lehrkorpus verstanden war, sondern als das Sich-verschenken Christi im

5   Bormann, Heilswirksamkeit, 14.
6   Mußner, Mitte des Evangeliums.
7   a.a.O., 271.
8   a.a.O., 291.

Unterschied zu allen Forderungen, hat Mußner offensichtlich nicht im Blick.

Auch von einem weiteren, drei Jahre später erschienenen Beitrag Mußners läßt sich das sagen.[9]

Er erkennt, daß Evangelium bei Paulus "sowohl das missionarische Verkündigen als auch die Verkündigung selbst, und zwar im Hinblick auf die gesamte Botschaft des Apostels"[10] meint.

Röm 1,16 rechnet er dabei z.B. zu den Texten, die sich auf den Inhalt der Verkündigung beziehen[11],

denn das Evangelium "offenbart allen Menschen die Gottesgerechtigkeit, insofern sich diese am Kreuz Jesu offenbarte als Gottes gütige und gnädige Bereitschaft, den 'Gottlosen' durch den Glauben an das rettende Kreuz seines Sohnes zu rechtfertigen"[12].

Ganz offenkundig sieht Mußner hier in der Gottesgerechtigkeit eine Eigenschaft, eine "Bereitschaft" Gottes, während die Selbstmitteilung Gottes in seiner Gerechtigkeit und seiner Kraft zurücktritt. Von daher kann Mußner dann nochmals nach der "katholischen Weite" des Begriffs Evangelium im Neuen Testament fragen, denn zweifellos hat das so verstandene Evangelium noch andere Inhalte als die Gottesgerechtigkeit. Der Impuls, den er aus der Exegese für die ökumenische Arbeit gewinnt, lautet deshalb:

"Man muß den getrennten Brüdern, die sich auf das 'Evangelium' gegen die katholische Kirche berufen, zurufen: Bedenkt, was die Schrift selbst unter 'Evangelium' versteht! Man wird sie fragen müssen: Engt ihr den Begriff 'Evangelium' nicht in einer Weise ein, die dem Neuen Testament nicht entspricht? Ist eure Kritik am neutestamentlichen Gesamtzeugnis im Namen des 'Evangeliums' wirklich berechtigt?"[13]

Nochmals: Unter der Voraussetzung, daß man unter dem Evangelium bzw. unter der Mitte des Evangeliums einen Lehrsatz bzw. ein System von Lehrsätzen versteht, ist Mußners Argumentation völlig schlüssig. Nur bleibt die mündliche Verkündigung des Evangeliums als Kraft Gottes außerhalb des Blickfeldes. Am Ende seiner Überlegungen kommt Mußner allerdings darauf zu sprechen. Er bezieht sich auf Karl Rahner, der den Kern der neutestamentlichen Botschaft "in der absoluten radikalen Selbstmitteilung Gottes, in seinem Nahekommen in Christus und seiner Gnade"[14] sieht. Mußner kommentiert:

"Das ist zweifellos das eigentliche 'Evangelium' im Neuen Testament, das vor allen begrifflichen Objectivationen liegt und das auch die iustificatio impii - das 'Evangelium' in protestantischem Verständnis - in sich schließt, aber 'offener', umfassender, 'katholischer' als dieses ist."[15]

9   Mußner, Evangelium.
10   a.a.O., 167.
11   a.a.O., 165.
12   a.a.O., 163.
13   a.a.O., 175.
14   a.a.O., 177.
15   ebd.

Mußner stellt hier gegeneinander, was für die Reformation zusammengehört: die "radikale Selbstmitteilung Gottes" und die "iustificatio impii".
Grund für diese Entgegensetzung ist, daß Mußner an dem, was er "die
protestantische Sicht" nennt, eine Ausblendung der christologisch-heilsge-
schichtlichen Dimension kritisiert. Wenn es darum geht, daß die iustificatio
impii keine zeitlose, rein anthropologisch-soteriologische Wahrheit ist,
wenn am νυνὶ δέ von Röm 3,21 festgehalten werden soll, wenn eingeschärft
werden soll, daß Gott seinen Sohn sandte zur Erlösung, als das πλήρωμα
τοῦ χρόνου gekommen war (Gal 4,4), dann ist Mußner nur Recht zu
geben. Aber indem er die Isolation der Lehre von der Rechtfertigung des
Sünders bekämpft, verstellt sich Mußner zugleich den Blick dafür, daß nach
reformatorischer Auffassung es gar nicht um diese Lehre geht, sondern
darum, daß in der Verkündigung des Evangeliums die Rechtfertigung des
Sünders geschieht. Eine Reflexion auf das Evangelium als Kraft Gottes
sucht man deshalb bei ihm vergeblich.

C. Ein Ansatz des Verstehens in der katholischen Exegese

Doch dabei ist es nicht geblieben. In seiner 1965 erschienenen Dissertation
"Die Heilswirksamkeit der Verkündigung nach dem Apostel Paulus" will
Paul Bormann[16] das katholische Defizit ausgleichen. Er faßt seine Untersu-
chung zusammen:

"Das Wort der Verkündigung des Evangeliums ist Gottes Kraft zur Errettung. In seinem
Hören wird dem Menschen durch das Pneuma die Gerechtigkeit Gottes und die Rettung
zuteil. Es ist ja das Wort der Versöhnung und des Lebens; es ist das Wort der Wahrheit,
der offenbaren Wirklichkeit Gottes ... In Christus begegnen dem Hörenden im apostolischen Wort auch die durch Christi Sterben und Auferstehen erworbenen Heilsgüter:
Gerechtigkeit, Heil, Rettung, Leben, Friede und Freiheit."[17]

Hier fällt nicht nur das Stichwort "Kraft Gottes", sondern es wird auch
ausgeführt, wie Gottes Kraft in der Verkündigung des Evangeliums am
Werk ist. Im Wort wird Christus selbst präsent und mit ihm werden die
"Heilsgüter" gegenwärtig. Hier ist die Trennung aufgehoben zwischen der
Lehre vom Heil und der Gegenwart des Heils selbst. Bormann reflektiert
nicht die reformatorische Grundeinsicht, daß die Gegenwart des Heils im
Evangelium nur da wirklich ist, wo dieses Evangelium vom Gesetz unter-
schieden wird. Aber das entspricht dem paulinischen Sachverhalt. Paulus
redet vom Evangelium nicht in dauernder, reflexer Unterscheidung vom
Gesetz. Sehr wohl aber ist das Evangelium für ihn mehr und anderes als ein

16   Bormann, Die Heilswirksamkeit.
17   a.a.O., 140.

neues Lehrsystem nach dem alten des Gesetzes. Das Evangelium ist Gottes wirkende Kraft und zwar im Vollzug der Verkündigung. Es läuft hier m.E. eine direkte Linie von Jes 55,11 zu 1. Kor 2,4 f.

Diesen Sachverhalt hat Bormann erfaßt, und wenn er im weiteren betont, daß dies Wort der Verkündigung von der Person Christi nicht gelöst werden darf, so ist ihm nur zuzustimmen.

Man könnte folgern: Katholische Paulusexegese hat ein Defizit gefüllt und sich damit geöffnet für ein sachgemäßes Verständnis der reformatorischen These vom Evangelium als der Mitte der Schrift. Aber man wird mit diesem Urteil vorsichtig sein. Zum einen ist die katholische Literatur zum Thema extrem schmal. Bormann ist geradezu ein Einzelkämpfer auf katholischer Seite.

Zum anderen schweigt auch Bormann weitgehend von einer entscheidenden Konsequenz des Verständnisses des Evangeliums als Kraft Gottes: daß nämlich die Initiative beim Glauben allein von Gott ausgeht.

Nach Paulus kommt der Glaube aus der Predigt (Röm 10,17) des Evangeliums (Röm 10,16).

Georg Eichholz kommentiert:

Der Glaube ist "keine menschliche Möglichkeit, die immer schon im Menschen angelegt ist, eine Gabe, wie der Mensch Gaben hat ..."[18]

"Der Glaube kommt aus der Verkündigung - vom Glauben ist eben deshalb als von einer in sich selbst begründeten Wirklichkeit nicht zu sprechen. Er ist nicht Anfang, sondern Echo."[19]

Für reformatorisches Denken bekommt die Rede vom Evangelium als Kraft Gottes entscheidendes Gewicht. Nur so bleibt der Glaube davor bewahrt, selbst ein Werk des Menschen zu werden. Es geht also um die gleichzeitige Geltung des sola gratia und des sola fide.

Ernst Wolf formuliert:

"Verheißung fordert, um Verheißung zu sein, Glauben; und schöpferische Verheißung schafft sich Gehör, indem sie Glauben schafft, wohlgemerkt: schafft, nicht 'weckt'!"[20]

Wolf deutet damit den Zusammenhang der Rechtfertigungslehre mit der Prädestinationslehre der Reformatoren an. Doch gerade vor dieser Konsequenz ist katholische Theologie fast immer zurückgeschreckt. Daß das Evangelium die Möglichkeit des Heils, die Möglichkeit des Glaubens gewährt, ist selbstverständlich. Aber daß es Glauben schafft und somit der Glaube das Werk Gottes im Menschen ist – das erscheint schwierig. Das Schweigen katholischer Exegese in Sachen Evangelium als Kraft Gottes wird so zum beredten Schweigen. Es liegt am Tage, wie der ganze Zusam-

18 Eichholz, Theologie des Paulus, 233.
19 a.a.O., 236.
20 Wolf, Peregrinatio, 124.

menhang von Röm 9 – 11 zeigt, daß Paulus selbst sich vor prädestinatiani-
schen Aussagen nicht scheute.

Exkurs: Das Schweigen katholischer Exegese über die Prädestination

Es fällt auf, daß auch die zeitgenössische katholische Paulusexegese weitgehend sich über die Fragen des unfreien Willens und der Gnadenwahl bei
Paulus ausschweigt. Eine Ausnahme macht hier lediglich Otto Kuss, der
ausführlich davon handelt, um sogleich die theologische Verbindlichkeit der
erhobenen paulinischen Aussagen zu bestreiten:

"... wenn es sich in Röm 9 – 11 nicht allein um innergeschichtliche Kollektivschicksa-
le handelt, sondern – zumindest bei theologischem Weiterdenken – auch um ewiges Heil
oder ewiges Unheil für den Einzelnen, wird die 'Beweisführung' des Paulus den
Vorwurf der 'Ungerechtigkeit', des Despotischen, Tyrannischen, Sultanhaften kaum
wirksam von dem Bilde Gottes abgewehrt haben."[21] Gegenüber den "Prädestinations-
thesen des Augustinus, des Thomas, des Luther von 'De servo arbitrio', des Zwingli, des
Calvin..." hält Kuss fest, diese setzten "einen Gottesbegriff von solcher willkürlichen
Grausamkeit" voraus, daß ein – allerdings unpolitischer "Atheismus" diesem Gottes-
glauben vorzuziehen sei.[22]

Von der Bereitschaft zu solch radikaler Sachkritik her wird es verständlich, daß Kuss auch die Aussagen von Röm 9, 14-29 ausführlich besprechen
kann.

Doch damit bleibt Kuss allein. Bei keinem anderen katholischen Exegeten in dem mir überschaubaren Bereich, ist die Differenz zwischen historischer Rekonstruktuion und normativer Geltung der Schrift ähnlich groß.

Allerdings muß hinzugefügt werden: Auch evangelische Exegese ist in
diesem Bereich sehr zurückhaltend. Allenfalls werden die reformatorischen
Aussagen in einem "wirkungsgeschichtlichen Abschnitt" neutral dogmen-
historisch dargestellt. Selten kommt es zu einer Anwendung bzw. zur Frage
nach der aktuellen Relevanz der paulinischen Texte.

Solche Zurückhaltung entzieht sich einer ausführlichen Analyse. Doch
sie will notiert und verstanden sein.

Als Ergebnis kann festgehalten werden: Die Rede vom Evangelium als
Kraft Gottes hat eine große reformatorische Tradition und u.E. auch besten
Anhalt bei Paulus. Doch zeigt sich von dieser Tradition in katholischer
Exegese fast nichts und auf evangelischer Seite sehr wenig. Vielleicht liegt
das daran, daß diese Rede immer auf die *gegenwärtige* Wirksamkeit des
Evangeliums zielt und damit von ihrer Sache selbst her den Rahmen
historischer Rekonstruktion sprengt.

Nochmals: Das Schweigen der Exegese scheint ein beredtes Schweigen
zu sein.

---

21   Kuss, Römerbrief, 729 f.
22   a.a.O., 931 f.

§ 7 Evangelium und Mitte der Schrift

Bei der Frage nach dem Verständnis des Evangeliums als Kraft Gottes klang bereits eine weitere Problemstellung an: Die Frage, ob das Evangelium die Mitte der Schrift sei und was gegebenenfalls eine solche Bestimmung für die sachgemäße Auslegung der Schrift bedeute. Oft gebrauchte Schlagworte gehören in diesen Zusammenhang: "Kanon im Kanon" einerseits etwa und "katholische Weite" andererseits. Es gilt zunächst, das Problem genauer zu bestimmen.

A. Das Problem: Evangelium und Schrift

a) Der Ansatz bei Luther

Es kann hier nicht ausführlich von Luthers Hermeneutik gehandelt werden,[1] aber an Luthers berühmte Worte in der Vorrede zum Jakobus- und Judasbrief von 1522 muß erinnert werden:

"Auch ist das der rechte prufesteyn alle bucher zu taddelln, wenn man sihet, ob sie Christum treyben odder nit. Sintemal alle Schrift Christum zeyget, Ro. 3, und Paulus nichts als Christum wissen will, 1. Kor. 2. Was Christum nicht leret, das ist nicht Apostolisch, wenns gleich Petrus oder Paulus leret; widerumb, was Christum predigt, das ist Apostolisch, wenns gleich Judas, Annas, Pilatus oder Herodes thet."[2]

Mit dieser Unterscheidung zwischen Christus und der Schrift kann der Reformator auch zwischen Schrift und Evangelium differenzieren, ja er kann von seinem Verständnis des Evangeliums her die Schrift kritisieren, wie es vor allem seine Behandlung des Jakobusbriefes zeigt. Man darf dabei den christologischen Bezug des Evangeliums nicht formal verstehen, so als sei Evangelium nur, was christologische Aussagen enthält. Vielmehr ist Evangelium im Unterschied zum Gesetz das, was den Christus pro nobis predigt.

Dieses Evangelium wird nun aber nicht nur von einzelnen Teilen der Schrift, sondern von der Schrift überhaupt unterschieden. Daß sich Luthers Kritik vor allem am Beispiel des Jakobus – und des Judasbriefes, aber auch des Hebräerbriefes (wegen der Verneinung der zweiten Buße) konkretisiert, darf nicht so gedeutet werden, als verstünde Luther den Kanon flächenhaft und würde einzelne Schriften der Bibel auf einer Ebene gegen andere ausspielen. Luthers Interesse gilt nicht den Lehrgegensätzen in der Schrift, wie moderne Forschung sie herausarbeitet. Vielmehr geht es ihm um eine Unterscheidung von Evangelium und Schrift, parallel zur paulinischen Unterscheidung von Buchstabe und Geist (2. Kor 3,6).

---

1   Vgl. Schempp, Luthers Stellung zur heiligen Schrift.
2   WA DB 7, 384.

Indem das Evangelium vom Gesetz unterschieden wird, wird auch der Buchstabe der Schrift vom lebendigen Wort des Evangeliums unterschieden, ohne daß sich die Predigt des Evangeliums jemals von der Schrift lösen würde. Es ist der gleiche Vorgang bei der Predigt eines Textes aus dem Jakobus – wie aus dem Galaterbrief (der bekanntlich Luthers Lieblingsepistel war): Der Text wird befragt auf das Evangelium, das er enthält und dieses Evangelium wird gepredigt (und in der Unterscheidung vom Evangelium das Gesetz) – nicht aber der undifferenziert wahrgenommene Lehrinhalt des Textes als Glaubensnorm.

Evangelium und Text lassen sich niemals trennen, sie sind aber auch nie völlig identisch. Das Verhältnis von Evangelium und Text läßt sich m.E. so bestimmen: Das Stichwort "Evangelium" gibt an, wie ein Text jeweils auszulegen und anzuwenden ist. Ein Text wird angewendet, indem Evangelium und Gesetz aus dem Text vernommen und voneinander unterschieden werden.

"Evangelium" meint dabei nicht die "Lehre" von der Rechtfertigung des Sünders, sondern das Geschehen der Rechtfertigung des Sünders im Vorgang der Verkündigung – und diese Verkündigung ist Verkündigung aufgrund irgendeines Textes des Alten oder Neuen Testaments. Dabei haben natürlich die Aussagen über die Rechtfertigung im Römerbrief eine besondere Stellung, weil sie die Struktur des Evangeliums als Kraft Gottes zum Heil in der Verkündigung kennzeichnen – aber auch sie sind "Schrift" und als solche mit dem Evangelium nicht identisch.

Von dieser hermeneutischen Grundentscheidung her gewinnt Luther nun aber auch Raum für eine Wahrnehmung, die bei einem anderen Verständnis der Schriftautorität in Gefahr ist, unterdrückt zu werden. Er kann etwa feststellen, daß Jak 2,24 und Röm 3,28 sich ihrem buchstäblichen Sinne nach widersprechen. Gerade weil Luther zwischen Evangelium und geschriebenem Bibeltext unterscheidet, gewinnt er die Freiheit zu solchen Beobachtungen.

Dennoch wird dem Reformator häufig der umgekehrte Gedankengang unterstellt, daß er nämlich, durch wirkliche oder vermeintliche Widersprüche in der Schrift veranlaßt, sich gezwungen sah, einseitig zu optieren, d.h. einen bestimmten Lehrinhalt für den richtigen zu erklären. Dies aber muß als subjektive Wahl erscheinen.

Ein Beispiel für ein solches Mißverständnis ist m.E. Franz Mußner. Indem Mußner, wie gezeigt, vorführt, daß bei Paulus unter Evangelium sehr verschiedene dogmatische und ethische Gehalte subsumiert werden können, will er zugleich zeigen, daß die Isolierung der Rechtfertigung des Sünders

sich "als Sprengstoff innerhalb des neutestamentlichen Kanons"[3] auswirken muß.

---

3   Mußner, Evangelium, 175.

Will man schon von einer Mitte des Neuen Testaments reden, so gilt es, diese so zu bestimmen, daß ein gemeinsamer Nenner für alle neutestamentlichen Schriften gefunden wird. Mußner beruft sich für diese These auf das "Formalprinzip des Protestantismus", das sola scriptura.[4] Zu einem Konflikt zwischen Material- und Formalprinzip kann es für Mußner nicht kommen. Zwar betont er:

"Auch nach katholischer Auffassung ist das Evangelium nicht identisch mit dem Kanon!"[5]

Doch wird nirgends die Unterscheidung von Evangelium und Kanon konkret vollzogen.

An der Furcht vor einer den Kanon sprengenden Wirkung der Bestimmung der Mitte der Schrift läßt sich das Mißverständnis am klarsten zeigen. Zu einer solchen Sprengwirkung kommt es dann, wenn ein Lehrinhalt verabsolutiert und den anderen gegenübergestellt wird. Ein solches Vorgehen muß naturgemäß als subjektive Wahl erscheinen. Doch Luther stellt eben nicht die Lehre von der Rechtfertigung des Sünders anderen Lehren gegenüber, sondern er unterscheidet das Evangelium von der Schrift als ganzer. Zu dem Mißverständnis besteht insofern Anlaß als nach Luthers Einsicht in der Verkündigung des Evangeliums die Rechtfertigung des Sünders *geschieht*. Doch für die Verkündigung als Rechtfertigungsgeschehen bildet eben die *ganze* Schrift potentiell den Text und nicht etwa nur eine Auswahl aus der Schrift.

Man kann also sagen: Indem katholische Theologie den Charakter des Evangeliums als Verkündigungsgeschehen übersieht, bleibt sie auf Lehrinhalte fixiert und kann dann nicht anerkennen, daß die Rechtfertigung des Sünders von allen Lehrinhalten der Schrift der entscheidende sein soll.[6]

b) Das Problem "Evangelium und Schrift" unter den Voraussetzungen historisch-kritischer Forschung

Wird die Diskussion über Evangelium und Schrift unter den Voraussetzungen historisch-kritischer Arbeit geführt, so fällt ein starker Akzent auf die Herausarbeitung der Lehrdifferenzen innerhalb des Neuen Testaments, gerade auch bezüglich des Verständnisses von Rechtfertigung. Da historische Arbeit – wenigstens zunächst – nicht nach dem Sinn des gesamten Neuen Testaments oder gar der ganzen Bibel fragt, sondern nach der Aussageintention einzelner Schriften und ihrer Verfasser, gilt ihr Interesse zugleich der Feststellung sachlicher Unterschiede innerhalb des Neuen Testaments. In einer durch Luthers Verständnis des Evangeliums bestimm-

4 Mußner, Petrus und Paulus, 138.
5 Mußner, Evangelium, 177.

ten Theologie führen solche Feststellungen auch nicht in eine prinzipielle hermeneutische Problematik.

Jedoch ist die Sachlage komplizierter. Da historische Forschung nach der Aussageintention der Verfasser biblischer Schriften fragt, versteht sie unter Evangelium in der Regel einen bestimmten Inhalt etwa der paulinischen Verkündigung. Dann aber wird das Evangelium von der Schrift nicht mehr prinzipiell unterschieden, sondern nur noch partiell, nämlich von denjenigen Teilen der Schrift, deren Lehrgehalt dem, was als Evangelium bezeichnet wird, nicht entspricht. Mit anderen Worten: Unter Evangelium kann eine einzelne Lehre eines einzelnen biblischen Autors verstanden werden im Unterschied zu anderen, dann offenbar unevangelischen Lehren anderer biblischer Autoren. Die Entscheidung für eine bestimmte Lehre als Evangelium und Mitte der Schrift, der also besondere normative Geltung zukommen soll, wird unter diesen Voraussetzungen immer den Charakter des Subjektiven haben. Die Nachfrage wird einsetzen, warum gerade diese Lehre – etwa die Rechtfertigung des Sünders – die Mitte der Schrift sein soll.

Ein ausdrückliches Beispiel für die Problematik dieser Entwicklung ist der 1951 entstandene Vortrag Ernst Käsemanns "Begründet der neutestamentliche Kanon die Einheit der Kirche?"[7] und die darauf folgende Diskussion. Käsemann beschreibt zunächst Lehrdifferenzen im Neuen Testament und urteilt dann:

"Die Zeit, in der man die Schrift als ganze dem Katholizismus entgegenhalten konnte, dürfte unwiederbringlich vorbei sein. Mit dem sogenannten Formalprinzip kann der Protestantismus heute nicht mehr arbeiten, ohne sich historischer Analyse unglaubwürdig zu machen. Der neutestamentliche Kanon steht nicht zwischen Judentum und Frühkatholizismus, sondern gewährt in sich wie dem Judentum, so auch dem Frühkatholizismus Raum und Basis."[8]

Steht es aber so mit der Variabilität der Theologien im Neuen Testament, so läßt sich auf der historischen Ebene nicht mehr entscheiden, welche Theologie und welche Kirche sich mit mehr und welche sich mit weniger Recht auf das Neue Testament beruft. Käsemann sieht dies sehr klar und formuliert deshalb seinen berühmten Satz:

"Der neutestamentliche Kanon begründet als solcher nicht die Einheit der Kirche. Er begründet als solcher, d.h. in seiner dem Historiker zugänglichen Vorfindlichkeit, dagegen die Vielzahl der Konfessionen."[9]

6   Vgl. Mußner, Evangelium, 175: "Erhebt man aber ein ganz bestimmtes Einzelkerygma, wie die iustificatio impii durch den Glauben an den Christus passus zur 'Mitte' des Evangeliums oder gar zum alleinigen 'Evangelium', dann wirkt das nur allzuleicht als Sprengstoff innerhalb des neutestamentlichen Kanons, wie die geschichtliche Erfahrung zeigt. Dann erfährt das 'Evangelium' eine Einengung, die dem neutestamentlichen Sprachgebrauch und der mit ihm gemeinten Sache nicht mehr entspricht."
7   Käsemann, Kanon.
8   a.a.O., 221.
9   ebd.

Mit dieser Einsicht verschwimmt nun allerdings für Käsemann nicht alle Dogmatik im Nebel neutestamentlicher Variabilität und Relativität. Es ist auch nicht Sache bloß der jeweiligen Tradition, ob das Neue Testament vom katholischen oder vom reformatorischen Standpunkt her verstanden wird. Die exegetische Aufgabe endet nicht "mit der historischen Feststellung"[10], es muß ihr vielmehr um die Sache des Evangeliums zu tun sein. Der Kanon aber

ist "nicht einfach mit dem Evangelium identisch und Gottes Wort nur insofern ... als er Evangelium ist und wird. Insofern begründet dann auch er die Einheit der Kirche"[11].

Hier geht Käsemann offensichtlich den gleichen Weg wie Luther: Er unterscheidet grundsätzlich zwischen Schrift (als Kanon) und Evangelium. Die Nähe zu Luther deutet Käsemann selbst an, wenn er sagt, daß der Kanon nur dort Wort Gottes werden kann,

"wo man nicht Gott in ihm dingfest zu haben meint und damit den Kanon zum Ersatz des sprechenden und uns ansprechenden Gottes macht"[12].

Deutlich wird hier, daß der Unterschied von Evangelium und Schrift nicht der wertvollerer und weniger wertvoller Teile des Kanons ist, sondern der von lebendiger Anrede Gottes und totem Text.

Käsemann nimmt eine Fülle von Lehrgegensätzen im Neuen Testament wahr. Die Offenheit für solche Wahrnehmung gewinnt er wie Luther aus der Unterscheidung zwischen Schrift und Evangelium. Versteht man jedoch unter "Evangelium" die Rechtfertigungslehre des Paulus neben anderen Lehren des Apostels und anderer neutestamentlicher Autoren, so muß man Käsemann eine willkürliche Auswahl vorwerfen.

Franz Mußner, der – wie gezeigt – die Tendenz hat, Evangelium und Schrift zu identifizieren bzw. das Evangelium als Lehrinhalt zu fassen, urteilt,

"daß für Käsemann das 'Evangelium', von dem in seinen vorausgehenden Ausführungen in fast geheimnisvoll klingender Andeutung immer wieder die Rede ist, nichts anderes als die Rechtfertigungslehre ist. Sie ist 'die Mitte der Schrift'. Dazu hier nur die eine Frage: Wie verhält sich zu dieser so bestimmten Mitte etwa Jesu Reichgottespredigt?"[13] .

Schon die Kontrastierung von Rechtfertigungslehre und Reichgottespredigt zeigt, daß Mußner Käsemanns Rekurs auf das Evangelium mißversteht als subjektive Entscheidung für einen Lehrtopos im Neuen Testament.

Etwas näher kommt der Systematiker Hans Küng dem Ansatz Käsemanns. Er erkennt, daß es diesem "nicht um die Rechtfertigungslehre" geht, sondern um das "Rechtfertigungsgeschehen" und daß dieses "nicht nur in Röm oder Gal, sondern auch z.B. in einem Logion Jesu, in einer Seligprei-

10 ebd.
11 a.a.O., 223.
12 ebd.
13 Mußner, Evangelium 174, Anm. 48.

sung usw. angekündigt" werden kann.[14] Aber dennoch vertritt Käsemann nach Küngs Sicht "eine Auswahl", was Küng als Häresie im Wortsinn qualifiziert, als "αἵρεσις, die die Einheit der ἐκκλησία auflöst"[15]. Denn Käsemann

"nimmt im Neuen Testament grundsätzlich nur die Zeugnisse positiv ernst, die 'Evangelium' werden können und sind, die Rechtfertigung des Sünders ankündigen. Das bedeutet einen prinzipiellen, auch wenn man nicht von 'Prinzip' sprechen will, – und von Käsemann bewußt als evangelisch akzeptierten – Verzicht auf Katholizität im Schriftverständnis."[16]

Dabei unterstellt Küng, Käsemanns Berufung auf die Unterscheidung der Geister laufe darauf hinaus,

"auch im Neuen Testament ... zwischen guten und bösen Geistern zu unterscheiden"[17]

Offenbar ist ihm entgangen, daß Käsemann diese Unterscheidung in seinem grundlegenden Aufsatz einzig als Unterscheidung von Geist und Buchstabe im Neuen Testament versteht und anwendet.[18]

Jedenfalls gilt auch für Küng, daß er in Käsemanns Rede vom Evangelium als der Mitte der Schrift eine subjektive Entscheidung für eine bestimmte "Lehre" innerhalb des Neuen Testaments sieht. Er fragt:

"Kann sich Käsemann auf mehr berufen als auf irgendein ... protestantisches Vorverständnis? Oder, tiefer, auf irgendeine letzte Option, in der man sich vielleicht mehr vorfindet (lutherische Tradition?), als in die man sich selber gestellt hat? ... Ist das nicht eine Position, in der man auch kaum mehr Gründe angeben kann, die einen anderen abhalten könnten, eine andere Option zu treffen und auf Grund eines anderen traditionellen Vorverständnisses eine andere Mitte und ein anderes Evangelium exegetisch zu entdecken?"[19]

Die – auch von Käsemann vollzogene – reformatorische Grundentscheidung für das Verständnis der Schrift vom Evangelium her wird hier interpretiert als historisch-exegetische These. Auf dieser Ebene ist sie aber nicht zu beweisen und mit Recht wird unter dieser Voraussetzung gefragt, warum man nicht genauso gut die Schrift auch von einem ganz anderen Punkt her verstehen kann. Daß Käsemann für dieses Mißverständnis selbst mit verantwortlich ist, weil er nämlich die Einheit des neutestamentlichen Kanons

---

14   Küng, Frühkatholizismus, 404 f.
15   a.a.O., 403.
16   a.a.O., 404.
17   ebd.
18   Vgl. Käsemann, Kanon, 221. "... daß das NT selbst neben die theologische Aussage, also auch neben die Aussagen des Kanons, die theologische Aufgabe der diakrisis pneumatoon treten läßt: Anders gewandt: Man wird die Zusammengehörigkeit und den Unterschied von Buchstaben und Geist zu beachten haben. Was Paulus in 2. Kor 3 dem AT gegenüber geltend macht, darf nicht auf das AT beschränkt werden, sondern gilt genauso auch für den nt.lichen Kanon." Auf diese Verzeichnung Käsemanns weist Friedrich Mildenberger, Sola scriptura.
19   Küng, Frühkatholizismus, 406.

selbst zunächst mit historischen Argumenten zu widerlegen versucht und deshalb eine ebenso historisch-exegetische Lösung des Problems erwarten läßt, sei allerdings nochmals betont.

Im Zusammenhang dieser Untersuchung ist nun aber wichtig, was als katholische Position vorgeführt wird. Denn eine Lösung für die Frage der Pluralität und der theologischen Differenzen im neutestamentlichen Kanon und damit auch für die Frage der Stellung des Paulus im Kanon muß auch katholische Theologie anbieten.

Mußners Vorschlag wurde bereits skizziert. Er will,

daß "man εὐαγγέλιον weiterhin (und wieder) in der umfassenden, katholischen Weite gelten läßt, die der Terminus und die mit ihm bezeichnete Sache in ihm besitzt"[20].

Küng formuliert grundsätzlich:

"Im Gegensatz zu aller Häresie, die in ihrer Selbstverabsolutierung ohne es zu wollen zur Hybris wird, versucht katholische Haltung, sich die volle Offenheit und Freiheit für das Ganze des Neuen Testaments zu bewahren."[21]

Nimmt man dieses Programm ernst und macht man sich klar, daß die "volle Offenheit" für das Neue Testament auch eine konsequent historische Interpretation einschließt, so muß man entweder mit der Erkenntnis nicht auszugleichender Spannungen im neutestamentlichen Kanon zurechtkommen oder diese Spannungen als Ausdruck einer legitimen Vielfalt bzw. notwendigen "Entwicklung" interpretieren.

Karl Hermann Schelkle deutet an, welchen Weg katholische Exegese hier nimmt:

"Ist es möglich, die wahre neutestamentliche Botschaft auf die eine Stunde, ja den mathematischen Punkt etwa des Römerbriefes oder des (entmythologisierten) Johannes- evangeliums zu begrenzen? In seiner Ganzheit ist das Neue Testament Zeugnis der umfassenden, d.h. katholischen, Wahrheit in der Fülle. Nur einen Teil gelten zu lassen ist Wahl, d.h. Häresie. Und wenn dieses NT in seinen späteren Teilen zum Frühkatho- lizismus überleitet, dann wird katholische Exegese sich bemühen, zu zeigen, bei wahrhaft geschichtlichem Verstehen geschehe hier nicht Verletzung des Ursprünglichen und Wahren, sondern echte und gültige Entwicklung. Das wird nicht hindern, das Spätere mit dem Früheren zu vergleichen und jenes an diesem zu messen, so wie dies alle echt kritische Theologie – auch katholische unternimmt."[22]

Schelkle macht hier die Leitlinien einer bewußt katholischen Hermeneutik geltend. Er geht davon aus, daß die - sachlich nicht zu leugnenden – Lehrdifferenzen im Neuen Testament das Ergebnis "echter und gültiger Entwicklungen" sind und daß die Exegese vor allem die Aufgabe hat, diese von vornherein als gültig angesehene Entwicklung nachzuzeichnen. Grund- lage für diese Position ist offenkundig eine Art Positivismus, der davon ausgeht, daß das Gegebene eben auch das Gültige ist. Mag man um das

20 Mußner, Evangelium, 175.
21 Küng, Frühkatholizismus, 407.
22 Schelkle, Petrusbriefe, 245.

theologische Recht einer solchen Entscheidung streiten – die Frage lautet auch hier, ob das Evangelium mit der Schrift zu identifizieren ist oder von ihr zu unterscheiden –, historisch ist sie jedenfalls nicht notwendig. Auf der Ebene historisch-exegetischer Untersuchung lassen sich für die These, daß die paulinische Verkündigung der Rechtfertigung des Sünders die sachliche Mitte des Neuen Testaments ist, mindestens genauso viele Argumente beibringen, wie für die Gegenthese, daß das Neue Testament insgesamt das Zeugnis einer "gültigen" Entwicklung ist. Von daher erweist sich sowohl Werner Georg Kümmels[23] als auch Friedrich Mildenbergers[24] Kritik an der katholischen Position als durchaus treffend.

Dennoch versucht katholische Exegese, ihre hermeneutische Grundposition einzelexegetisch einzulösen. Dies ist ihr umso wichtiger, als ja die historische Entwicklung im Lauf der Entstehung des Neuen Testaments als solche so etwas wie normative Geltung haben soll. Das Interesse wird deshalb sein, diese Entwicklung als organisch und letztlich bruchlos erscheinen zu lassen. In der Frage nach der Stellung der paulinischen Theologie im neutestamentlichen Kontext läßt sich diese Tendenz an zwei Problemen beobachten: an dem Verhältnis Paulus – Jakobus und an der Deutung des Konflikts des Petrus mit Paulus in Antiochia.

23 Kümmel, Mitte des Neuen Testaments, 82: "Wenn diese katholischen Stimmen schließlich alle zu der Voraussetzung zurückkehren, daß der Kanon des Neuen Testaments als Einheit verstanden werden muß und nur dann in katholischer Weise ausgelegt werden kann, so ist diese Grundauffassung in Wirklichkeit unhaltbar. Denn da es im Neuen Testament eine Vielfalt teilweise sich widersprechender Stimmen tatsächlich gibt, muß die Forderung, alle Stimmen zusammen zu hören, zu der Konsequenz führen, daß entweder die späteren und ausgeführten Stimmen die früheren übertönen oder daß die früheren Stimmen sich als eindrücklicher erweisen und durchsetzen."
24 Mildenberger, Sola scriptura, 12, Anm. 17. "Wer soll denn diese Normativität des Faktischen, wie sie hier postuliert ist, begründen, wenn nicht die Kirche, deren Recht doch gerade in Frage steht? So erweist sich die Basis, von der aus auch Küng Käsemann zu kritisieren sucht, wie er das selbst Käsemann vorwirft, als Ergebnis einer Entscheidung, welche aller Exegese vorausliegt, und er wird es dem Protestanten nicht übel nehmen, wenn der sich von seiner Argumentation nicht allzu beeindruckt zeigt. Das mag noch durch die Überlegung unterstrichen werden, da so eine lehrgesetzliche Interpretation des Neuen Testaments nicht wirklich überwunden ist. Zwar ist an die Stelle einer – aufweisbaren – Lehreinheit der Schrift die Vorstellung einer – ebenso aufweisbaren – Entwicklung getreten, aber dieser Unterschied macht im Effekt nicht viel aus, zumal ja, wie vorher das aus der Schrift erhobene Lehrsystem, so jetzt diese aufgewiesene Entwicklung normativen Charakter haben soll."

B. Die katholische Tendenz zur Identifizierung von Evangelium und Schrift

a) Paulus und Jakobus

Mußner greift das Urteil Luthers über den Jakobusbrief auf "Videtur contradicere Paulo"[25] und stellt ihm die eigene Auffassung entgegen:

"Jak löst das Problem, das mit der Formel 'Gesetz und Evangelium' gegeben ist, nicht in einer Weise, die der Lösung des Paulus widersprechen würde... Der Jakobusbrief kann die Lösung, die Paulus in jener Frage ... mit apostolischer Vollmacht vorgelegt hat, vor Mißverständnissen schützen. Deshalb hat die Anwesenheit des Jakobusbriefes in dem neutestamentlichen Kanon ihre große Bedeutung, auch für das Gespräch der katholischen mit der evangelischen Theologie."[26]

Also: Der Jakobusbrief widerspricht der paulinischen Rechtfertigungsverkündigung nicht, er bewahrt aber vor Mißverständnissen und dient als Korrektiv eines einseitigen Paulinismus. Das Wort taucht hier nicht auf: Aber Jakobus und Paulus werden offenbar komplementär zueinander gesehen, miteinander ergeben sie die volle katholische Wahrheit.[27]

Zwei exegetische Voraussetzungen müssen zutreffen, damit Mußner diese Sicht vertreten kann. Einmal darf "Gesetz" bei Jakobus nicht das gleiche meinen wie etwa in Röm 3,28, es darf vielmehr "nichts anderes als das 'Gesetz Christi'"[28] sein. Zum zweiten muß klar sein, daß es bei den "Werken" von Jak 2,14-28 "um die Werke der Liebe geht, um konkrete Hilfe in einer konkreten Not des Mitmenschen, und um den Gehorsam gegen Gott"[29].

Beide Voraussetzungen hält Mußner für gegeben. Doch darf man daran zweifeln. Zunächst ist nicht klar, inwiefern bei Jakobus tatsächlich der Indikativ vor dem Imperativ zur Geltung kommt. Von entscheidendem Gewicht aber ist, daß die These von Jak 2,24 in V 21 gestützt wird durch einen Hinweis auf das Opfer Isaaks. Abraham wird also (mit der frühjüdischen Tradition) als ein Frommer gesehen, dem sein vorbildlicher Gehorsam zum Heil angerechnet wird. Wenn diese Anrechnung zur Gerechtigkeit geschieht, bevor Abraham seinen Gehorsam erweist (worauf Jak 2,23 nicht reflektiert), so kann dies nur deshalb geschehen, weil Gott den Gehorsam

---

25 WATR 5, 414. Zitiert bei Mußner, Galaterbrief, 287.
26 a.a.O., 289 f.
27 Vgl. dazu den Hinweis Mußners auf "die vorzüglichen Überlegungen" Haibles, a.a.O., 290, Anm. 45. Vgl. Haible, Kanon. Der Autor macht von einem additiven Verständnis des Kanons aus den Versuch, die "Wiedervereinigung" der Kirchen ebenso additiv zu deuten. Daß "Häresie" im Neuen Testament nicht nur "Auswahl" ist, sondern ebenso eine Addition von sich ausschließenden Möglichkeiten sein kann, wie es der Galaterbrief zeigt, wird übersehen.
28 Mußner, Galaterbrief, 289.
29 a.a.O., 288.

Abrahams voraussieht. Genau dieser Interpretation des Glaubens und der Gerechtigkeit Abrahams widerspricht aber Paulus in Röm 4 entschieden (vgl. nur Röm 4,10 f). Paulus zieht den Bericht von Isaaks Opferung gerade nicht heran, um den Gehorsam des Vaters der Glaubenden zu demonstrieren. Vielmehr verwendet er in Röm 8,32 eine entsprechende Anspielung als Hinweis auf Gottes Treue. Es ist deshalb nicht damit getan, daß Mußner Jak 2,24 in zwei "Basissätze" auflöst und zeigt, daß diese der paulinischen Rechtfertigungsverkündigung nicht widersprechen.[30]

Der Widerspruch zwischen Paulus und Jakobus zeigt sich da am deutlichsten, wo am Beispiel Abrahams das Verhältnis von Rechtfertigung und Glaubensgehorsam bei Paulus und Jakobus jeweils entgegengesetzt dargestellt wird.

Es überrascht nicht, wenn auch Peter Stuhlmacher Mußner hier widerspricht.

Stuhlmacher, der Mußners Auffassung von der Frühdatierung des Jakobusbriefes und der Verfasserschaft des Herrnbruders Jakobus teilt[31], der sich bemüht, das Evangelium als eine möglichst einheitliche Lehre zu verstehen und damit katholischer Auffassung sehr nahekommt[32], urteilt dennoch:

"Die Rechtfertigungsanschauung, die der Brief in Kap. 2,14-26 im Streit mit den Paulinisten vorträgt, trägt dem Ein-für-alle-Mal des Christusopfers nicht angemessen Rechnung."[33]

Von daher wird man urteilen dürfen, daß Mußner im Fall Jakobus – Paulus Spannungen im Neuen Testament harmonisiert und so die Gefahr besteht, daß die Einsicht in die Radikalität paulinischer Rechtfertigungsverkündigung auf dem Wege zu einer gesamtneutestamentlichen Theologie wieder verlorengeht. In dieser Sache ist Mußner über Bernhard Bartmann nicht wesentlich hinausgekommen. Dieser hatte 1897 im Blick auf Paulus und Jakobus jeden Widerspruch verneint und geurteilt:

"... Extremen gegenüber hält die katholische Exegese die vernünftige und gläubige Mitte ein. Sie betont im heiligen Schrifttum das göttliche Wirken der Inspiration, anerkennt aber auch die menschliche Freiheit individueller Sprech- und Lehrweise und findet so bei den einzelnen manches Eigentümliche, aber bei allen in necessariis unitas!"[34]

---

30 Mußner, Petrus und Paulus, 117. Vgl. den Abschnitt 115-118 insgesamt.
31 Stuhlmacher, Evangelium von der Versöhnung, 30, Anm. 32.
32 Vgl. folgende Aussage etwa mit Mußners Überlegungen: "Das Neue Testament ist ein Offenbarungsbuch mit großen inneren Spannungen. Diese Spannungen lassen sich aber sämtlich begreifen als geschichtliche Wegmarken auf dem Wege des zur vollendeten Sprachgestalt drängenden Versöhnungsevangeliums." Stuhlmacher, Evangelium von der Versöhnung, 48.
33 a.a.O., 31.
34 Bartmann, St. Paulus und St. Jacobus, 151.

b) Paulus und Petrus in Antiochia

Bei dem Konflikt zwischen Paulus und Petrus in Antiochia (Gal 2,11 ff) handelt es sich nach Inge Lönning "um ein kontroverstheologisches Fundamentalproblem"[35], weil hier "die Kontinuität der Kirche ... in ἡ ἀλήθεια τοῦ εὐαγγελίου (2,14) beschlossen" liege[36] – und nicht in einer Person oder einem Amt. Im Blick auf katholische Exegese ist zu fragen, ob sie sich die Radikalität des Konflikts klarmachen kann und den Vorwurf der Heuchelei, den Paulus gegen den "Apostelfürsten" erhebt, gelten lassen kann. Dabei ist hier die Fülle der Literatur nicht annähernd zu überblicken. Deshalb seien drei markante Beispiele herausgegriffen.

α) Paul Gaechter
In dem erstmals 1950 erschienenen und 1958 wieder veröffentlichten Beitrag "Petrus in Antiochia"[37] sieht Paul Gaechter keinerlei Schuld im Verhalten des Petrus. Petrus und die anderen Judenchristen waren getrieben durch

"das Interesse der Gesamtkirche, die Furcht vor Schisma und Abfall, die Furcht weiser Liebe ... – Petrus zeigte bei dieser Gelegenheit weder moralische Schwäche noch geistige Beschränktheit"[38].

Paulus hingegen verstößt mit seinem öffentlichen Tadel objektiv gegen "die Regeln der Moral und des Anstandes"[39] und es fällt schwer, ihn vom Vorwurf des Starrsinns freizusprechen.

"Seine Starrheit ist um so befremdender, als sie mit seiner sonstigen Praxis und mit seiner Lehre in Widerspruch steht."[40]

Sachlich lag für eine solche Unbeweglichkeit nicht der geringste Grund vor. Denn:

"Solange es nicht verboten war, jüdisch zu leben und Jesus hatte es seinen Aposteln nicht untersagt, sondern dies der Zukunft überlassen – so war es auch möglich, unter Umständen von der Liebe geradezu gefordert, daß man sich der jüdischen Lebensweise anpasse. Nur weil Paulus das damals nicht einsah und zugeben wollte, konnte er seine Anschuldigungen erheben."[41]

So findet Gaechter lediglich eine psychologische Erklärung für das anstößige Benehmen des Paulus.

---

35 Lönning, Paulus und Petrus. Diese Studie bringt einen ausführlichen Überblick über die Auslegungsgeschichte und die entsprechende hermeneutische Problematik.
36 a.a.O., 50.
37 Gaechter, Petrus in Antiochia.
38 a.a.O., 241 f.
39 a.a.O., 247.
40 a.a.O., 246.
41 a.a.O., 249.

Er "durchlebte offenbar eine Periode nervöser Gereiztheit"[42], in der "der religiöse Fanatismus, ähnlich wie vor seiner Bekehrung, Gewalt über ihn bekam, wenigstens in dem Sinn, daß seine Selbstkontrolle leichter durchbrochen wurde"[43].

Moralisch hat sich Paulus, da er in bester Absicht handelte, nicht verfehlt, aber im Recht ist er damit nicht.

Wenn eine bisher behandelte Exegese einseitig konfessionell ausgerichtet ist, so die von Gaechter. Sie ist nicht durch ihre Entstehung in der vorkritischen Phase katholischer Exegese zu erklären. Wenigstens als sie zum zweiten Mal veröffentlicht wurde, war – wie die gleichzeitige Kommentierung des Römerbriefes durch Otto Kuss zeigt – die historisch-kritische Arbeit in der katholischen Theologie heimisch geworden. Daß Gaechter hier dem Paulus Starrsinn und letztlich Lieblosigkeit vorwirft, muß aus einem tieferen Grund verstanden werden. Die These Lönnings gewinnt hier erhellende Kraft: Wenn die Kontinuität der Kirche – man könnte auch von ihrer Apostolizität oder ihrer "apostolischen Sukzession" reden – nicht allein in der Verkündigung des Evangeliums, in seiner "Wahrheit" (2,14) liegt, sondern auch oder vor allem in den apostolischen Personen, dann ist ein Fehlverhalten dieser Personen unerträglich. Beim Konflikt zwischen zwei Aposteln muß es sich entweder um einen vorge-täuschten Streit handeln – so exegesierten viele altkirchliche Theologen – oder aber um ein psychologisches Phänomen, bei dem die Wahrheit der Lehre nicht prinzipiell auf dem Spiel steht. Die Alternative, vor die Paulus Petrus und die Gemeinde stellt, darf dann gerade nicht gelten. Die häufige katholische Abwehr eines eingeschränkten Evangeliums und einer eigen-mächtigen Auswahl aus der vollen Wahrheit erscheint von Gal 2,11 ff her in einem neuen Licht.

β) Franz Mußner

Mußner distanziert sich ausdrücklich von der Interpretation Gaechters: Paulus war zu seinem Verhalten gegenüber Petrus aus theologischen Grün-den gezwungen.

"Es war nicht die Logik seiner Prämissen, sondern die 'Logik' des Evangeliums, der Paulus gehorchen mußte, wenn das Evangelium nicht 'verdreht' werden sollte."[44]

Aber obwohl er Petrus nicht entschuldigt und das Recht der paulinischen Position einschärft, opponiert Mußner an einem Punkt gegen die Auslegung Luthers. Im Großen Galaterkommentar von 1531 schreibt Luther:

"Petrus Apostolorum summus, vivebat et docebat extra verbum Dei, ergo errabat. Et quia ideo reprehensibilis erat, Paulus in faciem ei resistit reprehendens in eo, quod secundum veritatem Evangelii non ambularet, Infra cap 2. Hic audis Sanctissimum Apostolorum Petrum errasse."[45]

42   a.a.O., 256.
43   a.a.O., 257.
44   Mußner, Galaterbrief, 162.
45   WA 40 I, 132 f.

Mußner urteilt hingegen, von einem Irrtum des Petrus könne keine Rede sein:

"Mit keinem Wort sagt Paulus, Petrus habe falsch 'gelehrt' und deshalb 'geirrt'. Paulus weiß vielmehr genau, daß Petrus gegen seine bessere Einsicht gehandelt hat. Petrus 'heuchelt', weil er gegen seine theologische Überzeugung handelt, wie sie in Jerusalem beim zweiten Besuch des Paulus zutage getreten war, und zwar handelt er aus 'Furcht' vor den Beschnittenen, d.h. den Jakobusleuten aus Jerusalem."[46]

Nach Mußner ist das Fehlverhalten des Petrus also ein moralischer Lapsus, hingegen kann er nicht als sachlich-theologischer Irrtum qualifiziert werden. Wenn auch die Konsequenzen nicht überdehnt werden sollen, so muß man sich doch klarmachen: Das moralische Fehlverhalten einzelner Päpste ist ein wesentlich geringeres Problem für die katholische Theologie als etwa ein möglicher Nachweis einer falschen Lehrverkündigung es wäre. So haben weder die paulinische Darstellung des Antiochia-Konfliktes noch der synoptische Bericht von der Verleugnung des Petrus die Begründung des päpstlichen Primats auf Mt 16,18 f nachhaltig tangiert. Im ethischen Bereich fallen die Entscheidungen nicht. Die Frage ist nur, ob Mußners These, daß es in Gal 2,11 ff nicht um einen Irrtum des Petrus gehe, stichhaltig ist. Die Gegenthese formuliert Inge Lönning sehr klar:

"Wenn auch alle biblischen Schriften und das gesamte corpus der Bekenntnisschriften nach unverändertem Wortlaut rezitiert werden, die Kirche bleibt nicht stehen, wenn die Wahrheit des Evangeliums in concreto verleugnet wird, sei es durch Aktivität oder Passivität, durch Sprechen oder Schweigen, – durch eine 'Nebensache' als das Verweigern des Essens von Schweinefleisch und Wurst zusammen mit den Heiden anno 50 oder durch eine 'Nebensache' wie das Schweigen zu dem politisch-religiösen Übergriff auf die Juden anno 1933."[47]

In der konkreten Auseinandersetzung läßt sich also zwischen "dogmatischer" Richtigkeit und moralischer Fragwürdigkeit gerade nicht trennen. Indem Petrus sich der Gemeinschaft mit den Heidenchristen entzieht, verletzt er auch das "Bekenntnis" - besser: Er verstößt gegen die "Wahrheit des Evangeliums". Anders formuliert: Wo die Freiheit auf dem Spiel steht, geht es auch um die Wahrheit.

Der Text gibt einen Hinweis auf die Richtigkeit dieser Interpretation: "εἰ σὺ Ἰουδαῖος ὑπάρχων ἐθνικῶς καὶ οὐχὶ Ἰουδαϊκῶς ζῇς, τῶς τὰ ἔθνη ἀναγκάζεις ἰουδαΐζειν" fragt Paulus (Gal 2,14). Er unterstellt also, daß Petrus durch sein Verhalten auf die Heidenchristen einen Zwang ausübt, daß sie durch sein Verhalten also nicht nur desavouiert werden, sondern gedrängt werden, seinem Beispiel zu folgen. Ein solches Drängen aber ist faktisch falsche "Lehre", auch wenn es nicht von lehrhaften Aussagen über Christus und das Gesetz begleitet ist. Das συνυπεκδίθησαν von V 13 darf nicht so gedeutet werden, wie Mußner es tut, als sei der Hauptvorwurf gegen

---

46 Mußner, Galaterbrief, 156.
47 Lönning, Paulus und Petrus, 63 f.

Petrus die Heuchelei: Vielmehr ist die Folge der Heuchelei das theologische Problem. Von ihm spricht Paulus in V 14 als von dem gesetzlichen Zwang, der aus der Heuchelei des Petrus für die Heidenchristen folgt.

Wichtiger ist aber, daß Paulus sein Verständnis der Rechtfertigung sola fide in der Folge erstmals entfaltet (2,15-21). Die wirklichen Adressaten dieser Sätze sind die Christen in Galatien, die durch ihre Verbindung von Gesetzesobservanz und Christusglauben zu einem "anderen Evangelium" (Gal 1,6) übergegangen sind. Rein sprachlich setzt Paulus aber in V 15 ff die Rede an Petrus fort, womit er erkennen läßt, daß nach seiner Sicht beim Verhalten des Petrus in Antiochia die Rechtfertigung des Sünders auf dem Spiel stand. Man mag die Einseitigkeit dieser Einschätzung hervorheben und betonen, daß die Geschichte des Urchristentums doch wesentlich komplizierter verlaufen sei, als Gal 1-2 es vermuten läßt. Dies ändert nichts daran, daß es für Paulus bereits in Antiochia um die Geltung seines Evangeliums ging. Will man den Konflikt zwischen Petrus und ihm entschärfen bzw. seine Tragweite reduzieren, so muß man Sachkritik an Paulus üben, wie Gaechter es offenkundig tut und auch Mußner es letztlich nicht vermeiden kann. Die Frage ist aber, ob die katholische Kritik des Programms "Kanon im Kanon" und die Forderung nach einer das ganze Neue Testament integrierenden Formulierung des christlichen Kerygmas noch haltbar ist, wenn dazu der Kampf des Paulus um die Geltung seiner Verkündigung faktisch minimalisiert werden muß.

γ) Raymond E. Brown und John P. Meier

Einen dritten Beitrag, der hier genannt werden muß, legen die beiden amerikanischen Exegeten Raymond E. Brown und John P. Meier 1983 vor.[48] Sie untersuchen die Einflußsphäre des Apostels Petrus in der frühen Christenheit. Dabei kommen sie zu dem Ergebnis, daß Petrus eine mittlere Linie gegenüber den extremen Judenchristen einerseits und den extremen Heidenchristen andererseits vertreten habe und gerade so einflußreich geworden sei:

"Indeed, the problem of a moderate center between left and right wings that threaten to pull the church apart is one of the most enduring pictures in every Christian church and denomination. By the 80s and 90s of the first century both Antioch (Matthew) and Rome (I Clement) were appealing to the image of Peter as a symbol for the center. James and Paul left a heritage in different degrees in the two churches, but seemingly in the ideal reconciling image. During his career Peter was castigated by Paul face to face while being pulled in the opposite direction by men from James (Gal 2:11-12). By a twist of history, his stance which involved being pummeled from both sides was used after his lifetime to justify a middle position between those who used James and Paul as figure, heads for an everhardening extremism."[49]

48   Brown/Meier, Antioch and Rome.
49   a.a.O., 215.

Es ist hier nicht möglich, die einzelexegetischen Voraussetzungen für diese Sicht der Geschichte des Urchristentums im einzelnen zu überprüfen. Jedoch ist deutlich, daß Brown und Meier eine letztlich idealistische Konstruktion der Geschichte des Urchristentums vorlegen, die davon ausgeht, daß zwei einander bekämpfende Flügel in der Kirche prinzipiell nach einem mäßigenden Ausgleich und einer Mittelposition verlangen. Daß Paulus nichts berichtet von einer Auseinandersetzung mit Jakobus, wohl aber von einem Konflikt mit Petrus, paßt nicht in das gezeichnete Bild. Dabei wäre nicht nur an Gal 2,11 ff zu denken, sondern auch an 1. Kor 1,12. Aber selbst wenn faktisch Petrus der Mann des Kompromisses gewesen wäre, handelte es sich dann nicht genau um den Kompromiß, den Paulus im Galaterbrief bekämpft? Paulus kämpft dagegen, "sowohl als auch" zu sagen (Christus und Gesetz), wo es um ein "entweder oder" geht (Christus oder Gesetz). Es erweist sich, daß das katholische Verständnis von Häresie als Auswahl die Problemstellung des Galaterbriefes gerade nicht erfaßt.

Das zunächst überraschende Urteil Friedrich Mildenbergers ist in diesem Zusammenhang treffend, daß nämlich katholische Theologie mit der historisch-kritischen Methode wenig Mühe hat. Denn:

"Diese wird relativ einfach einem Denken zu assimilieren sein, welches die historische Kontinuität auch dogmatisch betont und weiß, daß die historisch-kritische Exegese, sofern ihre Ergebnisse anhand der Entwicklungsvorstellung zusammengeordnet werden, das eigene Kirchentum in seiner Faktizität nur bestätigen kann."[50]

Zusammenordnung nach der Entwicklungsvorstellung meint hier: Die Kontroversen in der frühen Christenheit führen notwendigerweise zur frühkatholischen Kirche. Dabei wird die Position eines Paulus und ihr Geltungsanspruch einerseits theologisch durchaus ernstgenommen, andererseits wird sie eingeordnet in einen Gang der Geschichte des Urchristentums, der jegliche Radikalität wieder aufhebt.

C. Das Evangelium innerhalb der Theologie des Paulus

Ein zur Frage "Schrift und Evangelium" analoges Problem zeigt sich, wenn man nach der Stellung der speziellen Rechtfertigungsverkündigung innerhalb der paulinischen Theologie fragt. Wie mehrfach deutlich wurde, hat katholische Theologie traditionelle Vorbehalte gegen eine rein forensische Rechtfertigungslehre. Nun kann bekanntlich Paulus soteriologische Aussagen auch ohne Verwendung der Rechtfertigungsterminologie machen, d.h. ohne juridische Begrifflichkeit. Mußner denkt dabei vor allem an die υἱοθεσία von Gal 4,5 und urteilt:

"Eine wahrhaft ökumenische Theologie müßte ... beide Aspekte, jenen der Rechtferti-

50   Mildenberger, Sola scriptura, 11.

gung sola fide et gratia, der evangelischen Theologie am Herzen liegt, und jenen der Sohnschaft, der katholischer (und orthodoxer) Theologie am Herzen liegt, so miteinander verbinden, daß beide unverkürzt erhalten bleiben..."[51]

Die Frage ist wiederum, ob sich dieses Programm durchführen läßt, ob es mit einer reinen Addition in dieser Sache getan ist. Differenzierter ist die Position Kertelges. Er stellt fest, daß faktisch die Rechtfertigungslehre im Zentrum der "theologischen Reflexionen" des Apostels steht. Dann resümiert er:

"Jedoch besteht keine Veranlassung, vom Rechtfertigungsbegriff her alle anderen Begriffe abzuwerten. Dem Rechtfertigungsbegriff kommt nur deshalb eine führende Rolle unter allen anderen von Paulus verwendeten Begriffen zu, weil er an ihm wie an einem Modellfall das richtige Verständnis der Christusbotschaft darzustellen sucht, das in seiner Aussagesituation auch dann gültig bleibt, wenn man von einem späteren Standpunkt aus urteilen müßte, daß dieses theologische Experiment des Paulus möglicherweise mit einem anderen Sprachmaterial noch besser hätte gelingen können."[52]

Kertelge will hier zwei Gefahren begegnen: Einerseits soll die Christologie des Apostels nicht völlig mit den Aussageformen seiner Rechtfertigungslehre identifiziert werden, andererseits muß klar sein, daß die Rechtfertigungsbotschaft sachlich im Mittelpunkt seiner Theologie steht und daß, auch wenn die juridischen Termini problematisch sein sollten, jedenfalls der Sachgehalt der Rechtfertigungsverkündigung mit anderen Aussagen nicht austauschbar ist.

Innerhalb der paulinischen Theologie zeigt sich hier nochmals das gleiche Problem wie bei der Frage nach der Stellung des Apostels im Kanon des Neuen Testaments.

Eine Entscheidung ist gefordert zwischen einer additiven Betrachtung, die die Rechtfertigungsbotschaft als Theologumenon unter andere Theologumena einreiht, und einer Interpretation, die den Anspruch des Paulus gerade da ernst nimmt, wo er seine Christusverkündigung kritisch und polemisch reflektiert, d.h. in seiner Rechtfertigungslehre.

An dieser Stelle ist eine Unterscheidung nötig zwischen dem, was von historischer Arbeit am Neuen Testament erwartet werden darf, und dem, was von ihr nicht erwartet werden darf. Deutlich werden können etwa Spannungen im Neuen Testament und die Versuche der Forschung, diese Spannungen zu bewältigen. Man kann mit Mildenberger in der katholischen Theologie eine Tendenz erkennen, mit Hilfe der Entwicklungsbegrifflichkeit die eigene Konfessionalität zu rechtfertigen und umgekehrt mit Mußner in der protestantischen Forderung nach einem Kanon im Kanon des Neuen Testaments das Bestreben wahrnehmen, durch die Herausarbeitung eines "Frühprotestantismus" die eigene Position zu legitimieren. Aber eine andere Entscheidung fällt auf der historischen Ebene nicht, nämlich die zwischen

51   Mußner, Galaterbrief, 76.
52   Kertelge, Rechtfertigung, 304.

Addition und Subtraktion. Zwei extreme Auffassungen sollen dies verdeutlichen. Der Katholik Eberhard Haible sieht im Kanon des Neuen Testaments den "Modellfall einer kirchlichen Wiedervereinigung"[53]. Er stellt zunächst das relative Recht aller drei großen Konfessionen fest:

Jeder von ihnen "kann sich auf eine Reihe von Jesusworten und ihre Auslegung im Neuen Testament berufen. Der katholische Anspruch einer sichtbaren Kirche, die ein innerer Kreis von Gemeindeleitern unter der Führung eines einzelnen zu lenken hat, steht auf Jesu Jüngerworten und auf denen zu Petrus ... Andererseits kann sich die Ostkirche, wie ihr das Konzil bescheinigt, auf den Rang des Jüngerkreises um und neben Petrus berufen. Ihre Christuslehre und das Verständnis einer Vergöttlichung des Menschen setzt die johanneische Auslegung der Kindesworte des Meisters fort. Der Protestantismus beruft sich mit Recht auf Jesu Sünderworte und ihre Weiterführung beim Apostel."[54]

Das Modell des neutestamentlichen Kanons sieht nun vor, daß jede Konfession die Legitimität der Berufung auf das Neue Testament durch die jeweils anderen anerkennt. In diesem additiven Verfahren soll Wiedervereinigung der Kirchen möglich werden.

Das andere Extrem repräsentiert Siegfried Schulz in seinem Buch "Die Mitte der Schrift"[55]. Dort spricht er von dem "Frühprotestantismus",

der sich "nur auf Paulus, seine Gelegenheitsbriefe und die von ihm gegründeten Gemeinden in Asien und Europa beschränkt"[56].

Im übrigen gilt:

"Der neutestamentliche Kanon enthält nicht nur das paulinische Evangelium, sondern gleichzeitig seine Verstehensgeschichte, die in Wirklichkeit eine Geschichte der Mißverständnisse, Fehlentwicklungen und Irrwege ist. Und diese Geschichte der Verdunkelungen und Verfälschungen des allein wahren Evangeliums beginnt eben nicht erst jenseits des neutestamentlichen Kanons, sondern in diesem selbst, wie judenchristlicher Nomismus, gnostischer Enthusiasmus und heidenchristlicher Frühkatholizismus zur Genüge beweisen. Trotzdem ist der Kanon zu bejahen ... Denn nur auf dem Hintergrund seiner Mißverständnisse, Verfremdungen und Verfälschungen bleibt das Evangelium die vera vox evangelii."[57]

Als praktische Konsequenz können deshalb frühkatholische Texte

"eben nur so gepredigt werden, daß gegen den Text ausgelegt und das Unevangelische deutlich und für jedermann öffentlich erkennbar herausgestellt wird"[58].

Faktisch reduziert Schulz mit diesem radikalen Programm den Kanon. Denn es steht von vornherein fest, welche Schriften im Neuen Testament frühkatholisch sind und deshalb gegen den Text gepredigt werden müssen: alle, außer den Paulusbriefen.

---

53 Haible, Kanon.
54 a.a.O., 25 f.
55 Schulz, Mitte.
56 a.a.O., 431.
57 a.a.O., 430 f.
58 a.a.O., 432.

Nun ist zuzugeben, daß der Umfang des in der Kirche gelehrten und gepredigten Kanons nie mit dem Umfang des gedruckten Kanons übereinstimmt. Die Frage ist aber, ob die Vergrößerung oder die Verkleinerung dieser Differenz zur Aufgabe gemacht wird. Nur dies ist zwischen Haible und Schulz strittig. Die Voraussetzung aber ist ihnen gemeinsam: die Identifizierung von Schrift und Wort Gottes. Haible will dabei möglichst die ganze (neutestamentliche) Schrift als Wort Gottes verstehen; Schulz nur den "echten" Paulus. Dabei betont Schulz, daß das Evangelium für die Reformatoren gerade nicht Schrift, sondern viva vox sei und will diesen Grundsatz selbst zur Geltung bringen. Daß er ihn aber nicht wirklich verstanden hat, zeigt seine Entgegensetzung von paulinischen Schriften als "evangelisch" und anderen als "unevangelisch". Beide Male wird so das paulinische Evangelium historisiert, einmal indem es eingeebnet wird in die Vielstimmigkeit neutestamentlicher Theologie, das andere Mal, indem es isoliert wird vom übrigen Neuen Testament und diesem als kritische Norm entgegengesetzt wird. Die Wahl zwischen beiden Positionen ist letztlich Willkür und jedenfalls mit Hilfe historischer Exegese nicht durchzuführen. Wird aber zwischen Evangelium bzw. Wort Gottes und Schrift nicht oder – wie bei Schulz – nur partiell[59] unterschieden, so wird die Begründung der Geltung dieser Schrift eine Sache kirchlicher Autorität. Bei Haible ist es die römisch-katholische Kirche, die den neutestamentlichen Kanon anerkannt hat und nun die Normativität des Faktischen verbürgt - bei Schulz ist es der Protestantismus, der erklärt, daß die Paulusbriefe besser sind als die anderen Schriften der Bibel.

Reformatorische Unterscheidung von Schrift und Evangelium aber heißt: dieses Evangelium mit keinem einzelnen Text materialiter identifizieren, sondern bereit sein, von jedem Text der Heiligen Schrift das Evangelium zu hören und ihn vom gehörten Evangelium her verstehen und predigen. Die Autorität der Schrift wird begründet von dem aus ihr gehörten Evangelium

---

59 Daß Schulz zwischen Schrift und Evangelium nicht prinzipiell unterscheidet, zeigen folgende Sätze: "Das paulinische Evangelium allein ist sachkritisch die Mitte der Schrift, der Kanon im Kanon und das reformatorische sola scriptura. Diese alles bestimmende Mitte der Schrift ist identisch mit dem Wort Gottes, das immer unverfügbar, völlig frei und gänzlich unabhängig von allen menschlichen Instanzen ist und bleibt." a.a.O., 429. Nein: Nicht das "paulinische Evangelium" ist die Mitte der Schrift, sondern das Evangelium von Jesus Christus. Spricht man vom "paulinischen Evangelium", so macht man es zu einer Vorstellung neben anderen. Zwar kann Paulus von "seinem" Evangelium sprechen. Aber das ist zu verstehen im Zusammenhang der Begründung und Verteidigung seiner apostolischen Autorität, nicht aber so als sei das Evangelium eine Art persönlicher Theologie des Apostels. Vgl. v. Campenhausen, Begründung, besonders 33. Es gibt auch keinen Kanon im Kanon, sondern einen Kanon, der vom Evangelium her verstanden und gepredigt wird. Dabei kann jeder Text des Alten und Neuen Testaments vom Evangelium her verstanden und gepredigt werden und niemals weiß ich von vornherein, daß ich einen Text gegen seinen buchstäblichen Sinn zu predigen habe.

und läßt sich weder durch einen kirchlichen Entschluß sichern noch durch eine dogmatische oder historische Theorie. Die Schrift hat Geltung, weil sie in ihrem ganzen Umfang potentiell der Text der je und je aktuellen Predigt des Evangeliums ist.

So – indem die Schrift als Predigttext verstanden wird und die Predigt nicht als historische Information, sondern als aktuelle Verkündigung des Evangeliums, kann die Theologie vor der vorgeführten falschen Alternative bewahrt werden. Sie muß dann weder die Spannungen in der Schrift minimalisieren und den Kanon additiv verstehen bzw. vom Gedanken der Entwicklung her, noch muß sie Teile der Schrift als deuterokanonisch prinzipiell disqualifizieren.

Fragt man von daher nochmals nach der Stellung des Paulus und seiner Rechtfertigungsverkündigung im Kanon des Neuen Testaments, so muß klar sein, daß auch seine Briefe "nur" Text für die aktuelle Predigt sind und nicht ein autoritatives und zeitloses Lehrsystem bilden.

Andererseits aber stellt Paulus mit seiner Unterscheidung von Buchstabe und Geist, mit seinem Verständnis des Evangeliums als Kraft Gottes und der Verkündigung nicht als Lehre von der Rechtfertigung, sondern als Geschehen der Rechtfertigung die entscheidenden Kategorien zur Verfügung für die sachgemäße Zuordnung von Schrift und Evangelium.

Die hier angedeutete hermeneutische Konzeption verdankt sich weitgehend der Arbeit von Hermann Diem. Er hat konsequent eine evangelische Lösung der hermeneutischen Frage vom Verständnis der Schrift als Predigttext erwartet.

Im Zusammenhang mit der Feststellung von Unterschieden in den Lehraussagen des Neuen Testaments schreibt er:

"... man darf aus dieser vermeintlichen Crux nicht den Ausweg wählen, daß man die Aussagen der einzelnen Verfasser gegeneinander ausspielt und für den einen gegen den anderen optiert. Man wird das auch nicht unter dem Gesichtspunkt tun dürfen, daß man innerhalb des NT aufzeigen will, wo die Grenze jener Überfremdung zwischen den einzelnen Zeugnissen oder auch durch diese selbst hindurchgeht. Damit würde man in die Schriftauslegung einen Purismus einführen, der der alten Kirche, die alle diese Zeugnisse in ihrer Verschiedenheit ertragen konnte, fremd war und der seinen Maßstab immer nur einem Teilaspekt der Schrift entnehmen kann. Das wäre aber exegetische Willkür, auch wenn – oder vielmehr gerade weil die Entscheidung für den einen oder anderen Aspekt auf Grund des eigenen theologischen Standpunktes des Exegeten gefällt wird, mag er diesen historisch oder dogmatisch zu begründen versuchen...

Sie (die unterschiedlichen Aussagen, R.O.) sind von vornherein dadurch alle aufeinander bezogen, daß sie miteinander in der Verkündigungsgeschichte der Gemeinde stehen und dadurch einander beeinflussen, so daß keiner isoliert sagen könnte und sagen würde, was er gesagt hat und deshalb auch nicht isoliert gehört und verstanden werden kann."[60]

60 Diem, Was heißt Schriftgemäß?, 37 f.

§ 8 Die Unterscheidung von Gesetz und Evangelium – Der entscheidende Schlüssel zur paulinischen Theologie?

A. Das Problem

a) Gesetz und Evangelium bei Luther

Die Unterscheidung von Gesetz und Evangelium ist die "höchste Kunst in der Christenheit"[1]. Dieser Spitzensatz Luthers aus der Neujahrspredigt 1532 ist bis heute für das Luthertum bestimmend geblieben.

Mag das Thema Gesetz und Evangelium "lange innerhalb der protestantischen Theologie verschollen" gewesen sein und mag "man es in den großen Darstellungen unseres Glaubens aus dem 19. Jahrhundert weder explizit noch kaum implizit"[2] wiederfinden, wie Hans Joachim Iwand meint, oder mag es sein, daß "die lutherische Theologie des 19. und 20. Jahrhunderts die Unterscheidung von Gesetz und Evangelium nicht nur in kritischer Auseinandersetzung mit der Aufklärung, sondern auch mit der altprotestantischen Orthodoxie und dem Pietismus (hat) neu durchführen müssen"[3], wie Edmund Schlink es sieht – jedenfalls gilt: Die Unterscheidung Luthers, die "eine kalkulierte Neuheit" (O.H. Pesch)[4] war, hat in der lutherischen Theologie vor allem auch des 20. Jahrhunderts eine eminente Wirkungsgeschichte.[5]

Für den Zusammenhang dieser Untersuchung ist von zentraler Bedeutung, daß die sachgemäße Unterscheidung von Gesetz und Evangelium nach Luther den entscheidenden Schlüssel zum Verständnis der ganzen Heiligen Schrift darstellt. So urteilt der Reformator schon 1521:

"... autem pene universa scriptura totiusque Theologiae cognitio pendet in recta cognitione legis et Euangelii..."[6]

In der Apologia Confessionis ist diese Aussage noch verschärft und hat zugleich bekenntnismäßigen Rang:

"Universa scriptura in hos duos locos distribui debet: in legem et promissiones".[7]

Daß der biblische Haftpunkt für diese hermeneutische und soteriologische Grundentscheidung Luthers die paulinische Gesetzeskritik ist, liegt auf der

---

1 Wa 36,9 (Predigt zu Gal 3,23-29).
2 Iwand, Gesetz und Evangelium, 156.
3 Schlink, Gesetz und Evangelium, 32, Anm. 19.
4 Pesch, Gesetz und Evangelium, 58.
5 Vgl. dazu die in dem folgenden Sammelband aufgenommenen Beiträge: Kinder/ Haendler, Gesetz und Evangelium – dort 357 ff findet sich eine ausgewählte Bibliographie.
6 WA 7, 502 (Lateinische Adventspostille zum 3. Adventssonntag).
7 AC IV, 5, BSLK 159, 30 ff.

Hand. Sehr deutlich wird dies etwa an der Auslegung von Gal 2,17 in der großen Galatervorlesung:

"Qui igitur docet fidem in Christum non iustificare, nisi simul Lex servetur, ille facit Christum peccati Ministrum, hoc est, doctorem legis qui idem doceat quod Moses. Ergo Christus non est Salvator nec largitor gratiae, sed crudelis Tyrannus qui exigit impossibilia ut Moses, quae nemo facere potest. Sic Erasmus et Papistae iudicant Christum esse novum legislatorem. Et phanatici nihil accipiunt ex Evangelio, quam quod imaginantur librum esse qui contineat novas leges de operibus, ut Turcae de suo Alcorano somniant".[8]

Ganz deutlich ist hier der Zusammenhang von Luthers Rechtfertigungslehre mit seiner Auffassung von Gesetz und Evangelium. Zugleich ist das Stichwort ausgesprochen, das für diese Auffassung kennzeichnend ist: Christus non Legislator – Christus ist kein Gesetzgeber. Wo Christus zum Geber eines neuen Gesetzes – und sei es das Gesetz der Gnade selbst – gemacht wird, da ist die sachgemäße Unterscheidung von Gesetz und Evangelium jedenfalls verfehlt.

Nun aber gilt es, auf die Pointe von Luthers Bestimmung zu achten: Aus Gal 3,25 und ähnlichen Texten könnte man folgern, daß das Gesetz seine Zeit gehabt hat, aber nun heilsgeschichtlich überholt ist und die Existenz des Christen nur noch vom Evangelium bestimmt ist. Das aber wäre für Luther Antinomismus. Das simul iustus et peccator findet in der Lehre vom Gesetz seine Entsprechung:

"Der irdische Mensch in seinem fleischlichen Leben muß bis zum Tode unter dem Gesetz leben und so immer wieder von neuem lernen, daß er Sünder ist, aber der Glaube und das Gewissen des Menschen muß frei sein von dem Gesetz – hier regiert Christus allein; wenn das Gesetz hier nicht seine Grenze findet, dann ist alles verloren."[9]

Die Pointe ist also gerade die Gleichzeitigkeit von Gesetz und Evangelium. Man möchte fast sagen: Beide sind unvermischt und ungetrennt zugleich gegenwärtig – und gerade das ist das Neue an Luthers Lehre, etwa auch gegenüber Augustinus.

"Neu ist bei Luther, daß das Widereinander von Gesetz und Evangelium nicht nur der Gegensatz zweier heilsgeschichtlicher Epochen ist, bei der man höchstens noch einmal schuldhafterweise in die alte zurückfallen kann, sondern eine lebenslange 'Existenzdialektik' ..."[10]

In dieser lebenslangen "Existenzdialektik" – der Begriff "Dialektik" im Blick auf Gesetz und Evangelium ist allerdings problematisch – bleibt das Gesetz, was es ist, Gottes Forderung. Gottlieb Söhngen hatte bei einer der ersten ökumenischen Tagungen zum Thema "Gesetz und Evangelium" neben dem Zugleich als ein Spezifikum lutherischen Denkens herausgestellt:

8   WA 40/I, 259.
9   Iwand, Glaubensgerechtigkeit, 51.
10   Pesch, Gesetz und Evangelium, 92.

"Es geht nicht allein darum, das Evangelium und die Gnade Evangelium sein zu lassen und es nicht als Gesetz, als ein neues Gesetz zu verkündigen; sondern es geht ebensosehr darum, das Gesetz auch unter dem Evangelium Gesetz sein zu lassen, und das Gesetz, ein neues Gesetz nicht als Evangelium zu verkündigen ..."[11]

Das Gesetz sagt auch im Neuen Testament: "Du mußt Christus haben". Das Evangelium sagt: "Hier ist Christus für dich".[12] Das gilt auch für die neutestamentliche Paränese, sowohl im Blick auf die Bergpredigt als auch im Blick auf die paulinischen Weisungen. Für Luther hängt nicht nur das richtige Verständnis der Schrift, sondern auch die Heilsgewißheit des Christen und die Reinheit der Soteriologie und Theologie insgesamt davon ab, daß diese Unterscheidung durchgehalten wird.

b) Die katholische Position

α) Das Schweigen der jüngeren katholischen Theologie zum Thema

Fragt man nun nach der katholischen Position in dieser Sache, so hört man zunächst Gottlieb Söhngens programmatischen Satz:

"Das Verhältnis von Gesetz und Evangelium erörtern heißt in der Mitte des Christentums gehen und nach dem Wesen des Christentums fragen."[13]

Dieser Aussage entspricht aber keineswegs der Diskussionsstand in der katholischen Dogmatik und Moraltheologie des Jahres 1957, in dem Söhngens Studie erschienen ist. Vielmehr muß der Fundamentaltheologe zugeben,

daß "die reformatorische Kampfsituation, in deren Flammenschein die Sache unseres Themas nun leuchtete und brannte, dazu geführt hat, daß unser Thema und zwar auch die Sache unseres Themas, der neuzeitlichen katholischen Theologie bis in unsere Gegenwart weithin quer zu liegen kam..."[14]

Söhngen kann eigentlich nur auf die Arbeit des Tübinger Moraltheologen Franz Xaver Linsenmann (1835-1898) verweisen, der das Thema vor allem in seinen "Untersuchungen über die Lehre von Gesetz und Freiheit" behandelt hat.[15] Auch aus der Zeit nach 1957 ist nur auf eine moraltheolo-

---

11 Söhngen, Gesetz und Evangelium, 343. Angesichts dieses Befundes kann Söhngen in Karl Barths Verhältnisbestimmung von "Evangelium und Gesetz" nicht mehr die Signatur der reformatorischen Verhältnisbestimmung entdecken: "So hebt meines Erachtens Karl Barths Evangelium und Gesetz ... die evangelische Grundmöglichkeit auf oder stellt das evangelisch-protestantische Und zum mindesten in Frage oder schwächt es ab." a.a.O., 327.
12 Vgl. Luther zu Röm 7,6: "Lex precipit charitatem et Jhesum Christum habendum, sed Evangelium offert exhibet utrunque." WA 56, 338.
13 Söhngen, Einheit, 1.
14 a.a.O., 7.
15 Linsenmann, Untersuchungen. Vgl. dazu Auer, Gesetz und Freiheit; vgl. außerdem Piegsa, Freiheit und Gesetz.

gische Studie von Bruno Schüller "Gesetz und Freiheit" von 1966[16] hinzuweisen und auf zwei Arbeiten von Franz Böckle.[17] Im übrigen gilt Söhngens
Wort, das Thema Gesetz und Evangelium sei "ein reformatorisches Thema
mit katholischer Vergangenheit"[18], wobei das katholische Thema genau
genommen nicht "Gesetz und Evangelium", sondern "Gesetz und Gnade"
heißt, weil nämlich die Kategorie "Evangelium" als mündlicher Verkündigung und Zueignung des Heils, die für Luther so wichtig ist, katholischer
Systematik weitgehend fremd ist. (Vgl. dazu auch die Hinweise auf die
Worthaftigkeit der Rechtfertigung in §§ 2 und 8.)

"Der Begriff des Evangeliums im paulinischen Sinn als Kraft Gottes, als Botschaft von
Jesus Christus, durch die Jesus Christus gegenwärtig wirkt - also das Evangelium als
verbum efficax, als sacramentum audibile, als rettendes Tat-Wort Gottes, fehlt"[19]

im Tridentinum nämlich. Dort, wo von Gesetz und Gnade gehandelt wird,
gilt bei den meisten katholischen Theologen der Neuzeit:

"... sie schreiben nur mehr die große scholastische Überlieferung über unser Thema aus,
und selbst das nicht, ohne sie nach dem Stil der Gesetzlichkeit zu übermalen und zu
glätten..."

So urteilt Gottlieb Söhngen.[20]

β) Exkurs: Gesetz und Freiheit – eine Abwandlung der Frage

Bevor aber die scholastische Tradition zum Thema Gesetz und Gnade zu
kennzeichnen versucht wird, die Gottlieb Söhngen zum Teil erst wieder
freigelegt und bekanntgemacht hat, ist ein Hinweis auf die spezifisch
moderne Fassung dieses Themas nötig: Gesetz und Freiheit. Franz Xaver
Linsenmann, der das Thema in seinen "Untersuchungen über die Lehre vom
Gesetz und Freiheit" von 1871/72 erstmals in den Mittelpunkt der Moraltheologie rückte, war konfrontiert mit einem um sich greifenden Legalismus, mit der Neigung zur Kodifizierung auch der kleinsten kirchlichen Dis-
ziplinarregeln und einer wuchernden Kasuistik. Vor allem sieht er einen
neuen Nominalismus heraufziehen, der das Gesetz für verbindlich hält nicht
aufgrund der Vernünftigkeit seines Inhalts, sondern aufgrund der Autorität

---

16 Schüller, Gesetz und Freiheit.
17 Böckle, Gesetz und Gewissen; ders., Grundprobleme. In letztgenanntem Aufsatz
formuliert Böckle folgende drei Sätze "als Antwort auf die reformatorischen Anliegen"
(11): "1. Das Evangelium, selbst wenn es analog als Gesetz bezeichnet wird, steht in
scharfem Gegensatz zu jedem Versuch, irgendein Gesetz als Mittel zur Rechtfertigung
vor Gott zu benützen." (11) "2. Auch für den in Christus Gerechtfertigten ist das Gesetz
nicht aufgehoben, sondern zu Stand und Wesen gebracht." (12) "3. Die Fruchtbarkeit des
christlichen Lebens im Gehorsam gegenüber dem Gesetz Christi bedeutet keine Wieder-
aufrichtung des Leistungsprinzips." (12).
18 Söhngen, Einheit 6.
19 Schlink, Gesetz und Evangelium, 20.
20 Söhngen, Einheit 7.

192 IV. Das Evangelium

des Gebieters. Diese Entwicklungen zeitigen manchmal geradezu groteske Konsequenzen. Das folgende Zitat aus einer akademischen Rede "über Richtungen und Ziele der heutigen Moralwissenschaft" von 1872 (zwei Jahre nach dem 1. Vaticanum) zeugt sowohl vom Geist Linsenmanns als auch von der Situation, mit der er sich konfrontiert sieht:

"... wo der Katechismus nicht ausreicht, da fragt man seinen Gewissensrat und dieser seine theologische Bibliothek, und im schlimmsten Fall hätte man ja Eisenbahnen und Telegraphen, um sich zu den höchsten Autoritäten in Beziehung zu setzen."[21]

Angesichts dieser Lage greift Linsenmann auf den Anwalt der Gewissensethik in der katholischen Moraltheologie an der Wende vom 18. zum 19. Jahrhundert, Johann Michael Sailer, zurück und betont die Rolle des persönlichen Gewissens für die Sittlichkeit des Christen. Das zeigt sich etwa daran, daß er im Unterschied zur herrschenden Meinung, die nur die Möglichkeit eines Irrtums in der Frage, welches Gebot jeweils anzuwenden sei, kannte, mit der Möglichkeit einer echten ethischen Pflichtenkollision rechnet. Es zeigt sich ebenfalls daran, daß Linsenmann die Unterscheidung von (verpflichtenden) Geboten und (unverbindlichen) Räten in der Moral problematisiert und den Grundsatz einschärft: Was ich als das in je meinem Fall Gute und Richtige erkannt habe, zu tun, ist Pflicht.

Vor allem aber zeigt es sich daran, daß Linsenmann die Vorstellung ablehnt, Christus habe einen neuen Gesetzeskodex gebracht.[22] Selbstverständlich hat Christus "Bedingungen" für den Eintritt in sein Reich genannt. Christus hat – das ist gegen die Reformatoren gesagt – nicht nur "theoretische Erkenntnisprobleme vorgelegt, sondern selbst auch die Bedingungen formuliert, unter denen wir Anteil an seinem Reiche haben; daraus entsteht das evangelische Gesetz"[23]. Gegen den Legalismus betont der Tübinger Moraltheologe, daß die Bedingungen, die Christus nennt, nicht eine neue Lex scripta, einen neuen Gesetzeskodex meinen und keine neue Kasuistik hervorbringen wollen.

Der Ansatz Linsenmanns hat unmittelbar keine große Wirkung ausgeübt, aber – durch die Vermittlung von Alfons Auer und Bernhard Häring – in der Mitte des 20. Jahrhunderts, etwa in den Diskussionen um die Gewissensfreiheit auf dem 2. Vaticanum, entscheidende Geltung erlangt. So kann etwa Bernhard Häring am Beginn des Konzils auf einem Paulusforschungskongreß erklären, ein Mittelweg zwischen reiner Situationsethik und Legalismus sei nötig.

21   Linsenmann, Richtungen, 548. Wenn Linsenmann in der gleichen Rede sagt "... ich brauche ja dieser verehrten Versammlung nicht zu sagen, was Reaktion ist" (a.a.O., 542), so zeugt das dafür, welche Freiheit ein katholischer Theologe im 19. Jh. besaß. 1898 wurde Linsenmann zum Bischof von Rottenburg berufen. Sein offenbar überraschender Tod verhinderte aber die Weihe.
22   Vgl. dazu außer Linsenmann, Untersuchungen, passim; Piegsa, Freiheit und Gesetz, 42 ff.
23   Linsenmann, Untersuchungen, (ThQ 53), 94.

Aber: "Es gibt keine wirksame Überwindung des Legalismus und der gesetzesfeindlichen Situationsethik ohne eine Rückkehr zu Paulus."[24]

Paulus ist zum Anwalt der Freiheit vom Gesetz geworden, auch in den Augen des Moraltheologen. Aber Freiheit heißt hier Freiheit vom Rigorismus, vom Juridismus, vom Legalismus und von der Kasuistik, nicht Freiheit vom Gesetz als der zu erfüllenden Bedingung schlechthin. Natürlich ist Christus das Ende der äußeren Observanz, der rabbinischen Kasuistik. Aber er ist nicht das Ende, sondern der Begründer des evangelischen Gesetzes, das allerdings ein Gesetz neuer Art ist. In diesem Sinn will das Thema "Gesetz und Freiheit" verstanden werden. Daß damit noch nicht der Gehalt von Luthers Formel "Gesetz und Evangelium" eingeholt ist, liegt auf der Hand.[25]

γ) Die tridentinische Lehre und ihr Hintergrund bei Thomas

Will man sich die katholische Tradition zum Thema "Gesetz und Gnade" klarmachen, so ist es gut, beim tridentinischen Rechtfertigungsdekret einzusetzen. In den Kanones 20 und 21 wird dort beiläufig behandelt, was die Reformatoren mit Gesetz und Evangelium meinten. In Kanon 20 wird derjenige aus der Kirche ausgeschlossen, der behauptet,

"daß der Gerechtfertigte allein zum Glauben gehalten sei und nicht auch zur Beobachtung der Gebote Gottes und der Kirche, als ob das Evangelium die bloße und unbedingte Verheißung des ewigen Lebens sei, ohne die Bedingung (conditio), die Gebote zu befolgen"[26].

Und doch wohl in direkter Antithese zu Luther, der den eigentlichen Fehler gerade darin gesehen hatte, Christus zu einem Gesetzgeber zu machen, wird in Kanon 21 ebenfalls ausgeschlossen, wer behauptet,

"Jesus Christus sei von Gott den Menschen als Erlöser gegeben, dem sie vertrauen sollen, nicht aber als Gesetzgeber (Legislator), dem zu gehorchen sei"[27].

Diese tridentinischen Definitionen werfen nochmals ein Licht auf die Position Linsenmanns und seiner Schüler: Der Ausdruck "conditio" wird von Linsenmann ja ausdrücklich aufgenommen und lediglich "von einer legalistischen Auslegung befreit"[28]. Es geht also nicht darum, Christus und Gesetz als einander ausschließende Gegensätze darzustellen, sondern nur darum, die Neuheit des Gesetzes Christi gegenüber dem alten Gesetz

---

24   Häring, Freiheitslehre, 171.
25   Vgl. auch noch Egenter, Freiheit. Egenter meint, die Freiheit vom Gesetz sei die Freiheit vom "alttestamentlichen Gesetz" (117), sei selbst ein "Gesetz der Freiheit": "Nicht nur in der Beurteilung der Einzelvorschriften offenbart sich der Charakter des neutestamentlichen Gesetzes als Gesetz der Freiheit, sondern auch im Reichtum und der Kraft seiner Motivierung." (122).
26   DS 1570 – zur Schreibweise "condicio" vgl. Piegsa, Freiheit und Gesetz, 48.
27   DS 1571.
28   Piegsa, Freiheit und Gesetz, 49.

hervorzuheben. Mit anderen Worten: Die Lex nova ist wirklich neu im Vergleich zur Lex vetus.

Damit aber kommt schon die Terminologie des Thomas von Aquin in Sachen Gesetz ins Spiel, die er in den Quaestionen 106-108 des Erstzweiten Teils seiner Theologischen Summe entfaltet. Der Grundsatz lautet:

"Lex divina distinguitur in Legem veterem et Legem novam",

wobei sich diese Unterscheidung verhält wie

"perfectum et imperfectum in eodem specie: sicut puer et vir"[29].

Wenn also Gerhard Ebeling urteilt, in der katholischen Theologie würde der Gesetzesbegriff "im Sinne einer Alten und Neuen Bund umgreifenden Kategorie"[30] gebraucht, so kann er sich auf diese Aussage des Thomas berufen, wie auch auf die Rede von der "nova Lex Evangelii"[31]. Zugleich aber muß betont werden, daß die Lex im Neuen Bund gerade nicht dieselbe bleibt wie im Alten. Im Neuen Bund ist die Lex nämlich dadurch verändert, ja zu etwas neuem geworden, daß die Gnade auch das Gesetz bestimmt.

Von der Lex nova gilt:

"Principaliter Lex nova est ipsa gratia Spiritus sancti, quae datur Christi fidelibus ... Habet tamen Lex nova quaedam sicut dispositiva ad gratiam Spiritus sancti et ad usum huius gratiae pertinentia, quae sunt quasi secundaria in Lege nova; de quibus oportuit instrui fideles Christi et verbis et scriptis, tam circa credenda quam circa agenda. Et ideo dicendum est, quod principaliter Lex nova est Lex indita, secundario autem est Lex scripta."[32]

Zwei fundamentale Unterschiede zwischen altem und neuem Gesetz gilt es einzuschärfen: Einmal ist das neue Gesetz die Gnade selbst, was dahin verstanden werden darf, daß das neue Gesetz die Kraft zu seiner Erfüllung mit sich bringt, weil es ein Gesetz des Geistes ist (Thomas denkt vermutlich an Stellen wie Röm 8,2):

".. potissimum in lege novi testamenti et in quo tota virtus eius consistit, est gratia Spritus Sancti, quae datur per fidem Christi."[33]

Zum anderen ist das neue Gesetz, das in die Herzen geschriebene Gesetz, im Unterschied zum alten äußerlichen. (Insofern kann sich Linsenmann mit seiner Kritik am kodifizierten Gesetz und dem entsprechenden Legalismus mit gutem Recht auf Thomas berufen.) Denn die äußeren Vorschriften, die sekundär zum neuen Gesetz gehören, rechtfertigen – so sagt Thomas ausdrücklich – nicht. Die Rechtfertigung geschieht durch das Gesetz des Evangeliums allein insofern es Gnade ist.[34]

---

29   S. Th. 1/II, q 91/5.
30   Ebeling, Erwägungen, 269.
31   S. Th. 1/II, q 106.
32   ebd.
33   ebd.
34   Vgl. dazu den zweiten Artikel der Quaestio 106.

Steht die Sache so, dann kann man fragen, welches Interesse Thomas und die ihm folgende katholische Kirche noch an der Bezeichnung des Evangeliums als Lex nova haben. Söhngen antwortet zunächst mit einem Hinweis auf Paulusstellen: Röm 3,27, Röm 8,2; Röm 13,8-10 und Gal 5,14.[35] Dann aber verweist er auf die "analoge Einheit" von Gesetz und Evangelium, die analogia relationis, die zwischen beiden waltet (und die keine Analogie der ähnlichen Beschaffenheit ist):

"Gesetzeserfüllung kommt aus der Gabe des Evangeliums, nicht aber kommt die Gabe des Evangeliums aus einem Anspruch des Gesetzes und der Gesetzesgerechtigkeit, sondern aus der Verheißung. Das Gesetz muß also stets im Gegenüber zum Evangelium begriffen werden und das Evangelium stets im Gegenüber zum Gesetz. Das Evangelium ist auf das Gesetz bezogen, aber gegenüber dem Gesetz als transzendente oder vielmehr transzendentale, übergreifende Größe..."[36]

Man wird Söhngen recht interpretieren, wenn man sagt: Vom Gesetz allein kommt kein Leben, weder für den einzelnen Christen noch für die Kirche. Aber was das Gesetz nicht vermöchte, wird möglich durch die Gnade. Die Gnade schenkt die Erfüllung des Gesetzes. Im "neuen Gesetz des Evangeliums" ist gerade das neu, was selbst keinerlei Ähnlichkeit mit dem Gesetz hat, die Gnade nämlich, die schenkt und nicht fordert. In der Gnade, also außerhalb des Gesetzes, kommt das Gesetz zu seinem Ziel, das es aus sich selbst nicht erreichen konnte.

"Die Dynamis oder Macht des neuen Gesetzes, des Evangeliums ist die auctoritas im inneren und ursprünglichen Sinn der Urheberschaft, der zeugenden, schaffenden, neuschaffenden Kraft, die dem Gesetz die Tüchtigkeit (virtus) zum Tun beigibt oder vielmehr vorgibt."[37]

Festzuhalten ist also: In der durch Thomas repräsentierten "klassischen" katholischen Auffassung von Gesetz und Gnade liegt einerseits das Gewicht auf der durch die Gnade bewirkten völligen Neuheit des evangelischen Gesetzes, andererseits auf der Verbindung, ja Identität zwischen dem, was das Gesetz fordert und dem, was die Gnade bewirkt. Das besondere Zugleich und Widereinander von Gesetz und Evangelium, das für Luther und die ihm folgende Theologie kennzeichnend ist, kommt in der katholischen Auffassung nicht zur Geltung. Als Widerspiel des Evangeliums ist das Gesetz heilsgeschichtlich überholt.

Es könnte als Widerspruch verstanden werden, daß die katholische Theologie einerseits vom "neuen Gesetz des Evangeliums" reden kann, andererseits davon, daß das Gesetz eine heilsgeschichtlich vergangene Größe sei: In Wahrheit gehören beide Aussagen eng zusammen. Ist bei Luther das alte, will heißen das anklagende und verdammende Gesetz,

35 Söhngen, Gesetz und Evangelium, 333 f.
36 a.a.O., 334.
37 Söhngen, Einheit, 101.
38 WA 39 I, 358.

immer noch und bis zum Tod Gegenwart - und ein anderes als ein anklagendes Gesetz kennt Luther nicht:

"Lex non damnans est Lex ficta et picta, sicut chimaera aut tragelaphus"[38] -

so ist in der Sicht katholischer Theologie gerade dieses Gesetz vergangen.
Gegenwart ist etwas Neues, die nova Lex, der Wille Christi, der durch das
Geschenk der Gnade in den Christen verwirklicht werden kann und verwirk-
licht wird.

c) Die Differenz der beiden Auffassungen

Die Differenz zwischen katholischer und lutherischer Auffassung läßt sich
übersichtlich etwa in folgende drei Punkte zusammenfassen:

1. Eine Differenz ist die – analoge – Bezeichnung des Evangeliums oder
   genauer: des Gesetzes des Evangeliums – als nova Lex in der katholischen Tradition und abgeleitet davon die Frage, ob zum Evangelium
   neben der Gnade in zweiter Hinsicht auch Vorschriften gehören. Noch
   einmal: Nicht ob es Gebote neben dem Evangelium gibt, ist die Frage,
   sondern ob diese Gebote Teil des Evangeliums sind.
2. Eine weitere Differenz ist die Gleichzeitigkeit (manche reden auch von
   der bleibenden Dialektik) von anklagendem Gesetz und freisprechendem
   Evangelium in der Existenz des Christen auf lutherischer Seite, der in der
   katholischen Tradition ein Nacheinander entgegengestellt wird.
3. Eine etwas komplexe Frage ist schließlich, ob es einen tertius usus legis
   gibt und ob dieser der entscheidende Gebrauch des Gesetzes ist. Bekanntlich liegt hier eine Differenz innerhalb des Protestantismus vor zwischen
   der Tradition, die von Calvin herkommt, die den tertius usus lehrt und der
   lutherischen Tradition - bzw. einer radikalen Ausprägung der lutherischen
   Tradition, die ihn ablehnt. Der tertius usus legis hat als Anleitung für den
   Christen zum Leben in der Gnade allerdings große Ähnlichkeit mit dem,
   was die nova Lex nach katholischem Verständnis leisten soll. Nach radikal lutherischer Auffassung kann das Gesetz (vom usus politicus legis
   einmal abgesehen) immer nur die Funktion haben, den Menschen seiner
   Sünde zu überführen.[39] Wenn man von einer Verständigung zwischen
   Söhngen und Barth in Sachen Gesetz und Evangelium reden kann[40], dann
   deshalb, weil – wie bereits Peter Bläser vermerkt hat – "bei Barth der
   Terminus Gesetz identisch ist mit der neutestamentlichen Paränese"[41].
   Läßt sich die neutestamentliche, gerade auch die paulinische Paränese

---

39   Vgl. dazu etwa Meyer, Normen. Meyer macht dort allen lutherischen Theologen,
die den tertius usus legis positiv aufnehmen, wie etwa W. Joest mit seiner Rede vom usus
practicus evangelii, den Vorwurf, der Vermischung von Gesetz und Evangelium Vorschub zu leisten.
40   Vgl. Pesch, Gesetz und Evangelium, 69, Anm. 50.
41   Bläser, Gesetz und Evangelium, 20.

subsumieren unter den usus elenchticus legis, wie strenge Lutheraner meinen? Oder aber gehört die Paranäse zum usus tertius, und wenn sie zum usus tertius gehört, ist dann nicht auch das Gesetz ein Teil des Evangeliums und also das Widereinander von Gesetz und Evangelium aufgehoben in ein Ineinander und damit schließlich doch die katholische Position gerechtfertigt? So könnten konsequente Lutheraner wiederum fragen.

B. Gesetz und Evangelium in katholischer Exegese

a) Irene Beck

Bei der Bearbeitung des Themas in der katholischen Exegese ist zunächst wieder an Otto Kuss zu denken. In seinem Umkreis entstand 1964 der Beitrag von Irene Beck "Altes und neues Gesetz – eine Untersuchung über die Kompromißlosigkeit paulinischen Denkens"[42]. Kompromißlos ist Paulus für die Autorin zunächst deshalb, weil er durchhält, daß das Heil allein von Christus kommt.

"Wenn Gott das Heilswerk in Jesus Christus unternommen hat, dann kann das Heil nicht auch aus dem Gesetz kommen ... die paulinische Theologie fußt also auf dem Axiom, daß durch Jesus Christus, erst durch Jesus Christus und nur durch Jesus Christus allein das ganze Heil gekommen ist."[43]

Der Ansatz für die paulinische Gesetzeskritik ist also streng christologisch. Die Exklusivität des in Christus erschienenen Heiles läßt nicht zu, daß das Gesetz weiterhin als Heilsweg gilt. Von daher erklären sich die negativen Aussagen über das Gesetz. Doch bei ihnen bleibt es nicht.

Denn im Zusammenhang der Paränese "führt Paulus einen neuen Gesetzesbegriff ein: den Begriff des Gesetzes Christi (Gal 6,2) ... Das Gesetz Christi ist das positive Gegenstück zu dem negativ verstandenen alttestamentlichen Gesetz. Wie jenes in seinen Auswirkungen nur negativ gesehen wird, so dieses nur positiv ... Ist das eine nur um der Übertretungen willen gegeben worden und führt zur Verurteilung, so kann es im anderen keine Verurteilung mehr geben (Röm 8,1), da es durch den Glauben den Besitz des Geistes einschließt, der seine Erfüllung mit sich bringt"[44].

Beide Gesetze, das alte und das neue, sind auf das Leben hingeordnet. Doch im Blick auf das alte Gesetz müssen die Aussagen des Paulus irreal bleiben, denn nur der Geist Christi schenkt die Möglichkeit der Erfüllung und deshalb führt nur das Gesetz des Geistes des Lebens wirklich zum Leben.

"Ohne die durch Christus neu hinzukommende Gotteskraft des Geistes ist die – alte und dazugleich neue – Gesetzesnorm trotz ihrer Lebensbezogenheit vollkommen wirkungs-

42 Beck, Gesetz.
43 a.a.O., 127.
44 a.a.O., 132 f.

los und darf keinesfalls mit dem paulinischen Gesetz Christi identifiziert werden. Erst mit dem Pneuma zusammen bildet sie das Gesetz des Lebens, wobei jedoch das Pneuma allein als lebensbringendes Prinzip zu gelten hat, da es die heilschaffende Dynamik des Christus-Geschehens in sich birgt..."[45]

Auch hier bleibt Paulus nach Irene Beck kompromißlos. Einen Kompromiß mit dem Legalismus ginge er nur dann ein, wenn er dem alten, dem nicht-pneumatischen Gesetz wieder Raum gäbe. Aber das tut der Apostel nicht. Auch Irene Beck könnte sagen:

"potissimum in Lege novi testamenti et in quo tota virtus ejus consistit, est gratia spiritus Sancti, quae datur per fidem Christi."

Damit ist schon angedeutet, was das Auffälligste an dieser Darstellung der paulinischen Gesetzeslehre ist. Sie stimmt auch in Einzelheiten mit der Lehre vom Gesetz bei Thomas überein, wie sie Gottlieb Söhngen dargestellt hat. Daß der größte Teil der apostolischen Aussagen über das Gesetz kritisch ist, erklärt Irene Beck mit der historischen Situation des Paulus. Das Gesetz

"im heilsgeschichtlichen Sinne als Gesetz der Sünde ... läßt sich ... nicht mit dem Evangelium zu einer dialektischen Einheit verbinden. Wohl aber bildet die positive Gesetzesnorm mit dem Pneuma im Gesetze des Geistes eine dialektische Einheit..."[46].

Mit der Einmaligkeit der historischen Situation des Apostels, in der zugleich das alte Gesetz in Christus an sein Ende kam und das neue Gesetz promulgiert wurde, ist es auch zu erklären, daß sich bald Mißverständnisse einstellten,

"daß die spätere Zeit an Stelle des lebenbringenden und todbringenden Gesetzes bei Paulus nur mehr ein Gesetz annahm, dessen Erfüllung das Heil, dessen Nichterfüllung aber Verderben bringen sollte und das sich insofern vom Alten Bund in den Neuen Bund hinein fortsetzte"[47].

Wo aber Pneuma und Gesetz voneinander getrennt werden, besteht die Gefahr des Legalismus, des Sich-ergehens in äußeren Vorschriften und der gesetzlichen Verengung der Moraltheologie. Dagegen gilt es mit Paulus (und Thomas) anzugehen, nicht aber dagegen, in Christus überhaupt von einem Gesetz zu reden. Nicht das Widereinander von Gesetz und Gnade ist kennzeichnend für den Neuen Bund, sondern ihr sachgemäßes Miteinander.

An Irene Becks Arbeit ist zweierlei kennzeichnend für eine bestimmte Phase katholischer Exegese: einmal die Nähe zur klassisch-dogmatischen Lehre vom Gesetz und zur moraltheologischen Auseinandersetzung mit einem Buchstabenlegalismus.[48] Zum anderen aber ist typisch, daß die paulinische Gesetzeskritik in eine – unwiederholbare – historische Einmaligkeit gerät. Der Fehler der (lutherischen) Reformation war nach der Autorin,

45   a.a.O., 137.
46   a.a.O., 137, Anm. 30.
47   a.a.O., 141.
48   Irene Beck verweist (aufgrund ihrer Dissertation) auf die Rolle der Liebe im Werk

daß sie das "paulinische Theologumenon von der negativen Bedeutung des Gesetzes, das sich historisch auf das alttestamentliche Gesetz bezog, in die geschichtliche Situation des 16. Jahrhunderts"[49] übertrug –

und dabei den Blick für die positive Bedeutung des Christus – bzw. Pneumagesetzes verlor. Demgegenüber schärft katholische Exegese gerade den historischen Abstand zur paulinischen Gesetzeskritik ein und legt den Finger auf einen heiklen Punkt lutherischer Theologie, über den noch nachzudenken ist: auf die Identifizierung der Situation des Paulus mit der der Reformatoren. Natürlich besteht auch in der Sicht Irene Becks eine gewisse Gefahr des Rückfalls in eine alte, vorchristliche Gesetzlichkeit. Aber dieser Gefahr ist eben durch die Besinnung auf das Gesetz Christi zu begegnen und nicht durch die Unterscheidung von Gesetz und Evangelium.

Alle drei oben gestellten Fragen sind für Irene Beck also im traditionell-katholischen Sinn zu beantworten: Von einer nova Lex muß mit Nachdruck geredet werden, altes Gesetz und Evangelium stehen im Verhältnis eines strengen Nacheinander und der tertius usus legis ist – wenn man die Terminologie akzeptiert – der für die Christen entscheidende.

b) Norbert Brox

Ganz ähnlich verhält sich die Sache in Norbert Brox' Arbeit "Paulus und seine Verkündigung" aus dem Jahr 1966.[50] Auch er hält zunächst fest,

daß überall da, "wo Paulus von Freiheit und Gesetzlichkeit spricht, ... er in erster Linie das Gesetz des Alten Testaments im Blick (hat), dessen Autorität für die Kirche geklärt werden mußte".

Aber über die Begrenztheit der besonderen Situation hinaus hat Paulus

die Frage "im grundsätzlichen Sinn geklärt, so daß auch wir, die wir (vom Neuen Testament her gesehen) in so später Zeit leben, eine befreiende, anspornende Antwort und reiche Auskunft erhalten"[51].

Worin besteht aber für Brox die "reiche Auskunft", die der Apostel uns auf die Frage nach Gesetz und Freiheit gibt? Auch für Brox ist der Hintergrund

ein starrer "Legalismus, der – zumeist mit bestem Willen – Gottes Gebote erfüllen will, Gottes Willen und Anspruch aber verfehlt, weil er sich die Sache ... zu einfach macht, da er glaubt, Gottes Anspruch in Geboten endgültig fixiert zu haben"[52].

Also: Es geht in Christus nicht um Korrektheit und Exaktheit der Gesetzes-

des hl. Franz von Sales, "an die wir uns hingeben müssen, von der wir uns leiten lassen müssen, um das Gesetz zu erfüllen, und (die) ... zugleich der Inbegriff aller Gebote und damit das Gesetz selbst" ist. a.a.O., 142.
49 ebd.
50 Brox, Paulus.
51 a.a.O., 113.
52 a.a.O., 120.

observanz, sondern um lebendigen, offenen, großzügigen Gehorsam. Das ist nicht neu. Klassisch gesprochen: Hier kommt die Tugend der Epieikie ins Spiel, von der auch im Neuen Testament die Rede ist (Phil 4,5; 2. Kor 10,1; Tit 3,2 und öfter) und die etwa in der traditionellen Tugendlehre mit "Großzügigkeit" – gerade auch mit Großzügigkeit in der Erfüllung der Gesetzesforderung – wiederzugeben ist.[53]

Im übrigen aber gilt:

"Freiheit vom Gesetz wird von Paulus beschrieben als die Bindung an ein anderes, neues Gesetz – Freiheit besteht in Bindung."[54]

Nun wird niemand bestreiten, daß die Freiheit, zu der Christus uns befreit hat und von der Paulus etwa Gal 5,1 ff spricht, einhergeht mit einer neuen Bindung. Nur ist eben die Frage, ob von Gal 2,12; 3,1-5; 5,1-6 und ähnlichen Stellen her diese Bindung als Bindung an ein neues Gesetz bezeichnet werden darf. Ist nicht die Alternative Christus – Gesetz so stark, daß eine solche Benennung ausscheiden muß mit den Implikationen, die zu ihr gehören? Aber sie hat eben in der katholischen Theologie eine starke Tradition.

Auch Brox bleibt also bei der gekennzeichneten Beurteilung: In einer historisch einmaligen Situation wurde zur Zeit des Paulus das Gesetz des Alten Bundes abgelöst von einem neuen, besseren Gesetz, dem Gesetz des Evangeliums.

c) Otto Kuss

Im gleichen Jahr wie die Studie von Norbert Brox erscheint eine Untersuchung von Otto Kuss: "Nomos bei Paulus"[55]. Kuss betont auch hier, daß das theologische Denken des Paulus seinen Ansatz bei der Christologie, genauer: bei der kontingenten Christuserfahrung, nimmt. Es kann also keine Rede sein von einer vorgängigen Krise des Gesetzes oder der Gesetzeserfüllung. Paulus hat nicht am Gesetz gelitten. Die Tora Israels ist ihm auch nicht problematisch geworden, weil er die Differenz zwischen äußerlicher und eigentlicher Gesetzeserfüllung erfahren hätte.

Vielmehr: "Nicht die 'Radikalisierung' der ethischen Forderung zwingt den Apostel zuletzt auf den Weg des Glaubens, sondern: indem Paulus seinen Standpunkt bei Jesus Christus einnimmt, ohne den es Rettung, Heil für ihn schlechthin nicht mehr geben kann, ist er gezwungen, die Nutzlosigkeit des Gesetzesweges zu behaupten, und er tut es dadurch, daß er die Forderung des Gesetzes nachträglich radikalisiert und ihre Erfüllung vor Christus und ohne Christus als unmöglich ansieht, jedenfalls insoweit als sie als das Heil schaffend verstanden wird."[56]

---

53   Vgl. a.a.O., 119.
54   a.a.O., 132.
55   Kuss, Nomos.
56   a.a.O., 217.

Das Problem des Gesetzes ist also – und dies wird erst in Christus erkannt –, daß es nicht lebendig macht (Gal 3,21). Dieses nicht lebendig machende Gesetz, das Gesetz des Mose, ist in Christus überwunden, es ist vergangen. Will man deshalb die reformatorische Formel "Gesetz und Evangelium" aufgreifen, dann so,

daß man "dabei die alte, vergangene Heilsordnung und die neue, gegenwärtige in dem Heilswerk Gottes durch Jesus Christus Wirklichkeit gewordene einander gegenüberge-stellt"[57] sieht – also gerade nicht in Gleichzeitigkeit.

Aber es kann nicht dabei bleiben, dieses Nacheinander festzustellen und das Gesetz zu einer vergangenen Größe zu erklären. Denn es gibt "auch in dem Bereich 'Evangelium' so etwas wie 'Gesetz'":

"Allenthalben werden die Glaubenden und Getauften ermahnt, eine genau bestimmte Ordnung einzuhalten, sich einer sittlichen Werttafel zu unterwerfen, von einer Art 'Tugendkatalog' Kenntnis zu nehmen und sich dem dann zu unterstellen. Man kommt nicht darum herum, zugeben zu müssen, daß auch in dem Heilsbereich Jesu Christi 'Gesetz' existiert, daß es 'Gebote' gibt, daß also – und dies ist die notwendige Folge der Existenz von Gesetz und Gebot – gemahnt, gewarnt, gedroht wird, und zwar gelegent-lich selbst im Hinblick auf den möglichen Verlust des Heils; es gibt noch von dem Bereich Jesus Christus her das Risiko des Heilsverlustes."[58]

Daß Kuss die Möglichkeit einer völligen Heilsgewißheit für den Christen bestreitet, ist nicht neu. Hier aber ist wichtig, daß auch das Gesetz des Christus anklagendes, richtendes und verurteilendes Gesetz sein kann. Das univoke Element im Begriff "Gesetz" ist so stark, daß mit der verurteilenden Wirkung auch des Gesetzes Christi gerechnet werden muß.

Irene Beck hatte hier noch anders geurteilt:

"Die Möglichkeit des Heilsverlustes besteht dann für die in Christus trotzdem noch fort, insofern sie noch nicht endgültig der Gefahr enthoben sind, aus Christus herauszufallen und der Verurteilung durch das alte Todesgesetz zu unterliegen ... Uns kommt es hier nur darauf an, daß es an der ausschließlichen Wirksamkeit des Sündengesetzes im Falle der Verdammung eines Menschen festgehalten werden muß, da eine Verdammung durch das Gesetz Christi ausgeschlossen ist..."[59]

Für Irene Beck ist es klar, daß die Neuheit des neuen Gesetzes eine verdammende Funktion ausschließt – für Kuss gibt es die Möglichkeit der Verdammung durch das Gesetz Christi. Im Rahmen katholischer Systema-tik sind gewiß beide Auffassungen möglich, da die Rede vom neuen Gesetz prinzipiell eine doppelte Akzentsetzung zuläßt: Entweder wird die Benen-nung "Gesetz" betont oder die Bestimmung "neu".

Exegetisch stellt sich das Problem der paulinischen Gesetzeskritik für Kuss noch deutlicher als für andere Autoren als historisch begrenztes dar. Letztlich geht es um die Überwindung des jüdischen Heilswegs zugunsten des christlichen. Nachdem diese Frage geklärt ist, kann unbefangen das

57   a.a.O., 224.
58   ebd.
59   Beck, Gesetz, 132 f, Anm. 15.

Gesetz wieder als dogmatische und ethische Grundkategorie gebraucht werden. Gal 6,2 und einige andere Stellen bieten dafür den terminologischen Anhaltspunkt. Es liegt in der Konsequenz von Kuss' Gedankengang, wenn er die Situation des Paulus entschieden vom Leben der nachpaulinischen Kirche abrückt.

"Für den Epigonen, für den Glaubenden der zweiten und jeder folgenden Generation ist das speziell paulinische Problem des mosaischen Gesetzes abgetan, in seiner konkreten Welt existiert es einfach nicht mehr, es hat nur noch historischen – genauer 'heilsgeschichtlichen' – Bedeutungswert. Das Erlebnis der ersten grundlegenden 'Rechtfertigung', der Befreiung von der Sklaverei des mosaischen Gesetzes muß wie verblaßt, wie nicht mehr ursprünglich, wie mittelbar erscheinen ... Dagegen ist das Problem des sittlichen Wandels, das für Paulus vor der unmittelbaren Erfahrung der durch Jesus Christus sich offenbarenden Liebe Gottes zurücktritt, für den Epigonen ein Problem erster Ordnung geworden."[60]

Die Bemerkung Ebelings von der "ausgesprochen historischen Orientierung"[61] der katholischen Terminologie "Lex vetus – Lex nova" wird von Kuss' Exegese nachträglich bestätigt. Ein spannungsreiches, die Existenz des Christen umgreifendes, gleichzeitiges Widereinander von Gesetz und Evangelium kann es in dieser Sicht nicht mehr geben. Die paulinische Gesetzeskritik, die von vornherein nur aus der Situation der Ablösung des Christentums vom Judentum zu verstehen war, ist mit dem Kritisierten zugleich überholt. Weder katholische Systematisierungen – nach dem Modell der Analogie –, noch reformatorische – als dauerndes Widereinander von Gesetz und Evangelium – stellen die Relevanz der paulinischen Gesetzeskritik nach Kuss wieder her. Sie sind etwas Neues. Zugleich aber ist damit gesagt, daß das katholische Interesse an der Fundierung christlicher Ethik auf einem "gültigen" Gesetz gerade durch den Abstand von der paulinischen Gesetzeskritik theologisch legitimiert ist.

d) Heinz Schürmann

Weniger systematisch und einheitlich in der Aussage ist Heinz Schürmann. 1971 stellt er in seinem Beitrag "Die Freiheitsbotschaft des Paulus – Mitte des Evangeliums?"[62] die These auf:

Die "Freiheit vom Gesetz ... meint die Befreiung von der Thora als Lex justificatrix et condemnatrix, aber in gewissem Sinne auch von der Lex implenda"[63].

Damit ist gegen Kuss festgehalten, daß es keine Verurteilung mehr gibt, für die, die in Christus Jesus sind (Röm 8,1). Dann aber ist um der Neuheit der

---

60 Kuss, Nomos, 226.
61 Ebeling, Erwägungen, 271.
62 Schürmann, Freiheitsbotschaft.
63 a.a.O., 45.

Paränese und um der "pneumatischen Einstiftung des Gebotenen" willen auch die Rede von einem zu erfüllenden Gesetz zu meiden:

"Von einem tertius usus Legis redet man aus terminologischen Gründen besser nicht. Das Gesetz kann formal den Willen Gottes nicht mehr repräsentieren und zurufen: 'Du sollst!' ..."[64]

Statt der "Lex implenda" gibt es für den Christen ein "mandatum implendum"[65], womit gemeint ist, daß Gott auch für den Christen einen Willen hat und ihm gebietend gegenübertritt.

In einer drei Jahre später erschienenen Arbeit "Das Gesetz des Christus" (Gal 6,2)[66] schärft Schürmann zuerst ein, daß vom Gesetz in Gal 6,2 "schon im eigentlichen Sinne die Rede" sei[67], danach muß jedoch "die Paradoxität solcher Redeweise betont werden"[68] und schließlich gilt:

"So ruht die paradoxe Sprechweise vom 'Gesetz des Christus' doch auf einer analogen Sprechweise, wie sie Röm 8,2 ff (vgl. auch 2. Kor 3,6) vorliegt."[69]

Man kann bei Schürmann deutlich die Bedenken erkennen, die er gegen die Redeweise von einem "Gesetz des Evangeliums" hat. Andererseits will er in Gal 6,2 keine rein paradoxe Aussage erblicken, weil ihm sonst die Konkretheit sittlicher Weisung gefährdet schiene. Jedoch gelangt er über die Rede vom auch dem Christen geltenden mandatum implendum hinaus zu keiner systematischen Lösung der Frage.

e) Andrea van Dülmen

Eine wesentlich radikalere Antwort gibt Andrea van Dülmen.[70] Ihr geht es vor allem um die Durchführung des christologischen Ansatzes auch für die Lehre vom Gesetz. Zwar wurde schon vorher in der katholischen Exegese betont, daß die Tatsache des Heils in Christus den Ursprung paulinischer Theologie bildet und daß deshalb der eigentliche Gegensatz nicht "Gesetz und Gnade", sondern "Gesetz und Christus" heißt[71], aber van Dülmen führt die Einsicht nun entschlossen durch:

---

64 a.a.O., 46.
65 ebd.
66 Schürmann, Gesetz des Christus.
67 a.a.O., 292.
68 ebd.
69 a.a.O., 293.
70 Van Dülmen, Theologie des Gesetzes.
71 Vgl. neben Kuss auch schon Démann, Mose und das Gesetz. Dort etwa 240: "Doch sobald man die Texte genauer betrachtet, wird man bemerken, daß die wirkliche Antithese, die Paulus im Auge hat, das Gesetz, die Richtschnur der alten Ordnung, und Christus, den Mittelpunkt des Lebens der Gläubigen in der neuen Heilsordnung betrifft." Oder 248: "Paulus würde unsere heutige theologische Formulierung nicht bestreiten: Mit Hilfe der göttlichen Gnade ist der Mensch imstande, das Sittengesetz und das

"Die Tatsache Christus erfordert eine völlige Neuorientierung und Uminterpretation aller bisherigen Vorstellungen. Christus ist das Zentrum und der Angelpunkt der paulinischen Theologie; einzig aus ihm erhellt sich die tatsächliche Bedeutung alles Vorausgegangenen."[72]

Daraus folgt zunächst, daß es keinen eigentlichen Gegensatz von Glaube und Werk als solchen gibt:

"Der Gegensatz von Glaube und Werken bei Paulus beinhaltet also nichts anderes, als daß das Heil nicht aus dem Gesetz, sondern aus Christus kommt. Die Werke im Gegensatz zum Glauben sind immer die als Heilsprinzip und Heilsbedingung des Gesetzes verstandenen Werke."[73]

Daraus folgt dann aber auch:

"Nicht mehr das mosaische Gesetz ist nun die Norm für das Leben der Glaubenden, sondern Christus selbst."[74]

Christus ist also allein die bestimmende Wirklichkeit des Neuen Bundes. Doch nun erscheint erst die Pointe Andrea van Dülmens. Weil der Gegensatz "Gesetz und Christus" heißt und nicht "Gesetz und Gnade", kommt es auch nicht darauf an, das Gesetz des Christus als ein neues Gesetz, ein Gesetz der Gnade darzustellen. Vielmehr kann das alte Gesetz in einer von Christus bestimmten Sphäre des Heils weitergelten:

"Christus ist zwar das Ende des Gesetzes, aber sein eigenes Gesetz ist nicht ein völlig neues Gesetz, sondern ist das alte Gesetz, insofern es in seinem Wesen pneumatisch ist und deshalb nun im Aion des Pneuma in Geltung steht."[75]

Alt und neu sind in Bezug auf das Gesetz keine maßgeblichen Kategorien:

"Die unterschiedliche Wirkung des Gesetzes als πνεῦμα und als γράμμα liegt jedenfalls nicht an der Altheit bzw. Neuheit des Gesetzes, sondern an der Sphäre, in der es dem Menschen begegnet. Im neuen Aion ist der Mensch selbst durch Christus in die Sphäre des Gesetzes bzw. des Pneuma versetzt und seine Gesetzeserfüllung keine eigene Leistung mehr, sondern selbst Heilstat Christi."[76]

Es kann nicht überraschen, daß dann auch für den Christen ein Heilsverlust aus "Mangel an Werken"[77] möglich ist.

---

geoffenbarte Gesetz zu halten, und diese Gnade wird ihm niemals fehlen. Aber dieser 'subjektive' Gesichtspunkt ist nicht der seine. Der seine ist 'historisch' (heilsgeschichtlich); er legt Gewicht darauf, daß Christus selber Quelle der Gnade ist in der Geschichte, während jedes Gesetz, das des Gewissens wie das der Offenbarung, nur Hinweis und Anspruch bedeutet." Es ist verwunderlich, daß van Dülmen Déman nicht in die verwendete Literatur einbezogen hat, obwohl ihre sachliche Nähe zu ihm frappiert.

72   Van Dülmen, Theologie des Gesetzes, 212, f.
73   a.a.O., 215.
74   a.a.O., 220.
75   a.a.O., 223.
76   a.a.O., 225.
77   Vgl. den ganzen Zusammenhang: "Denn dieses Gericht ergeht auch über den, der in Christus die Gerechtsprechung bereits erlangt hat. Seine δικαιοσύνη ist erst vollkommen, wenn er aus dem Endgericht als Gerechter hervorgeht, seine Glaubensge-

Noch wesentlich entschiedener als Kuss betont van Dülmen den Primat der Christologie auch noch bei der paulinischen Lehre vom Gesetz. Das bedeutet aber auch, daß die Frage von Gesetzlichkeit und Gnadenhaftigkeit bzw. Gratuität als solche keine Rolle mehr spielt. Schlier wird es ausdrücklich zum Vorwurf gemacht, daß er die Frage des Gesetzes als "Problematik der Gesetzlichkeit" deutet und sie damit "rein anthropologisch betrachtet"[78]. Nicht das "Gesetzliche" am Gesetz, nicht sein fordernder Charakter ist theologisch problematisch. Fragwürdig ist allein das Gesetz, das in Konkurrenz zu Christus Heil verheißt. Ist einmal entschieden, daß das Heil allein von Christus kommt, so bietet das Gesetz auch keine Schwierigkeiten mehr. Es ist darum auch nicht nötig, vom "neuen Gesetz" des Christus zu sprechen oder die Rede vom Gesetz Christi als nur analoge Rede zu interpretieren.

"Das Verbindende von mosaischem Gesetz und Gesetz Christi gehört ebenso zum Wesen des Gesetzes, wie das, was am Gesetz durch Christus vernichtet wird."[79]

Man möchte fragen, ob diese radikal christologische Sicht der apostolischen Gesetzeskritik sich nicht selbst aufhebt. Wenn man in dieser Weise einschärft, daß das Gesetz keinen Gegensatz zu Christus enthält, solange nur nicht das Heil von ihm erwartet wird, und wenn zugleich das Gesetz seinem Inhalt und seinem fordernden Charakter nach in Kontinuität mit sich bleibt, wird dann nicht Christus zum Ermöglichungsgrund der Erfüllung des Gesetzes? Anders formuliert: Genügt es wirklich zu sagen, das Heil komme allein von Christus, um dann das Heil als die von Christus ermöglichte Erfüllung des Gesetzes zu kennzeichnen? Müßte nicht aus der Polarität zwischen Gesetz und Christus folgen, daß post Christum oder besser "in Christus" vom Gesetz entweder nicht mehr oder nur noch in einem völlig anderen Sinn die Rede ist? Der folgende Satz kann sich m.E. nicht als sachgemäße Paulusinterpretation ausweisen:

"Durch die Liebe also ist das Gesetz hineingenommen in das Leben der Heilszeit, ist seine Gültigkeit und Erfüllung über die alte Zeit hinein in die neue Zeit garantiert und zur Vollendung gebracht."[80]

Die Aussagen in Gal 5,14 und Röm 13,8-10 scheinen mir gerade nicht von der Fortgeltung des Gesetzes, sondern von seiner Ablösung durch die Liebe zu sprechen. Gerade weil die Liebe das Gesetz erfüllt, bedarf es seiner bleibenden Geltung nicht.

---

rechtigkeit ist also verlierbar. Dieser Verlust des Heilsbesitzes geschieht durch den Mangel des Glaubens, der nichts anderes ist als der Mangel an Werken. Der Glaube nämlich ist nur dann gerechtmachend, wenn er wirksam wird in einem dem Willen und Gesetz Gottes entsprechenden Tun." a.a.O., 226.

78 a.a.O., 256.
79 a.a.O., 224.
80 a.a.O., 230.

f) Heinrich Schlier

Van Dülmens Antipode Heinrich Schlier kommt im übrigen auf seinem anthropologischen Weg zu nicht so völlig anderen Konsequenzen. Allerdings ist für ihn das Gesetz schon ante und extra Christum ein Problem.

"Das Gesetz, so wie es in der analytischen Geschichte der Menschen begegnet, ruft immer Unheil hervor, entweder in der Form, daß es die Gesetzesübertretung, oder in der Form, daß es die selbstgerechte Gesetzeserfüllung provoziert. Auf keinen Fall ist es der Weg, auf dem der schon immer an sich gebundene Mensch die Gerechtigkeit erlangt, die das Gesetz doch bezeugt."[81]

Aber was nun in Christus geschieht, das ist die Befreiung des Menschen von der Selbstgerechtigkeit und damit zugleich die Wiederherstellung des eigentlichen Gesetzes:

"Das eigentliche Gesetz, die Weisung Gottes ... wird durch Christus dann erst wieder freigelegt. Er ist das Ende jenes Gesetzes, das im Sinn der Gesetzlichkeit verstanden ist, aber das Gesetz Gottes als solches wird nun wieder erst freigelegt. Denn dem Menschen wird durch Christus – ganz einfach gesagt – wieder die Unbefangenheit, die Abgelöstheit von sich selbst zuteil, so daß er, unbefangen von sich selbst, dem Gesetz wiederum gehorchen kann."[82]

Schlier kann sogar sagen:

"So dient der Kampf des Apostels letztlich nur eigentlich der Restituierung der Thora, der Weisung Gottes zum Leben..."[83]

Auch hier kann man wieder fragen, ob Röm 3,31 diese Aussage tragen kann, ob es Paulus in Röm 3,21 ff wirklich darum geht, das Gesetz in seiner Eigentlichkeit, in seinem Weisungscharakter, wiederherzustellen. Aber für Schlier wie für van Dülmen ist bei aller Unterschiedlichkeit des Ansatzes übereinstimmend klar, daß das Gesetz Gottes Geltung für den Christen hat, wenn es nur von der Funktion entlastet ist, das Heil zu gewähren. Bei Schlier ist denkbar, daß Gesetz und Evangelium in der Existenz des Christen in eine gewisse Gleichzeitigkeit geraten, weil der Sinn des Menschen sich aufs "Neue zur Selbstgerechtigkeit verfinstern" kann. Allerdings ist solche Gleichzeitigkeit nur per nefas möglich, da in Christus das mißverstandene und mißbrauchte Gesetz prinzipiell zu Ende gekommen ist. Im übrigen bestimmt die Existenz des Christen die nova Lex, die nichts anderes ist als das zu seiner Eigentlichkeit gebrachte alte Gesetz.

81 Schlier, Grundzüge, 90.
82 a.a.O., 92.
83 a.a.O., 95. Vgl. auch schon Schlier, Ermahnung, 88: "die Verwandlung, um die es dem Erbarmen Gottes in der apostolischen Ermahnung geht, ist also primär und fundamental eine Erneuerung der Vernunft, die für Paulus nichts anderes als 'Hinblick auf die Wirklichkeit', 'Durchlaß zur Wirklichkeit' ist." Vgl. auch schon Schlier, Galater, 187 f: "So dient der Kampf des Apostels Paulus gegen das Gesetz und die Gesetzeswerke ebenso wie die unerbittliche Betonung der Notwendigkeit des Glaubens zum Eintritt in die Gerechtigkeit Gottes letztlich der Restituierung der ursprünglichen Tora: der gnädig fordernden Weisung Gottes zum Leben."

Es macht in diesem Zusammenhang keinen Unterschied, ob in der Existenz des Christen das vom Sünder zur Selbstgerechtigkeit mißbrauchte Gesetz in seinem eigentlichen Wesen wiederhergestellt wird (Schlier) oder ob das erst im Kommen Christi theologisch problematisch gewordene Gesetz, nachdem es der Verheißung der Heilswirksamkeit entkleidet ist, für den Glaubenden zur Geltung kommt (van Dülmen): Es ist jeweils mit einer Kontinuität des Gesetzes durch Mißbrauch oder "christologische Krise" hindurch in das Leben des Christen hinein zu rechnen.

Vergegenwärtigt man sich die Äußerungen katholischer Exegeten zum Thema "Gesetz und Evangelium bei Paulus" bis hierher, so fällt die folgende Tendenz ins Auge: Bei einem großen Teil der Exegeten wird vor allem der historische Abstand zur Auseinandersetzung des Paulus mit dem Gesetz betont. Um so größer dieser Abstand ist, um so weniger Sorge muß man bei der Bezeichnung des Willens Gottes als Gesetz auch für die Christen haben.

Das heilsgeschichtliche Nacheinander von Gesetz und Gnade und die nur noch analoge Bezeichnung der paulinischen Paränese als Gesetz spielt bei den Exegeten die größte Rolle, die der systematischen Konzeption des Thomas (in der Regel vermittelt durch Gottlieb Söhngen) am nächsten stehen.

g) Franz Mußner

Mit einem bis dahin unter katholischen Exegeten unbekannten Verständnis für reformatorische Tradition greift dann 1974 Franz Mußner in seinem Galaterkommentar das Thema "Gesetz und Evangelium" auf.[84] Interessanterweise verbindet sich das Eingehen auf das reformatorische Anliegen mit dem Urteil:

"Die Lehre des Thomas (vom neuen Gesetz) liegt genau auf der Linie der paulinischen Lösung; Thomas schwächt Paulus in keiner Weise ab, wie das vielfach in der katholischen Theologie geschehen ist und noch geschieht."[85]

Er bestätigt damit den Eindruck, daß die Konzeption des Aquinaten, die in Christus vom Gesetz nur noch analogice spricht, in der katholischen Dogmatik, Moraltheologie und Exegese keineswegs allgemein anerkannt ist, daß vielmehr gerade daran Interesse besteht, auch im Gesetz des Christus ein eigentliches Gesetz zu sehen. Mußner möchte am liebsten im Blick auf Gesetz und Evangelium die Termini "Analogie und Dialektik" überhaupt vermieden wissen.[86] Soll von einer Analogie zwischen dem "Gesetz des Mose" und dem "Gesetz Christi" überhaupt die Rede sein,

so darf das "nicht einmal im Sinn einer analogia nominum geschehen, weil 'Gesetz' und

---

84 Mußner, Galaterbrief, 277-290.
85 a.a.O., 286, Anm. 30.
86 ebd.

'Gesetz' in beiden Fällen Verschiedenes ausdrücken, sondern es kann höchstens in dem Sinn von einer 'Analogie' geredet werden, als beide 'Gesetze' den Charakter der strengen Forderung nach Gehorsam an sich haben; nur im Hinblick darauf kann das 'Gesetz Christi' eine nova Lex genannt werden."[87]

Im folgenden lehnt Mußner es nicht nur ab, die paulinische Paraklese dem usus elenchticus legis zuzuordnen, auch die Rede vom tertius usus legis hält er für unsachgemäß. Allein der Terminus usus practicus evangelii entspreche dem Sachverhalt bei Paulus.[88]

Es wird schwerfallen, an dieser Stelle eine Differenz zwischen Mußner und der Auffassung gemäßigter Lutheraner herauszustellen.[89]

Die Rede von der nova Lex und vom "Christus legislator" ist so interpretiert, daß die Realität des Heilsindikativs in keiner Hinsicht geschmälert oder unter Bedingungen gestellt wird.

Das "Geistgesetz Christi ist etwas radikal Neues, eben der aus dem Indikativ des neuen Seins in Christus fließende Imperativ"[90.]

Will man die Rede von der nova Lex überhaupt fortsetzen – woran Mußner nichts liegt – so nur in dem Sinne, daß Christus einen Willen für die Christen hat und daß dieser Wille nicht automatisch (magisch-mechanisch) geschieht.

Eine "echte Antinomie" zwischen Indikativ und Imperativ bei Paulus besteht aber gerade nicht; die Formel "Indikativ und Imperativ" bei Paulus ist somit kein Äquivalent für "Gesetz und Evangelium"[91]. Hier liegt nun allerdings auch der Punkt, an dem sich Mußner von der reformatorischen Sicht abgrenzt. Es geht dabei um das Verständnis von "Evangelium":

"Wenn der Apostel von 'Evangelium' redet, so meint er damit zunächst die Erfüllung der Verheißung in Christus, und diese Erfüllung liegt für ihn nicht in einem heilszusagenden 'Wort', sondern im lebendigmachenden Pneuma, in dem die dem Abraham für die Völker verheißene Evlogia konkret besteht (vgl. Gal 3,14). Deshalb ist das Evangelium kein bloßes 'Sprachereignis', d.h. ein nur beim 'Wort' bleibendes Ereignis, vielmehr ein Ereignis 'ontologischer' Art. Denn das Pneuma ist nicht Wort, sondern Sein! Das Evangelium verkündet also ein Sein, das Gesetz dagegen ein Sollen."[92]

---

87   a.a.O., 286.
88   a.a.O., 287. Mußner erwähnt nicht die Verwendung dieses Begriffes bei Joest, Gesetz und Freiheit.
89   Vgl. dazu jetzt auch W. Joest, Dogmatik Bd. 2: Die Wirklichkeit des Menschen im Urteil Gottes, Göttingen 1985, 23 Gottes Urteil als Gesetz und Evangelium.
90   Mußner, Galaterbrief, 285.
91   Von daher fällt auf Bultmanns Aufsatz von 1924 "Das Problem der Ethik bei Paulus" nochmals ein neues Licht. Seine Verhältnisbestimmung von Indikativ und Imperativ liest sich als Verteidigung der reformatorischen Zuordnung von Gesetz und Evangelium angesichts der religionsgeschichtlichen Forschung, die den Indikativ nahezu magisch verstand und deshalb den Imperativ nicht sachgemäß mit ihm verknüpfen konnte. Nur: Bultmann geht mit seiner Lösung – sollte diese Interpretation richtig sein – auch hinter das zurück, was in der Religionsgeschichtlichen Schule an Richtigem erkannt worden war.
92   Mußner, Galaterbrief, 280 f.

In diesen Sätzen ist eine folgenreiche Grundentscheidung formuliert. Weil das Evangelium "ein Sein verkündet", also nicht nur den Zuspruch von Gottes rechtfertigender Gnade meint, deshalb ist die Paraklese, ist das Gesetz des Christus als die von den Menschen anfordernde Seite des ihm verliehenen Heils in ihm enthalten. Nicht nur folgt das Evangelium dem Gesetz des Mose und steht nicht in der gleichen Zeit mit ihm, sondern es gilt darüber hinaus: Auch die Weisung Christi steht dem Evangelium nicht gegenüber. Sie ist vielmehr Teil des Evangeliums.[93]

Zu erinnern ist an Gottlieb Söhngens glückliche Formulierung:

> Es geht Luther "nicht allein darum, das Evangelium und die Gnade Evangelium sein zu lassen und es nicht als Gesetz, als ein neues Gesetz zu verkündigen, sondern es geht ebensosehr darum, das Gesetz auch unter dem Evangelium Gesetz sein zu lassen und das Gesetz, ein neues Gesetz, nicht als Evangelium zu verkündigen..."[94].

Von daher wird die Signatur des Katholischen bei Mußner leicht erkennbar: Einerseits gibt es für den Christen kein Gesetz und von der nova Lex kann nur mit allem Vorbehalt geredet werden. Bei Gal 6,2 bestimmt "das Genitivattribut die semantische Valenz des Terms nomos"[95], das meint, daß der Begriff "Gesetz" hier im paradoxen Sinn gebraucht ist. In Röm 3,31 bezeichnet Aufrichtung des Gesetzes die Herausstellung der wahren Funktion des Gesetzes im Heilsplan Gottes.[96] Andererseits aber wird der Gehorsam fordernde Wille Christi an die Christen – daß es einen solchen gibt, ist, abgesehen von extremen Vertretern der Religionsgeschichtlichen Schule, wohl unumstritten – zum Teil des Evangeliums. (Man möchte fragen: Wird er nicht zur "Form" des Evangeliums?) Dieser Wille hat keinen Gesetzescharakter, weil er ganz von der Gnade getragen ist, wie bereits Thomas lehrte. Ein usus elenchticus legis im neuen Bund ist von daher aber ausgeschlossen. Das Widereinander von Gesetz und Evangelium als Gottes Handeln am Menschen in "Gericht und Gnade" ist ausgeblendet.

Ein solches Widereinander hätte wohl auch nach Mußners Meinung eine falsche Voraussetzung. Es würde implizieren, daß die Ablösung des alten, verdammenden Gesetzes durch das Christusevangelium sich in jeder christlichen Existenz wiederholt – und dies nicht nur einmal. Die eminente Bedeutung, die die Entscheidung zugunsten der Wiederholung für die lutherische Theologie, Homiletik und Spiritualität hatte, braucht hier nicht ausgeführt zu werden. Indem der Übergang vom Mosegesetz zum Christusevangelium "historisch" gesehen wird, bleibt keine andere Wahl als Zuspruch und Anspruch des Evangeliums als Einheit aufzufassen.

---

93 Vgl. Schlier, Eigenart, 357: "Die christliche Mahnung ist Evangelium. Denn sie ist der Zuruf des Erbarmens Gottes als Aufruf zu ihm hin. Als solches Evangelium 'erbaut' auch sie die Kirche und in ihr die Menschen..."
94 Söhngen, Gesetz und Evangelium, 343.
95 Mußner, Galaterbrief, 286, Anm. 29.
96 Vgl. a.a.O., 287.

210

Mußner sagt zwar in Abgrenzung zu Karl Barth:

"Wer den Term τέλος in Röm 10,4 mit 'Erfüllung', 'Zusammenfassung', 'Aufgipfelung' oder dergleichen übersetzt, hat die paulinische Theologie total mißverstanden."[97]

Aber der Protest richtet sich gegen den Gebrauch des Terminus "Erfüllung" bei Barth, nicht gegen die Intention, die Einheit von Evangelium und Gesetz zu betonen.

h) Ergebnis

Das Fazit läßt sich in Kürze ziehen: In unterschiedlicher Intensität widmen sich katholische Exegeten der paulinischen Gesetzeskritik. Die Bandbreite reicht von der Betonung der Unwiederholbarkeit der Situation des Paulus als der Ablösung des Christentums von der Religion der Tora bis zur Anleihe bei Paulus, um den immer neu aufkeimenden Legalismus katholischer Moraltheologie zu bekämpfen.[98] Ebenso differiert der theologische Ansatz in der Interpretation des Verhältnisses Gesetz – Christus: Ist einmal die Anthropologie der Bezugspunkt und folglich die Frage des Gesetzes eine Frage der Gesetzlichkeit prinzipiell (Schlier, Blank), so ist andererseits eine Mehrheit davon überzeugt, daß es zu einem theologischen Problem um das Gesetz erst da kommt, wo die Exklusivität und Universalität des Heils in Christus durch die Gesetzesobservanz geschmälert wird. Dennoch kommt die Pointe der lutherischen Auffassung von Gesetz und Evangelium nirgends zur Geltung: die Gleichzeitigkeit und Polarität von Gesetz und Evangelium auch im Leben des Christen. Die Einsicht in den heilsgeschichtlichen Horizont der paulinischen Lehre vom Gesetz führt dazu, daß der Christ gesehen wird als der, der seinen Platz allein in der Zeit des Evangeliums hat. Damit ist verbunden, daß die Paränese des Paulus als Teil des Evangeliums erscheint.

Das Anliegen der Reformatoren wird am deutlichsten aufgenommen, wo man einschärft: Diese Paränese, dieses Gesetz des Evangeliums hat keinen gesetzlichen Charakter mehr und ein kirchlicher Legalismus verfällt der apostolischen Kritik. Aber auch hier wird die bleibende Aufgabe des Gesetzes im usus elenchticus legis nicht gesehen und somit die Zuordnung von Gesetz und Evangelium nicht reformatorisch oder wenigstens nicht lutherisch verstanden.

---

97 Mußner, Gesetzes Ende, 37. Vgl. auch Mußner, Gesetz und Evangelium.
98 Vgl. die folgende Aussage von 1974: "Leider kann man nicht sagen, daß die katholische Theologie, speziell die theologische Ethik, seither (seit Söhngen) sich dieser bedeutsamen Unterscheidung (von Gesetz und Evangelium), die in der evangelischen Theologie bekanntlich eine zentrale Rolle spielt, mit besonderem Interesse angenommen hätte. Noch viel weniger freilich hat dies die kirchenamtliche Moralpredigt getan, die in ihren offiziellen Verlautbarungen noch immer weitgehend am moralgesetzlichen Argumentationstypus festhält, wie die jüngste Diskussion um den Abtreibungsparagraphen gezeigt hat." Blank, Evangelium und Gesetz, 69. Vgl. auch Limbeck, Ohnmacht (zu Paulus: 84-107). (Klammern R.O.)

C. Gesetz und Evangelium in der gegenwärtigen evangelischen Exegese

a) Die traditionell lutherische Auffassung

α) Günther Bornkamm

Als Vertreter des ersten Typs sei zunächst Günther Bornkamm genannt. In seiner 1969 entstandenen Studie "Wandlungen im alt- und neutestamentlichen Gesetzesverständnis"[99] erwägt er ein Verständnis der paulinischen Gesetzeslehre, die sich etwa zusammenfassen läßt:

"Nach dem Desaster des als verwüstend und nutzlos erwiesenen Gesetzes hat Christus einen anderen, erfolgreichen und überdies leichten Heilsweg eröffnet."[100]

Der christologische Ansatz in der Interpretation des Gesetzes wäre damit voll zur Geltung gebracht. Der Ausgangspunkt auch bei dieser Sicht des Gesetzes

"ist das äonenwendende Heilsgeschehen in Christus, das sich den Glaubenden als den zur Kindschaft Befreiten kraft der Sendung des Sohnes durch den 'Geist' bezeugt..."[101].

Ebenfalls sprechen dafür

die "häufigen im Zeitschema von Einst und Jetzt reflektierten paulinischen Aussagen über Gesetz und Evangelium"[102].

Und doch wäre damit das Entscheidende nach Bornkamm gerade verfehlt. Denn es muß beachtet werden,

"daß Paulus das Gesetz, obwohl er seine Heilsfunktion bestreitet, tief in der Christologie verankert, aber auch umgekehrt seine Rechtfertigungsbotschaft in der Lehre vom Gesetz ... Das aber heißt soteriologisch-anthropologisch gewendet: von Rechtfertigung und Leben kann nie anders die Rede sein als so, daß damit zugleich Mensch und Welt in ihrer Verlorenheit vor Gott behaftet werden"[103].

Mit dieser Zuordnung von Gesetz und Evangelium, wofür als Beleg vor allem Röm 3,21-31 herangezogen wird, sind beide eng miteinander verknüpft. Sie stehen in der gleichen Zeit und das Gesetz ist stets mit dem Evangelium dienend verbunden. Dabei geht es aber keinesfalls um einen tertius usus legis, vielmehr überführt das Gesetz stets "Mensch und Welt ... ihrer Verlorenheit vor Gott". Der usus elenchticus ist der wahre und eigentliche Gebrauch des Gesetzes und zwar in Vergangenheit und Gegenwart. Wie "lutherisch" Bornkamms Auslegung sich aussprechen kann, zeigen die folgenden Sätze:

---

99   Bornkamm, Wandlungen.
100   a.a.O., 61.
101   a.a.O., 60 f.
102   a.a.O, 62.
103   ebd.

"Diese Behaftung des Menschen inmitten seiner Welt um seiner Befreiung willen ist nach Paulus die eigentliche Funktion des Gesetzes. Es holt den Menschen aus seiner Scheinwelt und bringt ihn dorthin, wo Gott durch Christus sein rettendes Werk schon vollbracht hat und vollbringt. Das Gesetz erfüllt damit höchst dialektisch – zwar nicht mehr direkt, wohl aber indirekt – im Lichte des Heilsgeschehens einen ihm von Gott nach wie vor gegebenen Zweck, zum Leben zu führen, indem es das Leben versagt und das Todesurteil spricht."[104]

Ähnlich wie bei manchen Autoren auf katholischer Seite könnte man auch hier sagen, daß in dieser exegetischen Konzeption alle wesentlichen Elemente der klassischen Gesetzeslehre – in diesem Fall der lutherischen – enthalten sind: Das Gesetz ist das Wort Gottes, das die Sünde des Menschen aufdeckt, ihn seiner Verlorenheit überführt und ihn zum Evangelium hintreibt. Weil der Mensch aber immer Sünder bleibt, solange er in dieser Zeit lebt, ist die Funktion des Gesetzes nie überholt. Das Gesetz ist nicht nur historisch auf das Evangelium hin orientiert, sondern in bleibender "dialektischer" Beziehung.

Mit Hilfe dieser Sicht ist es auch möglich, ohne die Annahme innerer Spannung oder Wandlungen im Verständnis des Gesetzes bei Paulus auszukommen. Spricht der Apostel Röm 10,4 vom Ende des Gesetzes, so meint er damit nicht dessen völlige Abschaffung, sondern nur dies, daß das Gesetz von Christus her auf seinen angemessenen Platz verwiesen wird, und eben davon spricht auch Röm 3,31. Die Rede vom Gesetz erhält so eine großartige Einheitlichkeit, die allerdings kaum zu vermitteln ist mit der Vielgestaltigkeit des alttestamentlichen Zeugnisses vom Gesetz[105] und wohl auch dem Zeugnis eines Matthäus. Für Paulus aber wird Gal 3,15 ff zum entscheidenden Schlüssel des Verständnisses. Das Gesetz kann kein Leben gewähren und soll es auch nicht, es soll zu Christus hinführen, indem es (hier wird Röm 3,20 hinzugenommen) die Sünde aufdeckt.

β) Friedrich Lang

In die gleiche Richtung wie Bornkamm geht Friedrich Lang mit seinem Beitrag: "Gesetz und Bund bei Paulus"[106]. Er geht von der Beobachtung aus, daß Paulus nicht mit Hilfe des Bundesbegriffes eine heilsgeschichtliche Kontinuität herstellt.

---

104 ebd.
105 Vgl. dazu v. Rad, Theologie II, 413-436, besonders etwa 432: "Die bekannte im früheren Luthertum fast zu kanonischer Gültigkeit erhobene Vorstellung von einem Israel, das durch das Gesetz Gottes in einen immer härteren Gesetzeseifer getrieben und das gerade durch diesen Gesetzesdienst und durch die von ihm erweckte Sehnsucht nach dem wahren Heil auf Christus vorbereitet werden sollte, ist aus dem Alten Testament nicht zu begründen." Bei dem lutherischen Alttestamentler v. Rad wird deutlich, daß im Bereich alttestamentlicher Forschung die auch hier zunächst herrschende dogmatische Sicht des Gesetzesbegriffes kaum noch vertreten wird.
106 Lang, Gesetz und Bund.

"Sinaibund und neuer Bund stehen sich bei ihm in dem kontradiktorischen Gegensatz von Gesetz und Glaubensgerechtigkeit gegenüber."[107]

Dann aber ist zu fragen, welche Funktion dem Gesetz überhaupt zukommt. Die Antwort ist wiederum eine Beschreibung des usus elenchticus legis. Das Gesetz führt zu Christus hin:

"Gott wollte von Anfang an, daß der Mensch durch Glauben gerechtfertigt werde, und diesem Ziel ist die Tora eingeordnet. Das Gesetz entlarvt den Sünder als Übertreter des göttlichen Gebots und stellt ihn unter Anklage, es hat jedoch nicht die Kraft zum Leben zu führen (Gal 3,21). Gott hat es so gefügt, daß die Menschen so lange unter dem Gesetz festgehalten wurden bis Christus als Befreier vom Fluch des Gesetzes und Vermittler des Abrahamssegens kam (Gal 3,13 f)."[108]

Lang reflektiert nicht ausführlich über die mit der bleibenden Sünde verbundene dauernde anklagende Funktion des Gesetzes. Klar aber ist, daß es seine Grenze an Christus findet und nicht in gewandelter Form verlängert wird:

"Das Gesetz Christi ist nicht das Gesetz Moses auf höherer Ebene in ethischer oder spiritualisierter Form, sondern die eschatologische Entsprechung zum Gesetz des alten Bundes. Die paulinische Paränese ... (ist) ihrem Wesen nach nicht Gebrauch des Gesetzes (usus legis), sondern Konsequenz des Evangeliums."[109]

Man kann fragen, ob Lang das Problem nicht einfach terminologisch löst, indem er den Ausdruck "Gesetz" dem usus elenchticus legis vorbehält. Wahrscheinlich aber ist, daß für ihn "Gesetz" immer schon den Sinn von "Heilsbedingung" hat. Wenn das Gesetz seinen Sinn in der Aufstellung von Heilsbedingungen hat und dazugleich der Mensch aufgrund seiner fleischlichen Verfassung an der Erfüllung dieser Bedingungen grundsätzlich scheitert, dann kann die soteriologische Funktion des Gesetzes nur in der Desillusionierung des Menschen, in der Aufdeckung seiner Heilsbedürftigkeit, in der Anklage des Sünders bestehen.

γ) Otfried Hofius

Nochmals ausführlich vertreten wird die gekennzeichnete Position von Otfried Hofius in dem Aufsatz "Das Gesetz des Mose und das Gesetz Christi" von 1983.[110] Auch bei ihm ergibt sich aus der Christozentrik der paulinischen Theologie unmittelbar, daß das Gesetz allein in seiner anklagenden Funktion für Paulus relevant ist. In dem folgenden Zitat wird deutlich, daß Hofius seine Einsicht nahezu in der Terminologie Luthers formulieren kann:

"Die Rettung des gottlosen Menschen durch Christus durch die heilschaffende Tat des Kreuzestodes und der Auferweckung Christi und das heilbringende Wort des Evange-

---

107 a.a.O., 313.
108 ebd.
109 a.a.O., 318.
110 Hofius, Gesetz.

liums Christi ist Gottes Heilswille von Anfang an, und diesem Ziel sieht Paulus die Sinai-Gesetzgebung und somit auch Auftrag und Funktion der Sinai-Tora selbst eingeordnet. Die Bestimmung und Funktion, die Paulus der Tora im Heilsplan Gottes zumißt, liegt darin, den gottlosen, der Sünde verfallenen Menschen bei seinem sündigen Tun zu behaften und ihn so seinem göttlichen Richter zu konfrontieren. In der Tora ergeht das Wort der Anklage und des Verdammungs- und Todesurteils."[111]

Die Konsequenzen aus dieser Sicht brauchen nur noch genannt zu werden. In Röm 10,4 geht es nicht um die Ablösung des Gesetzes:

"Dieser Satz will schwerlich besagen, daß durch Christus und seit Christus das Gesetz als Heilsweg abgetan sei; denn Heilsweg war das Gesetz nach Paulus nie, – und zwar nicht nur faktisch nicht, sondern, wie wir sahen, nach seinem ihm von Gott zugemessenen Auftrag nicht."[112]

Vielmehr ist Christus das Ende des Gesetzesbundes. Damit ist die verurteilende Funktion des Gesetzes nicht überhaupt zu Ende. Sie gilt dem Menschen nur insoweit nicht mehr, als er in Christus ist.

"Abgesehen von Christus hat und behält die Tora nach Paulus sehr wohl ihre verklagende und verurteilende Funktion. Sie hat und behält sie über dem, der – ihren Auftrag verkennend – in ihr das Heil zu gewinnen sucht, und so auch, wie der Galaterbrief betont, über dem, der das Heil in Christus und in der Tora zu finden meint."[113]

Weil schließlich Paulus die Tora losgelöst von dieser ihr zugemessenen Funktion nicht denken kann, deshalb muß die Frage nach der Existenz eines tertius usus legis bei Paulus "entschieden verneint werden"[114].

Es ist nicht zu verkennen, daß die Elemente der lutherischen Lehre von Gesetz und Evangelium in diesen exegetischen Entwürfen weitgehend versammelt sind: die Ablehnung der Rede vom Gesetz als einer Alten und Neuen Bund umgreifenden Kategorie, der Ausschluß des tertius usus legis, das gleichzeitige Widereinander des verklagenden Gesetzes und des freisprechenden Evangeliums. Nur bei der Zuordnung der paulinischen Paraklese zum usus elenchticus legis tut man sich schwer. Sie ist eben doch usus practicus evangelii. Aber wie Wilfried Joest gezeigt hat, ist eine solche Zuordnung durchaus im Rahmen von Luthers Denken.[115] Man darf diesen Typ der Interpretation deshalb wohl den lutherischen nennen.

Die Frage muß allerdings gestellt werden, inwieweit die Reduktion des Gesetzes auf seine anklagende und zu Christus hintreibende Funktion dem Befund bei Paulus, ganz zu schweigen von der übrigen Bibel, entspricht: Sind Stellen wie Gal 3,19.24 und Röm 5,20 allein repräsentativ für die paulinische Auffassung vom Gesetz? Hofius lehnt

---

111 a.a.O., 268. Zur "lutherischen Terminologie" vgl. auch die Bemerkung, Paulus wisse "um das servum arbitrium des Menschen". a.a.O., 271, Anm. 30.
112 a.a.O., 276.
113 a.a.O., 277.
114 a.a.O., 278.
115 Vgl. Joest, Gesetz und Freiheit, etwa 132.

die "Unterscheidung zwischen einer ursprünglichen – heilvollen – Intention und einer faktischen – unheilvollen – Funktion der Sinai-Tora" ab.[116]

Aber was wird dann etwa aus Röm 7,10?

Eine weitere Frage ist zu bedenken. Zweifellos ist die vorliegende Interpretation des Gesetzes christozentrisch und zwar in dem Sinn, daß von Christus her die wahre und zu ihm hinführende Funktion des Gesetzes offenbart wird. Allerdings bleibt offen, ob diese Christozentrik nicht nach einer anthropologischen Voraussetzung verlangt: der apriori-Anerkenntnis der Universalität der Sünde.[117] Christologisch die Frage nach dem Gesetz zu beantworten, könnte auch etwas anderes, weniger Dialektisches meinen. Es könnte bedeuten, daß von dem in Christus erschienenen Heil aus die soteriologische Dignität des Gesetzes schwindet, daß das Gesetz eine vorbereitende Bedeutung erhält, ohne in das Bild einer Knüppelpädagogik (das sich gern an Gal 3,24 anknüpft) gepreßt zu werden.

b) Der heilsgeschichtliche Ansatz

α) Peter Stuhlmacher

Einen christologischen Ansatz in der Gesetzesfrage vertritt Peter Stuhlmacher, ohne eine radikale Dialektik von Gesetz und Evangelium anzunehmen. Von seinem Standpunkt aus scheint ihm

"die in der Confessio und Apologie propagierte, das Luthertum bis heute bestimmende Unterscheidung von Gesetz und Evangelium (Verheißung) ebenso leistungsfähig wie problematisch zu sein"[118].

Leistungsfähig ist diese Unterscheidung, weil "Gesetz und Evangelium" sowohl aufgrund seiner Biographie als auch seiner Christologie sich "als die beiden für Leben und Werk des Paulus bestimmenden Mächte" erweisen.

"Strukturell stehen Gesetz und Evangelium bei Paulus in einem dialektischen Spannungsverhältnis. Das Gesetz konstituiert die Welt des vorchristlichen Paulus, die Welt, in welche das Evangelium von Jesus Christus unerwartet als eine das Gesetz überholende

---

116 Hofius, Gesetz, 266.
117 Vgl. etwa den folgenden Passus bei Hofius: "Bereits im Galaterbrief, besonders aber im Römerbrief kommt unzweideutig zum Ausdruck, daß die Tora dem Menschen gegeben ist, der 'fleischlich' ist ... Das Leben dieses der Sündenmacht verfallenen und von ihr bestimmten Menschen ist immer schon ein ausweglos gegen Gott gerichtetes, in Feindschaft gegen ihn gelebtes Leben (Röm 8,7a). Das aber heißt: Der Mensch, der die Tora empfängt und in ihr Gottes Rechtsforderung vernimmt, ist der zum Tun des Guten gänzlich unfähige Mensch, der als solcher dem Gesetz prinzipiell nicht zu gehorchen 'vermag' (Röm 8,7)." Gesetz, 276. Wird hier nicht eine ganz bestimmte Anthropologie zur Voraussetzung des Gesetzesverständnisses gemacht? Nicht ob alle Menschen Sünder sind, steht zur Frage, sondern ob die Anerkenntnis der Universalität der Sünde der Erkenntnis der wahren Bedeutung des Gesetzes noetisch vorausgehen muß.
118 Stuhlmacher, Confessio Augustana, 252.

216 IV. Das Evangelium

Verfügung Gottes einbricht. Wie unsere Überlegungen ergaben, ist der Fluch des Gesetzes und mit ihm das Kreuz der Bezugsrahmen, der dazu verhilft, das Evangelium inhaltlich als Rettungsmacht zu präzisieren."[119]

Die christologische "Entmächtigung der Tora"[120] ist darin begründet, daß das Gesetz den Kreuzestod Jesu zum Fluchtod machte und daß nun umgekehrt die Auferweckung des Gekreuzigten zur Krisis des Gesetzes geworden ist. Das Schweigen Stuhlmachers über die bleibende anklagende Funktion des Gesetzes ist nicht zu verkennen. Zwar gilt es, gegen die These, Christus sei an die Stelle des Gesetzes getreten (Schlatter), daran festzuhalten, "daß Mose und Christus stets Antipoden bleiben"[121], aber das Verhältnis Gesetz – Christus ist zu vielschichtig, als daß es auf die Dialektik von Anklage und Freispruch allein zurückgeführt werden könnte. Neben dem Gegensatz Christi zum Gesetz muß beachtet werden:

"An Christus findet das unter die Herrschaft der Sünde geratene und damit zum Prinzip frommer und unfrommer Selbstbehauptung der Welt vor Gott verkehrte Gesetz ein Ende, das Gesetz also, welches nur noch ein Zerrbild des guten, geoffenbarten Gotteswillens ist. Christus selbst aber ist dem guten Willen Gottes im Gesetz untertan und bringt in seinem eigenen, von Paulus provozierend so genannten 'Gesetz des Christus' (Gal 6,2 vgl. 1. Kor 9,21) den guten Willen Gottes als Liebesgebot gerade zum Vorschein und zur Geltung."[122]

Die "Dialektik" von Gesetz und Evangelium, von der Stuhlmacher selber spricht, wird hier durchkreuzt von einer Dialektik im Gesetzesbegriff selbst. Stuhlmacher kann Gal 6,2 offenbar nicht als rein paradoxen Ausdruck ansehen. Er muß dann aber aus dieser Einsicht weitreichende Folgerungen ziehen:

Man wird "sich entschließen müssen, die anthropologische Dialektik von Alt und Neu, Sünder und Gerechten auch in der Gesetzesdiskussion selbst wiederzufinden, wobei sich das Gesetz des Mose und das Gesetz von Christus wie Alt und Neu gegenüberstehen. Ihre Kontinuität finden sie nur darin, daß das Gesetz des Mose der Gnade Gottes auch in seiner Schwäche zu dienen hat und Christus diesen uranfänglichen Liebeswillen Gottes durchsetzt und lebenschaffend vertritt"[123].

Es ist offenkundig, daß Stuhlmacher sich hier vom lutherischen Verständnis des Verhältnisses von Gesetz und Evangelium löst. Die Alternative von "alt" und "neu" im Gesetzesbegriff erinnert sogar deutlich an Thomas. Jedenfalls wird das Gesetz zu einer in sich differenzierten, aber gerade so Alten und Neuen Bund übergreifenden Kategorie. Auch Stuhlmacher sieht, daß es mit einer simplen heilsgeschichtlichen Lösung von "einst" und "jetzt" nicht getan ist, aber er faßt Röm 10,4 auch nicht so auf, als habe das Gesetz immer aufs Neue die Aufgabe, Menschen zu Christus zu treiben.

---

119 Stuhlmacher, Das Ende des Gesetzes, 186.
120 a.a.O., 185.
121 a.a.O., 187, Anm. 45.
122 a.a.O., 187.
123 a.a.O., 188, Anm. 46.

Vielmehr endet an Christus das subjektiv mißbrauchte und objektiv verdammende Gesetz, nicht aber das Gesetz als "guter Wille Gottes". Dogmatisch gesehen mag das, was Stuhlmacher hier vorträgt und was er in der traditionsgeschichtlichen These von Sinai- und Zionstora weiter ausgeführt hat[124], als Kompromiß erscheinen – exegetisch hat er den Gewinn, Texte wie Gal 6,2 ernstzunehmen und das paulinische Denken stärker in die neutestamentliche oder auch gesamtbiblische Theologie integrieren zu können. Die Unterscheidung im Gesetzesbegriff kennzeichnet diesen zweiten Typ der Interpretation.

β) Siegfried Schulz

Ein weiteres Beispiel für diese Sicht gibt Siegfried Schulz 1983 – beziehungsreicherweise in der Festschrift für Gerhard Ebeling.[125] Für ihn ist klar, daß Gesetzes- und Glaubensgerechtigkeit einander ausschließen und

daß es "für den Christen keinen Übergang mehr vom Gesetz als Heilsmittler zum Evangelium als Zuspruch der Glaubensgerechtigkeit"[126] gibt.

Aber damit ist über das Gesetz noch nicht das letzte gesagt. Vielmehr ist nun gerade zu unterscheiden zwischen der Forderung des Gesetzes selbst und einer sich mit dieser Forderung verbindenden Wertung:

"Die Geltung des mosaischen Gesetzes wird demnach vom Apostel weder auf den alten Äon eingeschränkt noch auf einen uneigentlichen Gebrauch eingeengt. Paulus war auch kein Antinomist noch hat er gnostisch das Mosegesetz in toto verabschiedet. Allerdings unterscheidet er im Gesetz des Mose in der Tat zwischen Alt und Neu, zwischen Gültigem und Ungültigem, zwischen bloßer Forderung und vorgegebener Wertung, so daß nur noch die bloße Forderung und nicht mehr seine Wertung als Heilsweg im neuen Äon Gültigkeit besitzt."[127]

Von daher ist systematisch

"die Frage eines tertius usus legis von Paulus unabwendbar gestellt und kann nach allem bisher Gesagten nur positiv beantwortet werden"[128].

Noch deutlicher als Schulz es tut, kann die Antithese zu der Sicht, die etwa Lang und Hofius vertreten, nicht ausgesprochen werden: Das Gesetz wird von Christus lediglich als Heilsweg abgelöst, ein tertius usus legis existiert, das Gesetz im inhaltlichen Sinn hat Kontinuität. Für Stuhlmacher wie für Schulz gilt, daß die universale Geltung der Formel "Gesetz und Evangelium" für das Verständnis der paulinischen Theologie eingeschränkt wird durch eine Differenzierung im Gesetzesbegriff selbst. Bei Stuhlmacher läßt sich fragen, wie die häufig vorgetragene Zustimmung zu dieser Formel sich vereinbart mit ihrer faktischen Einschränkung. Jedenfalls aber liegt ein Typ

124 Stuhlmacher, Thema biblischer Theologie.
125 Schulz, Gesetzestheologie.
126 a.a.O., 96.
127 a.a.O., 90.
128 a.a.O., 91.

der Interpretation vor, der nicht das Gesetz im paulinischen Denken (und noch weniger im gesamtbiblischen Horizont) pauschal für den usus elenchticus legis vereinnahmt und der, indem er dem inhaltlich verstandenen Gesetz Kontinuität zubilligt, sich öffnet für die Unterscheidung der Zeiten in Christus.

c) Das Gesetz in Kontinuität: Ulrich Wilckens

Ein dritter Typ der Interpretation der paulinischen Auffassung vom Gesetz begegnet mit Ulrich Wilckens. Bei ihm hat das Gesetz dezidiert Kontinuität. Ansatzpunkt ist wiederum seine schon bekannte Grundthese, der Satz "aus Gesetzeswerken wird kein Mensch gerecht" habe seinen Grund in der faktischen Sünde aller Menschen. Wenn das Gesetz also nicht zum Ziel kommt, dann deshalb, weil es Sündern kein Leben zusprechen kann. Gerechtigkeit aus dem Gesetz ist nicht möglich. Damit ist aber keine Disqualifikation des Gesetzes als solchen verbunden.

Vielmehr wird so "vollauf verständlich, daß Paulus den ἐκ πίστεως Gerechtigten auf die Erfüllung des Gesetzes verpflichtet, die im Tun der Liebe besteht. Es ist keinerlei Spannung darin enthalten, daß Paulus das Gesetz im Vorgang der Rechtfertigung des Gottlosen radikal ausschaltet, den aus Gnade Gerechtfertigten aber auf das Gesetz verpflichtet. Daß der Sünder, den das Gesetz als solchen feststellt, seine Sünde nicht durch das Gesetz, sondern allein durch Christus los wird, bedeutet ja nicht, daß das Gesetz als solches abrogiert wird ... Gottes Rechtfertigungstat zielt eben darauf, daß unter uns die Werke des Gesetzes getan werden (Röm 8,3 f)!"[129]

Es ist nach diesem nicht verwunderlich, daß Peter Stuhlmacher in der Diskussion über Wilckens' Referat die Frage stellte,

"ob Christus nur die 'Unterbrechung' oder das 'Ende des Gesetzes' sei"[130].

Tatsächlich kann man den Eindruck gewinnen, als sei Christus dem Gesetz gleichsam zu Hilfe gekommen und habe bewirkt, wozu das Gesetz von sich aus zu schwach war. Ist das Gesetz die Konstante, während die Bedingungen seiner Erfüllung variabel sind (Fleisch und Geist)? Nun wird man sofort hinzufügen müssen, daß für Wilckens das Gesetz seine soteriologische Relevanz ein für allemal verloren hat. Der Sünder findet sein Heil post lapsum nur noch in Christus und nicht mehr im Gesetz. Es ist auch nicht so, daß er nun mit Hilfe der Gnade zur Gesetzeserfüllung instand gesetzt wird, die ihrerseits das Heil erwirkt. Vielmehr behält das Gesetz seine Bedeutung allein für die Ethik und nicht für die Soteriologie. Zwischen dem Gesetz und dem in Christus offenbarten Willen Gottes an die Christen wird nicht in der herkömmlichen Weise differenziert.

Dies ist die Stelle, an der Wilckens auf den Widerspruch des Katholiken

---

129 Wilckens, Was heißt bei Paulus..., 109.
130 Pesch, Zusammenfassung, 106.

Josef Blank stieß und stößt: Auf der gleichen Züricher Tagung, auf der auch das Referat von Wilckens gehalten wurde, erklärt er:

"... daß die Agape als 'Erfüllung des Gesetzes' keinen Werk-Charakter mehr haben kann. Man hat im allgemeinen wohl zu wenig darauf geachtet, daß die paulinische Ethik Paränese bzw. Paraklese ist und keine Gebotsethik mehr, keine neue Gesetzlichkeit."[131]

In einem 1974 erschienenen Aufsatz ergänzt er:

"Paulus hat mit dem Nomos auch dem gesetzlichen Verständnis des Ethischen den Abschied gegeben. Er hat das Ethische vielmehr positiv in den umgreifenden Bezugsrahmen des Evangeliums von der iustificatio impii eingeordnet, konkret gesprochen in den existentiell-anthropologischen Bezugsrahmen von Glauben, Hoffnung und Liebe."[132]

Für Blank ist offenbar das Gesetz in seiner Gesetzlichkeit, also in seinem schlechthin gebietenden und Gehorsam fordernden Charakter, in Christus ans Ende gelangt. Damit ist eine ausdrückliche Disqualifizierung des Gesetzes verbunden:

"Während es zum Wesen des gesetzlichen Argumentationstyps gehört, autoritär zu sein, entspricht der paränetische Argumentationstyp der solidarischen Brüderlichkeit, wie sie in den paulinischen Christengemeinden herrschte. In der Paränese stellt der Anredende sich nicht über die Angesprochenen, sondern ganz an deren Seite, als einer, der die Last der andern mittragen will (vgl. Gal 6,2)."[133]

In der Differenz zwischen Wilckens und Blank spiegelt sich tatsächlich eine alte katholisch-reformatorische Streitfrage, wenn vielleicht auch vergröbert. Auf der einen Seite sieht man im gesetzlichen Wesen des Gesetzes, in seiner autoritativen Form, keinerlei Problem. Problematisch, ablösungsbedürftig wird das Gesetz erst in der Konkurrenz zu Christus (bei Wilckens aufgrund der Tatsache, daß das Gesetz den Sünder nicht retten, sondern nur verdammen kann). Auf der anderen Seite steht eine Auffassung, die eine gesetzliche Form der Ethik allemal für defizitär hält und deshalb in der paulinischen Paraklese gerade das Nicht-Gesetzliche sieht und betont. Hier scheinen tatsächlich die konfessionellen Fronten einmal völlig vertauscht zu sein, wenn auch die Position von Wilckens mehr im Blick auf das Gespräch mit dem Judentum als mit dem Katholizismus expliziert wird, während Blank an einer ganz anderen Front kämpft, der eines katholischen Legalismus.[134]

131 Blank, Warum sagt Paulus..., 67 f.
132 Blank, Evangelium und Gesetz, 77 f.
133 a.a.O., 79.
134 Vgl. etwa a.a.O., 77: "Man muß es als eine große Tragik speziell der traditionellen katholischen Moraltheologie verstehen, daß sie jahrhundertelang das Moralische vorwiegend gesetzlich, kasuistisch verstanden hat. Dabei sind ganz besonders die politischen Indikationen dieses gesetzlichen Moralverständnisses von Bedeutung. Sie führen immer wieder zu dem Versuch der amtskirchlichen Instanzen, ihr Verständnis vom Moralgesetz auch mit Hilfe staatlicher Gesetze zu institutionalisieren, womit nun freilich genau besehen das christlich-neutestamentliche Verständnis des Ethischen verfehlt wurde."

Eine Probe darauf, ob Wilckens richtig verstanden ist, gibt seine Auslegung von Röm 3,31. Häufig wird dieser Vers im Protestantismus verstanden
als Aussage über das Zeugnis der Schrift (= Gesetz) von der Glaubensgerechtigkeit, wie es in Röm 4 ausgeführt wird. Jüngst hat Eduard Lohse diese
Exegese nochmals bekräftigt.[135] Von Wilckens ist zu erwarten, daß er hier
die ethische Wiederinkraftsetzung der Tora ausgesprochen findet. Er formuliert:

"Sofern nun aber durch Gottes Gerechtigkeit Sünder gerecht werden, allein 'aus
Glauben an Jesus' (V 26), ist dem Gesetz seine ursprüngliche Bestimmung: Gerechte
dem Leben zuzusprechen, zurückgegeben."[136]

Nicht so sehr die ethische Geltung ist hier hervorgehoben, als vielmehr die
eigentliche Funktion der Tora: nicht die Verdammung der Ungerechtigkeit,
sondern die Anerkennung der Gerechtigkeit. Wenn durch Christus diese
eigentliche Funktion wiederauflebt, so ist er allerdings zum Wiederherstel-
ler des Gesetzes geworden. (Nochmals: Weil dem Gesetz eine solche
Wiederherstellung niemals möglich war, hat es jede soteriologische Rele-
vanz für sich verloren.) Damit ist der dritte Typ der Interpretation des
Gesetzes gekennzeichnet. Das Gesetz ist hier durchwegs eine positive
Größe. Nur angesichts faktischer Sünde verliert es seine positive Funktion
und spricht dem Sünder sein Urteil. Gerade die in Christus geschehene
Sühne der Schuld verhilft dem Gesetz aufs Neue zu seiner eigentlichen
Funktion. Es ist also sehr wohl eine "alten und neuen Bund umspannende
Kategorie". Christus ist nur das Ende der uneigentlichen Funktion des
Gesetzes und das Gesetz Christi ist nicht nur analoges Gesetz, sondern das
wiederhergestellte. Von einem tertius usus legis möchte man bei Wilckens
nicht mehr sprechen, eher von einem eigentlichen und einem uneigentlichen
Gebrauch dieses Gesetzes.

d) Sachkritik an Paulus: Heikki Räisänen

Mit diesen Überlegungen sind drei Haupttypen der gegenwärtigen Interpretation des paulinischen Gesetzesverständnisses in etwa dargestellt. Weitere
neue Arbeiten bewegen sich innerhalb des aufgestellten Koordinatensy-
stems, so etwa Ferdinand Hahn[137] und Ulrich Luz[138]. Andere Exegeten aber

135 Lohse, Wir richten das Gesetz auf.
136 Wilckens, EKK VI/1, 249.
137 Hahn, Gesetzesverständnis.
138 Luz, Gesetz (zu Paulus: 89-112). Vgl. etwa a.a.O., 108: "Es wird nicht einfach die
Autorität der Mosetora reetabliert, sondern von Christus und seinem Tod her sieht Paulus
die Mosetora in ihrem tiefsten Anliegen und in ihrer eigentlichen Mitte aufgenommen
und bejaht. Ihre Autorität findet ihre Mitte und Grenze in der durch Christus geschaffenen Liebeswirklichkeit, wobei für Paulus dafür nicht so sehr die Lehre Jesu, als das
Kerygma von Jesu Leiden und Sterben das Konstitutive ist." Man wird von daher Luz

üben Sachkritik an Paulus, etwa Peter von der Osten-Sacken, der in der Gesetzeskritik des Apostels eine prinzipielle Verkennung jüdischen Tora-verständnisses am Werk sieht[139] und der ein Widereinander von Gesetz und Evangelium, wo es sich zeigt, gerade als problematischen Zug paulinischen Denkens verstehen muß.

Zuletzt hat Heikki Räisänen in einer umfassenden Studie nochmals die Frage nach dem Gesetz bei Paulus verhandelt[140] und die Überlegungen von der Osten-Sackens erweitert und vertieft. Zunächst widerspricht er der Erwartung, daß in den Paulusbriefen überhaupt so etwas wie eine konsisten-te Theologie zu finden sei:

"He is, however, first and formost a missionary, a man of practical religion who develops a line of thougt to make a practical point, to influence the conduct of his readers..."[141]

Sodann muß beachtet werden, daß der Apostel sich in einem Widerspruch befindet zwischen der neuen Erfahrung mit Christus und der Verpflichtung auf die Tradition:

"While his life was totally oriented to the new powerful experience of Christ, he was bound to pay lip service (surely never realized as such by himself) to the tradition in order to undercut the unity of the divine purpose and will."[142]

Daraus folgt aber schließlich für die "Lehre" vom Gesetz, daß sie selbst widersprüchlich wird und zugleich das zeitgenössische Judentum verzeich-net:

"It seems that Paul has by way of intuition (or because of his faith in Christ, if you like) arrived at important insights regarding for example the Christian's freedom ... But I can find no fault with the Jew who says that, as a Jew, Paul should not have said much that he actually said. In his attempt to tell what the law is all about Paul gets involved in selfcontradictions. What is worse, he conveys a distorted picture of the Jewish religion which has, contrary to Paul's intentions to be sure, had a share in the tragic history of the Jews at the mercy of Christians."[143]

Man ist nicht überrascht, daß Hans Hübner, der selbst eine Studie zur Entwicklung des paulinischen Gesetzesverständnisses beigetragen hat[144], urteilt,

dem zweiten Interpretationstyp zuordnen. An anderen Stellen aber nimmt Luz Wilckens' Interpretation auf. Ob man bei Luz von einer "Sachkritik an Paulus" sprechen sollte, ist mir fraglich. Vgl. Vögtle, Neutestamentliche Wissenschaft, 69.

139 v.d. Osten-Sacken, Verständnis des Gesetzes. Vgl. dort 565: "Weil das Gesetz durch Tod und Auferweckung Jesu Christi in seine eschatologische Gerichtsfunktion eingesetzt ist, darum kann von hier aus für Paulus jüdisches Thoraverständnis, wie es sich selbst sieht und entfaltet, gar nicht zu Gesicht kommen. Es verliert durch jene eschatologische Inkraftsetzung des Gesetzes an Interesse, bzw. es kann nur in eschato-logisch-polemischer Form aufgenommen werden."

140 Räisänen, Paul and the Law.

141 a.a.O., 267.

142 a.a.O., 266.

143 a.a.O., 268.

144 Hübner, Gesetz.

es werde "nicht von katholischer Seite" und darum umso bedenklicher "eine energische Korrektur des gängigen evangelischen Paulusbildes gefordert, die in der Konsequenz die Preisgabe der Substanz der reformatorischen Rechtfertigungslehre bedeuten würde"[145].

Hübner denkt dabei an Sanders, Dunn und eben Räisänen. In der Tat zieht der finnische Neutestamentler an anderer Stelle die Konsequenz, die paulinische Erlösungslehre sei nicht die Mitte der Schrift.

"What magnificent theological structures have been built precisely on this misrepresentation."[146]

Diese Position sprengt das Koordinatensystem der bisherigen Überlegungen, weil sie, indem sie die Position des Paulus in den Konflikten mit dem Judentum problematisiert, zugleich die historische Basis der christlichen Debatten um Gesetz und Evangelium überhaupt in Frage stellt. Wenn die Unterscheidung von Gesetz und Evangelium als Mitte des Christentums bezeichnet wird, wie es etwa Luther tut und auf seine Weise Gottlieb Söhngen es aufgreift, so würden damit nach Räisänen einige nicht systematisierbare Gedanken aus einer unklaren Argumentation des ersten nachchristlichen Jahrzehnts maßlos aufgewertet.

Die einzelexegetische Auseinandersetzung mit Räisänen kann hier nicht geführt werden. Doch will folgendes bedacht sein: Paulus wird in der Sicht Räisänens auf der einen Seite zu einem Mißinterpreten des Judentums, der um die Neuheit der Christuserfahrung willen die Verbindung zur alttestamentlich-jüdischen Tradition und vor allem zur Tora löste oder wenigstens lockerte. Andererseits erscheint der Geltungsanspruch des Gesetzes dogmatisch umso ungefährdeter als die Auseinandersetzung des Paulus mit der Tora historisch höchst relativ und logisch unbefriedigend ist.

Das geht aber am neutestamentlichen Befund insofern vorbei, als ein Blick auf das Matthäus und Johannesevangelium wie auf den Hebräerbrief zeigt, daß die Frage nach der Geltung des Mosesgesetzes in jedem Fall einer Lösung bedurfte. Man kann die mangelnde logische Konsequenz der paulinischen Aussagen über das Verhältnis von Gesetz und Christus beanstanden und muß doch seine immer neuen Anläufe zur Klärung dieses Verhältnisses sehen und anerkennen, daß für das Urchristentum hier offenbar ein lösungsbedürftiges Problem vorlag.

Stimmt die These, daß im Unterschied zum Judentum, wo spätestens seit Sir 24 das Gesetz mit der präexistenten Weisheit identifiziert wurde, bereits das hellenistische Judenchristentum eine solche Identität mit der Weisheit für Christus beanspruchte[147], so ist eine Konkurrenz zwischen Gesetz und Christus von vornherein gegeben. Doch selbst, wenn dies nicht zutreffen sollte und wenn Räisänens Hauptargument gelten sollte, daß Paulus das

---

145 Hübner, Werke des Gesetzes, 124.
146 Räisänen, Legalism, 83.
147 Vgl. Luz, Gesetz 91.

Gesetzesverständnis des zeitgenössischen Judentums entscheidend verzeichnet hat, so bleibt gültig, daß der Apostel in einer alle anderen neutestamentlichen Zeugen weit übertreffenden Intensität nach dem Verhältnis von Christus und Glaube zum Gesetz gefragt hat.

Der Katholik Dieter Zeller versucht in einer Untersuchung "Zur Pragmatik der paulinischen Rechtfertigungslehre"[148] die historische Situation wie den theologischen Stellenwert der paulinischen Rechtfertigungslehre zu bestimmen. Er gelangt zu dem Urteil:

"Aus dem Evangelium, daß Christus für unsere Sünden gestorben ist, ergibt sich ihm unausweichlich, daß hier der einzige Heilsweg vorgezeichnet ist. Um die Exklusivität der Heilsbotschaft von Jesus Christus zu sichern, münzt er die Rechtfertigungsbotschaft, eine Form dieses Evangeliums, um in die Rechtfertigungslehre und weist darin strikt den Anspruch des Gesetzes, Leben zu vermitteln, zurück. Sie ist also die theologische Absicherung des Evangeliums mit Pointe gegen Außenstehende."[149]

Zeller erkennt, daß, wenn auch die Frage des Verhältnisses von Gesetz und Christusbotschaft nicht von vornherein explizit zur Verkündigung des Paulus gehörte, so doch implizit von vornherein darin enthalten war und in der konkreten Auseinandersetzung nur entfaltet werden mußte. Auch die Anwendung der paulinischen Gesetzeskritik auf historisch neue Phänomene – etwa durch Luther – ist von Paulus her eine "Notwendigkeit".

"Daß Paulus die Frage des Gesetzes aus der aktuellen Polemik lösen und zu einem Menschheitsproblem machen kann, zeigt jedenfalls ihren theologischen Rang."[150]

(Zeller denkt dabei an Gal 4,8-10.) Einmal mehr formuliert hier ein katholischer Exeget, was Anliegen reformatorischer Paulusrezeption ist: daß nämlich Rechtfertigungslehre und Gesetzesverständnis des Paulus zwar in einer konkreten (Kampf-) Situation ihren Ursprung haben, aber darin in ihrem theologischen Gehalt nicht gebunden sind. Räisänens Ansatz erscheint somit – sieht man vom Vorwurf des Antijudaismus und der Inkonsequenz gegen Paulus einmal ab – vor allem als hyperhistorische Reduzierung der Tragweite paulinischer Theologie, die deren eigene Impulse zur Verallgemeinerung außer acht läßt.

e) Ergebnis

Versucht man einen Überblick über die exegetische Arbeit am paulinischen Gesetzesverständnis in der evangelischen Exegese der Gegenwart und bringt man sie in Zusammenhang mit der dogmatischen kontroverstheologischen Diskussion um Gesetz und Evangelium, so ergibt sich folgendes

148 Zeller, Pragmatik.
149 a.a.O., 214.
150 a.a.O., 215. Vgl. zur Deutung und Geltung der paulinischen Gesetzeskritik nun auch: Dietzfelbinger, Berufung des Paulus, besonders 90-116.

Bild. Auf der einen Seite wird weiterhin an der traditionellen Front gekämpft, d.h. es wird akzentuiert, daß Christus kein neues Gesetz gebracht
hat und daß Paulus keinen tertius usus legis kenne. Auf der anderen Seite hat
sich die Frontlinie völlig verschoben. Es geht nicht mehr um die Auseinandersetzung mit dem Katholizismus, sondern darum, die paulinische Gesetzeskritik vom Verdacht des Antijudaismus zu reinigen. Damit hat sich die
Fragestellung überhaupt entscheidend gewandelt. Bei einem katholischen
Exegeten wie etwa Franz Mußner ist zu beobachten, daß seine Zuwendung
zur reformatorischen Tradition sehr schnell überholt wird durch das Gespräch mit dem Judentum.[151]

Hatte die traditionelle lutherische Exegese den Dekalog und alle alttestamentlichen Gesetzeskorpora für ihre Rede vom usus elenchticus als dem
usus praeciipuus legis vereinnahmt, so ist längst klar, daß dies dem Sachverhalt im Alten Testament nicht gerecht wird.[152] Diese Einsicht fordert aber
Berücksichtigung in der Paulusexegese. Dies geschieht auf dreifache Weise:

Einmal wird betont, daß Paulus das gesamte Gesetz so auf Christus
bezieht, daß es zu ihm hinführt bzw. durch seine Anklage auf ihn hintreibt.
Das Gesetz hat direkt eine rein negative Funktion, indirekt dient es dem
Christusevangelium.

Eine zweite Lösung stellt in besonderer Klarheit Peter Stuhlmacher vor.
Er unterscheidet zwischen Sinai- und Zionstora, zwischen dem Gesetz, das
an Christus sein Ende findet und dem Gesetz, das in Christus seine Kraft
erhält. (Daß Stuhlmacher mit seinen traditionsgeschichtlichen Thesen manche
Kritik gefunden hat, kann hier nur angemerkt werden.[153])

Die dritte Lösung bietet Ulrich Wilckens, der einerseits die Unfähigkeit
des Gesetzes, dem Sünder Leben zu gewähren, festhält und andererseits die
dauernde Geltung des Gesetzes als Gottes gute Weisung zum Leben betont.

Es liegt auf der Hand, daß die lutherische Verhältnisbestimmung von
Gesetz und Evangelium nur in der ersten Lösung in reiner Form bewahrt ist.
Dennoch nehmen auch die beiden anderen Lösungen auf das reformatorische Thema Bezug, auch wenn sie seine Verengungen überwinden wollen.
Es ist wiederum Stuhlmacher, der dies deutlich sagt, wenn er die reformatorische Unterscheidung von Gesetz und Evangelium "ebenso leistungsfähig wie problematisch"[154] nennt. Erst Räisänen und etwa auch Sanders treten
dafür ein, die paulinische Theologie strikt von ihrer Wirkungsgeschichte zu
trennen und ihre "theologische Reichweite" überhaupt zu reduzieren. Bei

---

151 Vgl. Mußner, Traktat.
152 Vgl. dazu Zimmerli, Gesetz und Propheten.
153 Vgl. z.B. Luz, Gesetz, 153, Anm. 175. Stuhlmacher geht fehl, "weil es eine von der
     Mosetora verschiedene, neue eschatologische Zionstora weder im Alten Testament noch
     im Judentum, noch im Neuen Testament gibt".
154 Stuhlmacher, Confessio Augustana, 252.

Räisänen ist dies aber von dem Versuch begleitet, aus der Situationsbezogenheit der Aussagen des Paulus auf die prinzipielle theologische Inkonsistenz seiner Verkündigung zu schließen. Man darf also sagen: Die klassische Zuordnung von Gesetz und Evangelium spiegelt sich in der Exegese, aber eben nicht nur im Nachvollzug, sondern auch in der Modifikation und in der Negation.

D. Zusammenfassung und Beurteilung

a) Vergleich der Entwicklungen in der katholischen und evangelischen Exegese

In der Darstellung wurde jeweils mit den exegetischen Entwürfen auf katholischer und evangelischer Seite begonnen, die am nächsten bei der klassischen Lehre der eigenen Kirche stehen. Man darf sich aber nicht eine chronologische Reihenfolge von traditionellen Exegesen zu immer kritischeren vorstellen. Alle behandelten Studien sind innerhalb einer relativ knappen Zeit, etwa seit 1965 veröffentlicht worden. Die stark an einer lutherischen Konzeption orientierten Überlegungen von Hofius gehören z.B. zu einem der jüngsten Beiträge in dieser Debatte. Deutlich sollte aber werden, daß auf beiden Seiten die jeweils klassische Lehre auch exegetisch vertreten wird und daß es daneben Entwürfe gibt, die mehr oder minder fern von der konfessionellen Tradition dastehen. Dabei gibt es auffällige Überschreitungen bisheriger Grenzen. Deutlich wird dies an der Debatte zwischen Blank und Wilckens, aber etwa auch daran, daß die Thesen von Wilckens und Andrea van Dülmen in vielem übereinstimmen. Vereinfachend kann man sagen: Die traditonellen Positionen im einen konfessionellen Lager werden im anderen von niemand vertreten. So findet sich zur Betonung des usus elenchticus legis auf katholischer Seite keine Entsprechung und umgekehrt wird die Rede vom alten und neuen Gesetz in den protestantischen Reihen höchstens ganz am Rand rezipiert (andeutungsweise bei Stuhlmacher, allerdings gegen van Dülmen). Alle anderen Positionen aber sind in beiden Lagern denkbar und haben dort auch faktisch ihre Anwälte. So ist etwa zwischen Franz Mußner und Peter Stuhlmacher, von der unterschiedlichen Terminologie abgesehen, kaum ein Unterschied auszumachen.

Interessanter ist die Frage nach der jeweiligen Tendenz auf beiden Seiten. Denn innerhalb der verschiedenen gleichzeitig vertretenen Positionen wird doch eine Bewegung sichtbar. So ist katholische Exegese zunächst bedacht, die historische Bedingtheit der Auseinandersetzungen des Paulus mit dem Gesetz darzustellen. Mißtrauen herrscht gegenüber Anwendungen in anderen Situationen. Die Frage ist, ob die Aussagen des Paulus nicht in eine Unwiederholbarkeit geraten, die sie für spätere Zeiten in ihrer normativen

Geltung faktisch einschränkt. Doch schon bei Mußner ist klar, daß er dem Thema über den Ort des Galaterbriefs hinaus Bedeutung zumißt (wofür Söhngen sicher bahnbrechende Wirkung hatte). Bei Blank und in differenzierender Weise auch bei Zeller (Unterschied von Rechtfertigungsbotschaft und Rechtfertigungslehre) wird die Frage des Gesetzes geradezu ein "Menschheitsthema".

Die Entwicklung auf protestantischer Seite hat teilweise gegenläufigen Charakter. Ist zunächst das Problem des Gesetzes ein Problem der Gesetzlichkeit, ja eine prinzipiell anthropologische Frage (so in der Bultmannschule), so wird sie bei Stuhlmacher eine prinzipiell christologische. Bei Wilckens wird das Gesetz überhaupt "entproblematisiert" und der Akzent verlagert sich auf die faktische Sünde, die durchs Gesetz nicht zu beseitigen ist. Bei Räisänen und manchen angelsächsischen Theologen wird die Auseinandersetzung des Paulus mit dem Gesetz dann historisch entscheidend relativiert, bei den letzteren gewiß nicht zuletzt deshalb, weil ihnen die klassischen Gegensätze zwischen römisch-katholischer und reformatorischer Theologie nicht in der gleichen Weise nahe sind wie etwa deutschen Theologen.

Stimmt das hier gezeichnete Bild, so stellt sich die nächste Frage, was das Movens dieser Bewegungen ist. Ist es nur die zunehmende Ungebundenheit historisch orientierter Forschung? Dies scheint zwar richtig, aber keine ausreichende Antwort zu sein. Denn ungebundene historische Forschung ist zumindest auf protestantischer Seite nicht neu. Zu ihr kommt nun ein "ökumenisches" Motiv hinzu.

Bei den katholischen Exegeten wird das Bewußtsein für die Bedeutung der einschlägigen Paulustexte für die Reformatoren, besonders für Luther, immer stärker. Auch wenn der Abstand zwischen Paulus und der Reformation betont wird, so ist doch klar: Diese Wirkungsgeschichte kann nicht übergangen werden. Es geht um keine Nebensache biblischer Theologie. Bei einem Teil der protestantischen (und auch der katholischen) Neutestamentler aber nimmt das Gespräch mit dem Judentum einen immer breiteren Raum ein. So kommt es zur Überprüfung exegetischer Positionen, die mit dem gleichen Methodeninstrumentarium, aber ohne dieses Gesprächsinteresse erarbeitet worden sind. Die traditionellen Kontroversen, etwa um den tertius usus legis sind dann weniger im Blickfeld. Implizit aber werden auch sie beantwortet.

b) Rückfragen bei Paulus

Es ist in diesem Zusammenhang nicht möglich und wohl auch nicht nötig, eine kurzgefaßte Theologie des Gesetzes bei Paulus zu entwerfen. Es geht allein um die Frage, ob und inwieweit die reformatorische Formel "Gesetz und Evangelium" die Verkündigung des Apostels Paulus trifft.

Dabei ist der Ausgangspunkt die Beobachtung Adolf von Harnacks:

"Allein Paulus selbst, obschon der Gegensatz (von Gesetz und Evangelium) im allgemeinen seiner Überzeugung entspricht, hat ihn doch niemals so formuliert. Wo er von νόμος spricht, hat er niemals von εὐαγγέλιον gesprochen und umgekehrt."[155]

Diesem Befund ist nicht zu widersprechen. Paulus spricht von "Gesetz und Glaube" (Gal 3, 2.23 und öfter) und "Gesetz und Christus" (Gal 2,21 und öfter) – aber er spricht eben nicht von "Gesetz und Evangelium".

Lutherische Theologie hat demgegenüber darauf bestanden, daß zwar nicht die Formel, wohl aber die Sache von Gesetz und Evangelium paulinisch sei. So urteilt etwa Wilfried Joest am Ende seiner überaus sorgfältigen Studie "Gesetz und Freiheit":

"Im Neuen Testament besteht also nicht nur ein dialektisches Verhältnis zwischen dem Gesetz ante Christum und dem Evangelium in Christo, das dann im christlichen Raume einem 'Mittleren' Platz machte; sondern jenes diametrale Spannungsverhältnis setzt sich fort innerhalb der dem Glaubenden als solchem geltenden Parainese, in dem Gegeneinander von Furchtmotiv und Zuspruch der Gewißheit. Nicht nur Röm 2,13 und 3,28, sondern auch 2. Kor 5, 10 und 1. Thess 1, 10 stehen einander dialektisch gegenüber: Christus der Richter - Christus der Eretter aus dem kommenden Zorn. ... Das Gesetz wird auch nach der Verkündigung des Evangeliums, auch im Raume, wo man das Evangelium ausspricht und weiß, noch einmal unmittelbar treffende Wirklichkeit, der das Evangelium aufs neue entgegentritt."[156]

Ein anderer lutherischer Dogmatiker, Wolfhart Pannenberg, spricht 1975 von dem,

was "zur zeitbedingten Gestalt der Reformation und ihrer Theologie" gehört. "Dazu rechne ich vor allem die einseitige Konzentration auf eine dem neuzeitlichen Denken fremdgewordene Bußgesinnung... Dazu gehört weiter – und eng mit solcher Bußgesinnung verknüpft - die spezifische Gestalt der Unterscheidung und Zuordnung von Gesetz und Evangelium, wie sie die lutherische Theologie entwickelt hat, die sich aber mit der heilsgeschichtlichen Abhebung der Zeit des Evangeliums von der des Gesetzes im Sinne der paulinischen Aussagen nicht deckt."[157]

Wie nun: Hat die Zeit des Evangeliums die Zeit des Gesetzes unwiderruflich abgelöst oder wird das Gesetz auch nach der Verkündigung des Evangeliums noch einmal unmittelbar treffende Wirklichkeit?

Die erste ausführliche Auseinandersetzung des Paulus mit dem Gesetz findet sich im Galaterbrief. Dort aber kann kein Zweifel sein. Die Zeit des Gesetzes ist vorüber. Das Gesetz ist "hinzugekommen um der Sünde willen, bis der Nachkomme da sei, dem die Verheißung gilt" (3,10). Das Gesetz war der "Zuchtmeister auf Christus hin ... Nachdem aber der Glaube gekommen ist, sind wir nicht mehr unter dem Zuchtmeister." (3, 24.25)

Das Urteil Hübners ist wohlbegründet:

---

155 v. Harnack, Evangelium, 218.
156 Joest, Gesetz und Freiheit, 192
157 Pannenberg, Ethik und Ekklesiologie, 261. Vgl. dazu meinen Aufsatz: Gesetz und Evangelium – ein lutherisches Sonderthema.

"Die Zeit des Gesetzes ist also abgelaufen, es währt nicht bis in alle Ewigkeit, wie jüdischer Glaube dies für sicher hält."[158]

Der Grund für dieses Ende des Gesetzes ist m.E. auch im Galaterbrief letztlich ein rein christologischer: "Wenn die Gerechtigkeit durch das Gesetz kommt, so ist Christus vergeblich gestorben." (2,21) Die "exegetische" Auseinandersetzung mit dem Gesetz in Gal 3 und 4, d.h. die Berufung auf den Glauben Abrahams nach Gen 15,6, der Hinweis, daß das Gesetz "von Engeln durch einen Mittler" gegeben wurde, ist sozusagen "argumentativer Überschuß", ist der Schriftbeweis, der gewährleistet, daß Paulus sich mit seiner These vom Ende des Gesetzes nicht von der Schrift und vom Glauben Israels trennt.

Daß aber das Gesetz seine Zeit hatte bis zur Sendung des Sohnes und danach die Unmündigkeit unter dem Gesetz endet und die Zeit der Kindschaft beginnt, das sagt Gal 4,4 f mehr als deutlich.

Nach dem Galaterbrief gibt es also keine Gleichzeitigkeit, keine Dialektik von Gesetz und Evangelium. Nun aber redet Paulus im Römerbrief bekanntlich nocheinmal anders vom Gesetz als im Brief an die Galater. Daß das "Gesetz heilig und das Gebot ... heilig, gerecht und gut" sei (Röm 7,12) hätte man nach der Lektüre des Galaterbriefes wohl nicht vermutet. Paulus zeigt hier, daß das Gesetz, obwohl es geistlich ist, sein Ziel nicht erreichen kann, weil der Mensch, dem es gilt, Fleisch ist, ein Sklave der Sünde (Röm 7,14). Dann aber kommt Paulus zu einer Formulierung, die der von Gal 4,4 f sachlich völlig entspricht. Die Sendung des Sohnes ist das Ende der Zeit des Gesetzes. "Denn was dem Gesetz unmöglich war, weil es durch das Fleisch geschwächt war, das tat Gott: er sandte seinen Sohn in der Gestalt des sündigen Fleisches und um der Sünde willen und verdammte die Sünde im Fleisch, damit die Gerechtigkeit vom Gesetz gefordert, in uns erfüllt würde, die wir nun nicht nach dem Fleisch leben, sondern nach dem Geist." (Röm 8, 3-4)

Die von Joest angeführte Aussage Röm 2, 13, daß nicht die Hörer, sondern die Täter des Gesetzes gerecht seien, steht dem nicht entgegen. In Röm 2 handelt Paulus von der Allgemeinheit der Sünde, zunächst bei den Heiden, dann bei den Juden. Die Juden haben keinen Vorzug gegenüber den Heiden, obwohl sie das Gesetz haben. Denn den Heiden ist das Gesetz "ins Herz geschrieben" (Röm 2, 15). Und eben: Nicht die Hörer, sondern die Täter des Gesetzes sind gerechtfertigt. Das aber steht im Kontext des Beweises, daß alle Menschen Sünder sind. Also erfüllt das Gesetz seine Funktion, die Täter zu rechtfertigen bei niemandem.

Mag es auch zwischen Galater- und Römerbrief bei der Theologie des Gesetzes eine Fülle von Unterschieden geben – selbst Hübner, der diese Unterschiede sorgfältig herausgearbeitet hat, urteilt:

---

158 Hübner, Das Gesetz bei Paulus, 34.

"Der in beiden Briefen begegnende Gedanke, daß Gott nomos und hamartia in seine Heilsintention integriert, geschieht jeweils in unterschiedlicher Explikation. In Gal bediente sich der Apostel der hochmythologischen Vorstellung vom Engelgesetz. In Röm bedarf es dieses Mythos nicht mehr. Er kann nun, um sein theologisches Anliegen, das bereits in Gal deutlich wurde, durchzuhalten, den nomos als nomos Gottes in seine Rechtfertigungstheologie integrieren. Nicht provoziert nun das Engelgesetz die Sündentaten, die parabaseis, vielmehr bringt nun das Gottesgesetz dem Sünder die Sünde, die hamartia zum Bewußtsein."[159]

Damit aber ist das Gesetz für den Christen überholt. Denn seine bleibende Geltung würde die bleibende Sünde des Christen voraussetzen, mit anderen Worten: Sie würde das simul iustus et peccator voraussetzen. Genau diese Voraussetzung aber wurde in § 2 als für Paulus ungültig abgewiesen.

Allerdings wurde von Joest das Argument vorgebracht, daß auch Paulus zu den Christen vom noch ausstehenden Gericht spricht, etwa in 2. Kor 5, 10. Nun wird man zunächst sagen müssen, daß nur Röm 14,10 und 2. Kor 5,10 vom Gericht über die Christen sprechen. Röm 2,16 spricht vom Gericht, das die verborgenen Gedanken der Heiden offenbar machen wird, 1. Kor 11,32 davon, daß der Herr die Christen dazu richtet, daß sie nicht verdammt werden. Röm 14,10 steht im Kontext der Warnung vor dem Richten über den Bruder. Jeder wird für sich selbst Rechenschaft geben müssen – eine Gerichtsdrohung, die dem Evangelium von der Versöhnung dialektisch gegenübersteht, läßt sich daraus nicht entnehmen. Auch 2. Kor 5,10 – sicherlich der stärkste Beleg für das Gericht über die Christen – ist von 5,7 her zu lesen: Die irdische Existenz ist nicht das Letzte. Es steht noch etwas aus, das "Daheimsein" beim Herrn. Ihm zu gefallen ist auch jetzt schon das entscheidende Kriterium christlicher Existenz (5,9). Dann kommt als letzte Steigerung das – sicherlich traditionelle – Motiv: Wir müssen offenbar werden vor dem Richterstuhl Christi. Nirgends spricht also Paulus vom Gericht um des Gerichtes willen. Es geht immer um das "Nochnicht" christlicher Existenz. Auch in 1. Kor 4, 1-5 verwendet Paulus dieses Motiv vom Gericht Christi, das noch aussteht. Hier aber begründet Paulus höchst selbstbewußt, warum ihm das Gericht der Menschen nichts bedeutet. Das eigentliche Gericht kommt erst noch. Dann aber wird ein jeder "sein Lob" empfangen.

Natürlich ist die Rede vom noch ausstehenden Gericht auch so ernstzunehmen, daß der Christ noch "fallen" kann (1. Kor 10,12), daß es auch noch zur Aufdeckung des Bösen kommen kann. Aber daß Paulus den Christen für gefeit hält vor der Sünde, wurde in dieser Arbeit nie behauptet. Nur: Die Warnung vor dem Fall, der noch kommen kann, die Erinnerung, daß der Christ noch nicht am Ziel ist, sondern daß er unterwegs ist und daß er gefährdet ist, solange er unterwegs ist, das ist eines – und das Gesetz, das die Sünde aufdeckt und den Menschen zu Christus hintreibt, ist etwas anders. Das eine kommt vom Heilsgeschehen her und sagt "halte, was du hast" (Apk

159 a.a.O., 76.

3,11) und das andere führt zum Heil hin und sagt: "Du mußt Christus haben"
– weil du ihn noch nicht hast.

Ohne Zweifel gehören Röm 14,10, 2. Kor 5,10 und 1. Kor 11,32 zur
paulinischen Paränese. Für diese insgesamt gilt: Sie kommt vom Heilsgeschehen her und ermahnt zu seiner Bewahrung. Als solche ist die Paränese
nicht Gesetz im Sinne der prägnanten Formel "Gesetz und Evangelium".
Selbst, wenn man die Paränese analog "Gesetz" nennt, wie es die paradoxe
Formulierung Gal 6,2 nahelegen könnte, oder wenn man den Ausdruck
tertius usus legis gelten lassen möchte, was m.E. terminologisch höchst
problematisch ist, dann gilt: Den Sachverhalt, den die Formel "Gesetz und
Evangelium" exakt bezeichnet, nämlich die Gleichzeitigkeit von zum Heil
hinführender Forderung Gottes und das Heil zusprechender Verheißung in
der christlichen Existenz gibt es bei Paulus nicht.

So hat Pannenberg recht, wenn er sagt, die spezifisch lutherische Gestalt
der Unterscheidung von Gesetz und Evangelium sei unpaulinisch.

Allerdings hat die Rede von Gesetz und Evangelium für die evangelische
Dogmatik und Fundamentaltheologie gerade des 20. Jahrhunderts eine noch
wesentlich weitreichendere Bedeutung als die sachlich verwandte Formel
simul iustus et peccator. Und es dürfte noch schwerer sein, um des exegetischen Befundes willen auf die erste Formel zu verzichten als auf die
zweite. Schließlich hat die Unterscheidung von Gesetz und Evangelium
auch eine immense Bedeutung für die evangelische Homiletik. Die Einsicht, daß bei Paulus eine echte Wende von der Zeit des Gesetzes zur Zeit des
Glaubens bzw. des Evangeliums hinführt, nötigt auch nicht unbedingt zur
Preisgabe dieser theologischen Fundamentalunterscheidung. Inwiefern aber
eine Formel, die für Paulus schlicht nicht zutrifft, dennoch für eine an die
Schrift gebundene Theologie höchst notwendig sein kann – dies zu klären
wäre Aufgabe einer hermeneutischen Besinnung, die m.E. noch nicht
einmal in Umrissen so vorliegt, daß sie auf einen Konsens in Theologie und
Kirche hoffen dürfte.

V. Ergebnis

§ 9 Exegetischer Konsens und ökumenische Relevanz

A. Tendenzen im Vergleich evangelischer und römisch-katholischer Paulusexegese

a) Die Situation allgemein

Es kann am Ende dieser Arbeit nicht darum gehen, die Ergebnisse der Einzelvergleiche nochmals zusammenzutragen. Dazu sei auf die Zusammenfassungen am Schluß der jeweiligen Paragraphen verwiesen. Hier aber sollen Tendenzen sichtbar gemacht werden, die die exegetische Arbeit an Paulustexten auf beiden Seiten je im ganzen durchziehen.

Soll man und darf man von einem ökumenischen Konsens in der Paulusexegese sprechen? – So wurde in der Einleitung gefragt. Die Antwort kann kein einfaches Ja oder Nein sein. Tatsächlich werden Aspekte des reformatorischen Paulusverständnisses heute von vielen katholischen Exegeten vertreten und umgekehrt finden sich Einsichten, die traditionell der römisch-katholischen Theologie zugehören, bei evangelischen Neutestamentlern.

Man kann aber deshalb noch nicht behaupten, es gebe kein katholisches oder evangelisches Paulusverständnis mehr. Die Auseinandersetzung etwa Günter Kleins mit Ulrich Wilckens über das Verständnis der Sünde bei Paulus (vgl. § 4) zeigt deutlich, daß es Klein um mehr geht als eine Differenz auf der rein historisch-exegetischen Ebene. Sein Sachanliegen ist die Verteidigung des reformatorischen Sündenverständnisses als eines transmoralischen und transsubjektiven und damit zugleich die Verteidigung der Rechtfertigung als Rechtfertigung des Sünders. Klein sieht nämlich bei Wilckens' Exegese die Gefahr, daß aus der Rechtfertigung des Gottlosen Gottes gnadenhafte Hilfe für den schwachen, doch gutwilligen Menschen wird. Wenigstens an dieser Stelle ist für Klein die Sache der paulinischen Texte identisch mit einer Einsicht reformatorischer Theologie.

Umgekehrt ist Heinrich Schliers Akzent auf der realen und kontinuierlichen Gegebenheit des neuen Lebens in Christus nur zu verstehen als dezidierte Bejahung der traditionell-katholischen Gnadenlehre. Die Verneinung der Möglichkeit subjektiver Heilsgewißheit in der christlichen Existenz bei Otto Kuss hat nicht nur Anschluß an tridentinische Lehrbestimmungen, sie hat auch deutlich Anteil an der antireformatorischen Stoßrichtung dieser Lehrsätze. Aber auch in der katholischen Theologie gibt es Kritik an einer Exegese, die traditionellen Lehraussagen allzu sehr entspricht, so etwa wenn Karl Kertelge gegen Schlier den forensischen Charakter des Rechtfertigungsgeschehens verteidigt oder wenn Kuss selbst das (allerdings nicht im vollen reformatorischen Sinn verstandene) sola fide als berechtigt anerkennt.

Die konfessionellen Traditionen sind also aus der exegetischen Arbeit nicht einfach verschwunden. Keinesfalls darf man annehmen, es stünden sich in der Theologie auf beiden Seiten konfessionelle Dogmatik und nicht-konfessionelle Exegese gegenüber. Vielmehr findet auf beiden Seiten in der exegetischen Arbeit eine Auseinandersetzung auch mit der eigenen Lehrtradition statt. Im Zuge dieser Auseinandersetzung kommt es dann immer wieder zu einem überkonfessionellen Konsens der Exegeten, der zunächst durchaus punktuell ist. Das Programm einer Exegese, die deshalb, weil sie historisch und nicht dogmatisch orientiert ist, *prinzipiell* ökumenisch ist, ist durch den faktischen Befund zunächst weder bestätigt noch widerlegt. Die in dieser Arbeit dargestellte Forschungsgeschichte zeigt einen interkonfessionellen Konsens in der Paulusexegese, der seit dem Eintritt der katholischen Theologie in die historisch-kritische Forschung am Neuen Testament beständig gewachsen ist, der aber noch keineswegs vollständig ist. Die Verständigung zwischen Exegeten verschiedener Konfessionen geht aber wenigstens teilweise einher mit dem Eindringen der alten kontroverstheologischen Auseinandersetzungen in die jeweiligen Lager.

Dabei ist zu beachten, daß das Interesse an der ökumenischen Verständigung in der Exegese sehr unterschiedlichen Widerhall findet. Auf der einen Seite wird an einem Evangelisch-Katholischen Kommentar zum Neuen Testament gearbeitet, der programmatisch der Verständigung zwischen römisch-katholischer und evangelischer Schriftauslegung gewidmet ist. Auf der anderen Seite ist das Gespräch mit dem Judentum für viele Exegeten wichtiger geworden als das zwischen den christlichen Konfessionen. Gerade bei der Frage nach Sinn und Berechtigung der paulinischen Gesetzeskritik wird diese Akzentverlagerung deutlich.

Geht es beim interkonfessionellen Gespräch darum, daß evangelische Exegese die prinzipielle Bedeutung der Alternative "Gesetz und Christus" den katholischen Gesprächspartnern einschärft und lehrt man dabei häufig eine wesentliche Insuffizienz des Gesetzes selbst, so will etwa Wilckens nunmehr das Gesetz gerade vor diesem Vorwurf in Schutz nehmen und die Verantwortung für das Scheitern des Gesetzesweges allein auf die Sünde des Menschen legen. Dies geschieht zu einer Zeit, da viele katholische Exegeten die evangelische Sicht der Gesetzesfrage bereits akzeptiert haben. Das Bild der Diskussion zwischen evangelischer und katholischer Paulusexegese ist nicht zuletzt deshalb verwirrend, weil bereits antijudaistische Tendenzen aufgesucht und bekämpft werden, während die Frage antikatholischer bzw. antireformatorischer Tendenzen noch nicht erledigt ist.

Bei Sanders und Räisänen kann man sogar den Eindruck gewinnen, sie wollen die Einsicht, daß man Paulus nicht ohne weiteres nach reformatorischer Art als Kronzeugen gegen die katholische Theologie aufrufen kann, nun auf die Begegnung mit dem Judentum anwenden. Sei es, daß man ein falsches Bild vom Judentum zur Zeit des Apostels kritisiert (Sanders), sei es, daß man davor warnt, Paulus eine systematische Reflexion zu unterstellen, die er nicht geleistet hat (Räisänen), jedenfalls gilt: Paulus kann nicht als Kronzeuge gegen das Judentum auftreten. Die klassischen kontroverstheologischen Differenzen treten dann hinter der neuen Perspektive zurück.

Nicht übersehen werden darf dabei, daß der reformatorisch-katholische Gegensatz ohnehin nur für die europäische und insbesondere für die deutsche Theologie prägend war. Es ist deshalb nicht verwunderlich, daß Exegeten aus einem anderen Kontext weder eine tiefergehende Kenntnis dieser kontroverstheologischen Problematik noch ein besonderes Interesse an ihr verraten.

Wo also ein interkonfessioneller Konsens in der Paulusexegese feststellbar ist, kann dieser unterschiedliche Gründe haben. Es kann sich einmal darum handeln, daß die Wirkungsgeschichte der Texte und damit auch ihre kontroverstheologische Bedeutung ausdrücklich in der exegetischen Arbeit mitreflektiert wurde. Wo dies geschieht, wird die Wirkungsgeschichte auf den "historischen" Sinn hin, d.h. auf die ursprüngliche Kommunikationssituation und Intention der Texte hin relativiert. Zum anderen aber ist denkbar, daß ein Konsens sich einstellt, wo das durch die Reformation ausgelöste und bestimmte ökumenische Problem nicht oder nicht mehr im Blick ist und neue Fragestellungen und Kontroversen das Feld beherrschen. Schließlich wäre zu überlegen, welchen Konsens eine Exegese hervorbringt, die sich einzig der Rekonstruktion des ursprünglichen Sinnes der Texte widmet und die Frage nach ihrer gegenwärtigen Bedeutung ausblendet. Wenn etwa Wolfgang Schenk formuliert:

"Es gibt ebensowenig eine kirchliche Exegese wie es eine materialistische, feministische oder strukturalistische Exegese gibt."[1] –

dann ist zu erwarten, daß auf der von Schenk intendierten textlinguistischen Interpretationsebene Übereinstimmungen möglich werden, die quer zu den hergebrachten konfessionellen Fronten verlaufen. Nur sollte man sich hüten, hier ohne weiteres von einem *ökumenischen* Konsens zu reden. Ökumenischer Konsens ist m.E. nur denkbar als Konsens des gelebten Glaubens, d.h. des in den verschiedenen Kirchen gelebten Glaubens. Eine Exegese, die nicht kirchlich ist und es auch nicht sein will, stellt sich zunächst einmal außerhalb des intra- und interkirchlichen Verständigungsprozesses über den Glauben. Was der Beitrag einer dezidiert unkirchlichen Exegese zur ökumenischen Verständigung sein könnte, müßte zumindest erst dargestellt und begründet werden. Aus dieser Situationsbeschreibung sollte deutlich werden, daß man vom "ökumenischen Konsens" in der Paulusexegese nicht ohne weiteres sprechen darf. Wo interkonfessionelle Übereinstimmungen sichtbar werden – das ist sehr häufig der Fall, wie gezeigt wurde – ist zunächst zu fragen, ob solche Übereinstimmungen zustandegekommen sind, indem die jeweilige kontroverstheologische Pro-

---

1   Schenk, Philipperbriefe, 20.

blematik ernstgenommen wurde oder indem sie übergangen wurde. Sodann muß die prinzipielle hermeneutische Frage erörtert werden, wie sich Übereinstimmungen auf der historischen Ebene zum Konsens im Bekenntnis verhalten.

b) Einzelne Tendenzen der exegetischen Arbeit

Auch wo weitgehende Übereinstimmungen in den exegetischen Forschungsergebnissen zu verzeichnen sind, kann man versuchen, ein Profil evangelischer und römisch-katholischer Paulusexegese zu entwerfen. Denn auf beiden Seiten gibt es Themen, die stärkere oder geringere Beachtung finden; es gibt Tendenzen, bestimmten paulinischen Aussagen einen höheren oder niedrigeren Stellenwert einzuräumen, und es gibt den Ansatz zu einem Gesamtbild paulinischer Theologie. Insofern nicht nur disparate Aussagen bzw. Gedanken des Apostels analysiert werden, sondern versucht wird, seine Verkündigung zu rekonstruieren, muß jede Exegese werten. Sie muß unterscheiden, worauf bei Paulus das Gewicht liegt und worauf nicht. Eine bloße Addition von Einzelinterpretationen wäre noch keine Paulusexegese.

Nun zeigt sich aber, daß die Gewichte auf evangelischer und katholischer Seite im ganzen verschieden verteilt werden, auch wenn einzelne Exegeten sich einmal untypisch verhalten. Zwei markante Beispiele seien jeweils genannt.

Katholische Paulusexegese ist sehr zurückhaltend, wenn es um das Evangelium als Kraft Gottes geht, d.h. um die Wirksamkeit der Verkündigung zum Heil (vgl. § 6). Daß das Evangelium bei Paulus in erster Linie nicht eine kodifizierte Lehre ist, sondern wirksame mündliche Verkündigung, daß es also auch nicht zuerst um den Lehrinhalt des Evangeliums geht, sondern um die Effektivität des Wortes vom Kreuz, daß schließlich nicht die Doktrin von der Rechtfertigung des Sünders die Mitte der Schrift ist, sondern die Gerechtigkeit wirkende und austeilende Christusverkündigung, das alles wird von katholischen Exegeten nur zögernd oder gar nicht aufgenommen. Der Vorwurf an die reformatorische Theologie, durch die Konzentration auf die Rechtfertigung den Kanon zu reduzieren, ist ein Symptom der Fixierung auf das Evangelium als Lehrinhalt.

Dieses Defizit will nun interpretiert sein: M.E. zeigt sich hier eine "historische" Orientierung katholischer Exegese. Indem sie das Evangelium vor allem als Lehrinhalt versteht, ist es zugleich objektiviert. Der Abstand zwischen der Gegenwart und der Formulierung des paulinischen Kerygmas ist dabei immer schon mitgedacht, auch wenn sich der Exeget dies nicht bewußt macht. Wird das Evangelium aber vor allem als mündliche Verkündigung und von seiner Effektivität her verstanden, so ist der historische Abstand zu Paulus in den Hintergrund getreten. Im Vordergrund steht das gegenwärtige Evangelium schon deshalb, weil aktuelle, noch nicht kodifizierte Verkündigung immer Gegenwart ist. Diese Differenz wird verwischt, wo Exegese auch auf evangelischer Seite nicht vom Evangelium als Kraft Gottes selbst handelt, sondern von einem "Kraft-Gottes-Gedanken" oder einer "Evangeliumsvorstellung" des Paulus. Vielfach aber ist in der evangelischen Exegese das Interesse am aktuellen Geschehen des Evangeliums wahrnehmbar, an dem Heute des Glaubens (Heb 3,7 f), der aus der Predigt kommt (Röm 10,17). Es wird noch zu fragen sein, wie historische Paulusforschung und Interesse am gegenwärtig wirkenden Evangelium sich zueinander verhalten. Hier sei lediglich festgehalten, daß katholische Exegese deshalb am Evangelium als Verkündigungsgeschehen wenig Interesse zeigt, weil sich dieses einer historisch-objektivierenden Beschreibung entzieht.

Ein zweites Beispiel fügt sich an: Katholische Exegese bleibt auch angesichts paulinischer Gewißheitsaussagen (Röm 8,31-39) reserviert bis ablehnend gegenüber der reformatorischen Frage nach subjektiver Heilsgewißheit. Der schon erwähnte Hinweis Dieter Zellers, daß dies eine moderne Fragestellung sei, verstärkt nur den Eindruck der historischen Orientierung. Der Effekt der zum Heil wirksamen Verkündigung des Evangeliums in der Gegenwart ist Gewißheit des Heils (vgl. nur 2. Kor 4,13 und parallele Aussagen; Röm 5,1-5 usw.). Auch dem Evangelium als Lehrinhalt kommt Gewißheit zu, aber es ist die objektive Gewißheit der Geltung dieses Inhalts. Blendet man das gegenwärtige Geschehen aus, arbeitet man also streng historisch, so kann nur die zweite Form der Gewißheit in Frage kommen. Subjektive Gewißheit des je eigenen Heils käme nur in Betracht, wo gerade nicht aus objektivierender Distanz geurteilt wird, sondern aus unmittelbarer Betroffenheit.

Die beiden Beispiele aus der katholischen Exegese sollten ihre historisierende Tendenz belegen. Das umgekehrte Phänomen zeigt sich in der evangelischen Exegese, insbesondere bei Forschern, die im Kontext lutherischer Theologie stehen.

Ein erstes Beispiel dafür ist die Erkenntnis des forensischen Charakters des Rechtfertigungsgeschehens. Daß Paulus sich im Rahmen seiner Rechtfertigungsverkündigung juridischer Terminologie bedient, bestreiten katholische Exegeten nicht und haben es, von Extremen abgesehen, nie getan. Nun könnte man dafür traditionsgeschichtliche Gründe anführen, auf die Aussagen des Apostels vom Sein in Christus verweisen und die juridische Aussagen dadurch relativieren. Aber evangelische Exegeten, etwa in der Bultmannschule, schärfen gerade ein, daß es in der Rechtfertigung um Gottes Richterspruch geht, um damit ihre Voraussetzungslosigkeit auf Seiten des Menschen zu akzentuieren. Diese Intention ist von Paulus her gewiß gedeckt. Die Frage ist nur, ob eine Systematisierung dieses Ansatzes, die sich etwa in der radikalen Ablehnung der Auslegung von "Gottes Gerechtigkeit" als seiner heilschaffenden Macht dokumentiert, noch Anhalt am "historischen Paulus" hat. Zumindest die individuelle, ja individualistische Stoßrichtung des Verständnisses der Rechtfertigung bei Bultmann und seinen Schülern scheint mir von Paulus her fragwürdig zu sein. Der Apostel redet eben nie vom Glauben des einzelnen, mit dem er Gottes Urteil annimmt und darin Gott rechtgibt. Das Interesse Bultmanns ist m.E. in dieser Sache auch kein historisches, sondern ein hermeneutisches und homiletisches. Ohne die historische Forschung aufzugeben, will Bultmann bei der Darstellung paulinischer Theologie eben nicht historisierend-objektivierend reden, sondern so, daß die Verkündigung des Apostels als gegenwärtiger Ruf zum Glauben zur Sprache kommt. Dieser Ruf zum Glauben ertönt für Bultmann aber nur, wo es um das Vertrauen auf das dem Menschen Unverfügbare, eben Gottes Urteil und Gabe, geht. Die historischen Grenzen des von Paulus Gesagten und Gemeinten spielen hier offenkundig keine Rolle mehr, weil es – unter der Anleitung paulinischer Texte – um die Sache des Glaubens selbst geht.

Ein weiteres Beispiel ist die Frage nach der Tragweite der Gesetzeskritik des Paulus. Es klang schon mehrfach an, daß bei Paulus nichts zu sehen ist von einem dauernden, prinzipiellen Gegeneinander von Evangelium und Gesetz. Der Apostel hat die Mosetora im Blick und zwar wenigstens zunächst nur unter dem Aspekt ihrer Verbindlichkeit für die Heidenchristen. Ganz am Rande deutet er an, es könne anderswo sachliche Äquivalente zur Mosetora geben. Dennoch bleibt aber bestehen, daß es sich jedenfalls um ein zeitliches Nacheinander handelt und daß eine neuerliche Bejahung des Gesetzes als Norm für die (Heiden-)Christen nur per nefas möglich ist. Daraus wird, wenigstens bei manchen evangelischen Exegeten, ein dauerndes Gegenüber von Evangelium und Gesetz. Die Aussagen des Paulus über die positive heilsgeschichtliche Bedeutung des Gesetzes werden zu einer Bejahung seiner gegenwärtigen Funktion. Wiederum spielt die historische Relativität der Auseinandersetzung des Paulus mit dem Gesetz keine Rolle mehr.

Es ist klar und wurde von Ebeling bereits angemerkt, daß die katholische Gesetzeslehre im Unterschied zur reformatorischen historisierenden Charakter hat. Hinzuzufügen wäre, daß auch die Betonung der neuschaffenden Kraft der Gnade in der christlichen Existenz dem "historischen Paulus" näher steht als das reformatorische simul iustus et peccator.

Nun aber geht es darum, daß die katholische Exegese allgemein tendenziell "historischer" ist als die evangelische, d.h. daß sie den Abstand zwischen der Gegenwart und Paulus deutlicher sieht und seine Fremdheit gegenüber dieser Gegenwart unbefangener eingesteht.

Friedrich Mildenberger spricht von der "Gegenläufigkeit von historischer Methode und kirchlicher Anwendung" der Schrift[2] und beschreibt sie so:

2 Mildenberger, Gegenläufigkeit.

238   V. Ergebnis

"Will der kirchliche Schriftgebrauch Anwendung des Bibelwortes, je unmittelbarer, desto besser – so die historische Methode Distanz, die das Bibelwort mit seiner Aussage in den Kontext seiner Zeit versetzt. Damit wird die Unmittelbarkeit, wie sie kirchliche Anwendung der Bibel fordert, bestritten. Die biblischen Aussagen werden in die Vergangenheit zurückgeschoben, denn nur dort, in ihrem historischen Kontext, können sie ... richtig, in ihrem buchstäblichen Sinn verstanden werden."[3]

Die These, die ich bisher zu begründen versuchte, lautet: Katholische Exegese genügt in ihrer gegenwärtigen Verfassung dem Anspruch historischer Methodik unbefangener und ist von der Notwendigkeit kirchlicher Anwendung weniger geprägt als evangelische Exegese, wenigstens soweit diese, wie bei der Bultmannschule exemplarisch der Fall, im Zusammenhang reformatorisch bestimmter Theologie betrieben wird.

Damit aber stellt sich die Frage, die sich bereits aus der allgemeinen Charakteristik der Situation ergab, nochmals verschärft: Welche Bedeutung kann eine auf der Ebene historischer Methode, d.h. unter Betonung der Distanz der Bibeltexte von der Gegenwart, erzielte Übereinstimmung für die ökumenische Verständigung der Kirchen haben? Ist die Einheit der Kirche überhaupt zu fördern durch historisch möglichst exakte Schriftauslegung? Oder muß diese Einheit nicht auf dem Feld der angewendeten Schrift und des Bekenntnisses gesucht werden? Welche theologische Relevanz käme dann der historischen Arbeit der Exegese überhaupt zu?

B. Dogmatische Kritik am Anspruch historischer Exegese

"In dem Maße nämlich, wie die verschiedenen Konfessionskirchen einander besser kennenlernten, wuchs die Einsicht, daß die lehrmäßigen Unterschiede zwischen ihnen weithin nicht auf Abweichungen von der Schrift, sondern im Gegenteil auf eine unterschiedliche Benutzung der Schrift zurückzuführen waren."[4]

Dieses Urteil Jürgen Roloffs wird durch das hier Erarbeitete nur bestätigt. Dann aber ist zu fragen, wie Benutzung bzw. Anwendung der Schrift in den Kirchen jeweils dogmatisch normiert ist. Dazu werden auf beiden Seiten Positionen vorgestellt, die der Normativität historischer Forschungsergebnisse kritisch gegenüberstehen.

a) Kritik auf evangelischer Seite

α) Rudolf Hermann
Die Beobachtung, daß etwa Luthers Schriftauslegung und bestimmte Ergebnisse der historisch-kritischen Exegese durchaus differieren, hat bereits

3   a.a.O., 61.
4   Roloff, Geschichtlichkeit der Schrift, 129.

eine längere Geschichte. Zu denken ist an die in der Einleitung zitierten Äußerungen aus den Reihen der Religionsgeschichtlichen Schule. Hier wurde – zumindest in einigen Spitzenaussagen – das Problem so gelöst, daß sowohl dem Urchristentum als auch der Reformation die Normativität für die Entfaltung des Christentums in der Gegenwart abgesprochen wurde.

Aber auch unter Voraussetzung wesentlich anderer hermeneutischer Grundentscheidungen wurde das Problem erörtert, etwa von Paul Althaus und Wilfried Joest.

Eine kurze, aber instruktive systematische Reflexion des Problems findet sich bei Rudolf Hermann. In seiner Interpretation der Kontroverse zwischen Luther und Latomus stellt er fest:

"In der Exegese können wir Latomus näherstehen als Luther ... In Sachen der Glaubensüberzeugung dagegen kann es eigentlich kaum eine Frage sein, zu wem wir uns halten. Aber dann halten wir uns nicht an die Bibel unter dem Schlüsselrecht gleichsam der Exegese, sondern an das von Luther gestaltete bzw. initiierte Verständnis des christlichen Glaubens."[5]

Es ist Hermann natürlich klar, daß mit dieser Entscheidung die Frage gestellt ist, inwiefern das sola scriptura Geltung beanspruchen darf, oder anders formuliert, was man dann unter dem reformatorischen Schriftprinzip zu verstehen hat. Wenn nicht die historische Exegese entscheidend ist, sondern Luthers Schriftauslegung, so könnte man auf den ersten Blick den Verdacht gewinnen, daß hier ein Traditionsprinzip in Kraft gesetzt wurde. Hermann gibt darauf folgende Antwort:

"So gewiß es uns nämlich um eine Auslegung gehen muß, die den Texten keine Gewalt antut, so gewiß fordern wir auch das aus einer bestimmten Geistigkeit heraus. – Diese liegt nicht in einer Nachahmung des Urchristentums. Das ist nicht unsere Zeit und unsere Welt und ist auch nur unter vielfachem Vorbehalt unser Leben. Nicht vornehmlich um seinetwillen nehmen wir es mit den Texten genau. – Ebensowenig tun wir es im Sinne bloßer Meinungsexegese, obwohl wir gewiß immer zuerst fragen müssen, was die biblischen Verfasser gemeint haben, als sie schrieben. Wir dürfen diese Frage auch nie aus dem Auge verlieren. Wiederum gilt es nicht deshalb, sie immer im Auge zu behalten, weil für uns alles an Meinung und Intention dieser Männer, sei es sogar der Apostel, hinge, sondern weil es darum geht, was wirklich Gott selber hier unten in der von ihm erwählten Erdenzeit uns hat kundtun wollen, und weil wir ohne Kenntnis des damals Gemeinten darein nicht eindringen. Die Bibelauslegung ist deshalb eine so zentrale Angelegenheit, auch in ihrer Bedeutung für die Geschichte und Welt, weil es sich eben um die Bibel handelt. Denn die genannte Bedeutung hat sie ja als Heilige Schrift. In dieser Heiligen Schrift wußte man aber von jeher, schon in Israel, Gott im Reden begriffen. Die Bibelauslegung aber dient der Erhebung des mit ihr verbundenen Wortes Gottes."[6]

Es geht also nach Hermann beim Schriftprinzip nicht um die Verbindlichkeit der ursprünglichen Aussageabsicht der biblischen Autoren, sondern um das gegenwärtige Ergehen des Wortes Gottes aus der Schrift heraus. Nicht die

Intention der Apostel, sondern die aktuelle Verkündigung ist entscheidend. Anders gewendet: Das Schriftprinzip hat nichts zu tun mit einem Prinzip historischer Authentizität, sondern mit dem gegenwärtigen Gegenüber von Wort Gottes und Menschenwort. Dabei muß man das Verhältnis von Schrift und Wort Gottes wohl so bestimmen, daß die Schrift sich je und je zu aktueller Anrede an den Menschen, zum ihn treffenden Wort Gottes "verflüssigt".

Hermann will damit nicht einem Aktualismus das Wort reden, der vom Wort Gottes außerhalb der je aktuellen Betroffenheit nichts wissen will. Aber das Wort Gottes ist jedenfalls nicht identisch mit dem, was die biblischen Autoren in ihrer Kommunikationssituation gemeint haben, also nicht mit dem, was historisch-kritische Exegese bestenfalls erheben kann. Was solche Exegese theologisch leistet, wird bei Hermann nicht ganz klar. Allenfalls wird in der Bemühung um die Texte als historische Quellen deutlich, daß protestantische Theologie mit dem Ergehen des Wortes Gottes in der Schrift rechnet und nirgends sonst.

Auf dem Weg wissenschaftlicher Exegese wird "das μὴ ὑπὲρ ἃ γέγραπται bejaht ... während die katholische Kirche und Theologie die Tradition – wie immer sie sie auch definieren mag - gleichrangig neben die Schrift stellt."[7]

Man könnte nun ausführlich diskutieren, ob man wirklich nicht die Tradition neben die Schrift gestellt hat, wenn man offen zugibt, Luthers Schriftauslegung gegenüber den Ergebnissen historisch-kritischer Exegese zu bevorzugen. Aber der Skopus bei Hermann liegt anderswo: Reformatorische Hermeneutik rechnet mit je und je neuer Selbstaktualisierung der Schrift im Gegenüber zu menschlichen Auslegungen. Wo solche Selbstaktualisierung und -durchsetzung der Schrift geschieht, spricht man vom Wort Gottes. Das Schriftprinzip meint das Bekenntnis zu dieser sich gegenwärtig erweisenden Selbstmächtigkeit der Schrift. Man kann sich also – und das ist im vorliegenden Zusammenhang entscheidend – nicht auf das Schriftprinzip berufen, wenn man von einem Konsens der historischen Forschung auch einen ökumenischen Konsens erwartet. Allerdings sind solche Forschungsergebnisse für Hermann auch nicht irrelevant; sie sind zumindest eine Erinnerung daran, daß die Kirche das Wort Gottes nicht verwaltet.

β) Reinhard Slenczka

In die gleiche Richtung wir Rudolf Hermann geht Reinhard Slenczka. Allerdings formuliert er seine These wesentlich radikaler:

"Die reformatorische particula exclusiva 'sola scriptura' bedeutet eine Abgrenzung, mit der sachlich und methodisch auf die Unterscheidung von Gottes Wort und Menschenwort gedrungen wird. Die Krise des Schriftprinzips, soweit sie durch die Frage nach historischer Authentizität und hermeneutischer Aktualität bestimmt ist, hebt die Dialek-

7   a.a.O., 116.

tik von Gotteswort und Menschenwort auf, soweit sie durch die Schrift gesetzt wird, und verlagert sie auf eine andere Ebene."[8]

Der entscheidende Grund für diese radikalere Sicht scheint mir in der Identifizierung von Schrift und Wort Gottes zu liegen. So verstehe ich es, wenn Slenczka die Folge der Anwendung der "historischen Methode" beschreibt:

"Das Wort der Schrift steht dann nicht mehr als Wort Gottes dem Menschen unmittelbar mit seinem Anspruch gegenüber, sondern es erscheint in der Geschichtlichkeit menschlichen Denkens und Redens."[9]

Slenczka kann im gleichen Zusammenhang auch von der Gleichzeitigkeit der Schrift gegenüber "der Kirche aller Zeiten"[10] sprechen.

Auch Slenczka sieht also den Skopus des "Schriftprinzips" im Gegenüber der Schrift zu aller menschlichen Auslegung. Er stellt aber im Unterschied zu Hermann keine Beziehung her zwischen dem aktuellen Gegenüber Wort Gottes – Kirche und der historischen Rückfrage nach der Intention der biblischen Autoren. Eine solche Verhältnisbestimmung, in der die exegetische Arbeit dann ihre theologische Funktion erhielte, würde voraussetzen, daß man zuvor zwischen der Schrift als historischem Text und dem Wort Gottes als der Kirche je und je gegenwärtiger geistlicher Wirklichkeit unterschieden hätte. Dann würde man m.E. auch besser nicht von der "Zeitlosigkeit" des Wortes Gottes sprechen, sondern davon, daß das Wort Gottes, wo es ergeht, die Zeit der Kirche einholt in Gottes Zeit, oder anders formuliert, daß das Wort Gottes allererst die vergehende Zeit als Gottes "Heute" qualifiziert.

Unterläßt man solche Unterscheidungen, dann kann man gegenüber einer "an Überlieferungs- und Auslegungsgeschichte ausgerichtete(n) Exegese" formulieren:

"Die herkömmliche Antithese von Schrift und Tradition wird dabei weitgehend aufgehoben, und das Schriftprinzip scheint in das Traditionsprinzip überführt zu sein."[11]

Was Slenczka dabei konkret im Auge hat und welche Folgen er befürchtet, geht aus seiner Kritik an der Rezeption exegetischer Forschungsergebnisse in den Limapapieren (und bei deren Anwalt Wolfhart Pannenberg) hervor. Wo nicht mehr von der Einsetzung von Taufe und Abendmahl durch Jesus Christus gesprochen wird, sondern von deren "Verwurzelung" bei Jesus, wendet Slenczka ein:

"Der jeweilige Stand der exegetischen Forschung liefert also zum rechten Verständnis des Schriftzeugnisses die Voraussetzungen der dogmatischen Entscheidung. Die traditionsgeschichtliche Betrachtungsweise schließt dabei den Übergang vom Herrenwort in

8   Slenczka, Schrift - Tradition - Kontext, 45.
9   a.a.O., 40.
10 a.a.O., 42.
11 a.a.O., 40.

die Gemeindebildung ein ... Die Dogmatisierung des Standes der exegetischen For-
schung und damit auch der traditionsgeschichtlichen Betrachtungsweise hat über das
Sakramentsverständnis hinaus aber dann auch Folgen für die Christologie. Was im Wort
des irdischen und des auferstandenen Herrn direkt Anrede in der personalen Relation von
Glauben und Gehorsam ist, wechselt nunmehr über in ein kausales Verhältnis von
Ursache und Wirkung, das sich im Bewußtsein und Handeln des Christen objektiviert."[12]

Die Besorgnis Slenczkas ist durchaus verständlich. Das Problem seiner
Kritik an der historischen Methode und ihrer Anwendung im ökumenischen
Dialog scheint mir da zu liegen, wo er mit Hilfe des reformatorischen
Schriftprinzips auch materiale exegetische Ergebnisse quasi "suspendiert".
Das Schriftprinzip meint im Unterschied zum Traditionsprinzip – dies sollte
bisher deutlich geworden sein –, daß die Autorität der Schrift nicht von der
Kirche gesichert wird und sich auch nicht auf den historisch verstandenen
Inhalt der Schrift (also etwa das, was Paulus den Korinthern sagen *wollte*)
bezieht, sondern daß diese Autorität sich in ihrer aktuellen Glauben schaf-
fenden Selbstmächtigkeit erweist. Wenn methodisch-historische Arbeit im
Neuen Testament selbst einen Traditionsprozeß findet, so muß dies m.E.
dem Schriftprinzip noch nicht widersprechen. Slenczka versteht die Unter-
scheidung von Gotteswort und Menschenwort, die in die Mitte seiner
Argumentation steht, offenbar rein formal. Deshalb muß für ihn etwa die
Abendmahlsparadosis des Neuen Testaments auch auf der historischen
Ebene verstanden werden in der Zuordnung von Wort Christi einerseits und
hörender und glaubender Gemeinde andererseits.

Nochmals zeigt sich hier das Grundproblem: Wenn zwischen Schrift und
Wort Gottes nicht hinreichend unterschieden wird, dann auch nicht zwischen historischer Interpretation der Schrift und kirchlicher Anwendung,
wie Mildenberger es tut. Dann aber ist für eine die kirchliche Anwendung
des Bibelwortes störende Exegese kein Platz. Sie kann keine positive
theologische Funktion mehr haben.

γ) Friedrich Mildenberger

Auch Friedrich Mildenberger problematisiert den Anspruch der historischen Methode auf sachgemäßes Verstehen der Schrift. Der historischen
Interpretation der Schrift stellt er die kirchlich angewendete Schrift gegenüber.

Normativ für die Kirche ist nicht die historisch ausgelegte Schrift. Sie
kann es schon deshalb nicht sein, weil sie einschärft, daß das Bibelwort
vergangenen Zeiten entstammt und zu Menschen vergangener Zeiten spricht:

"Jesaja redet zu den Jerusalemern des achten Jahrhunderts vor Christus und Paulus zu der
römischen Christengemeinde des sechsten Jahrzehnts unserer Zeitrechnung. Sie reden
also auf keinen Fall unmittelbar zu uns."[13]

---

12 Slenczka, Ökumenische Erklärungen, 221 f.
13 Mildenberger, Gegenläufigkeit, 61.

Die Kirche aber lebt in der Gegenwart und sie liest und predigt die Bibel nicht aus historischem oder musealem Interesse, sondern weil sie das Wort der Schrift auf ihr gegenwärtiges Leben anwenden will. Von einem historisch verstandenen Bibelwort, von der Anrede eines Apostels an Mitglieder urchristlicher Gemeinden, ist die gegenwärtige Kirche möglicherweise nur peripher oder vielleicht sogar überhaupt nicht betroffen. Wie aber soll die Kirche von einem Wort leben, das sie nicht betrifft? "Schriftprinzip" heißt zuerst: Die Kirche setzt die Anwendbarkeit der ganzen Schrift auf ihr Leben voraus:

"Wir predigen etwa den einen Sonntag über einen Text aus Jesaja, den nächsten Sonntag über einen Paulustext, dann vielleicht über ein Stück aus dem Jakobusbrief ... Die Anwendung dieser verschiedenen Perikopen muß sich zu einem einheitlichen Glaubenssinn zusammenfügen. Sonst könnten wir diese Texte nicht miteinander und nebeneinander gebrauchen. Da wir das tun, nehmen wir offensichtlich an, daß sie sich in einem einheitlichen Sinn anwenden lassen. Indem wir die Schrift in der Kirche so gebrauchen, wie das von Anfang an geschehen ist, setzen wir also die Einheit der Schrift voraus."[14]

Hier zeigt sich m.E. der entscheidende Unterschied zwischen dem Ansatz Mildenbergers und dem Slenczkas beim Schriftverständnis: Mildenberger stellt der historisch interpretierten Schrift nicht einfach *die* Schrift an sich gegenüber, sondern die in der Kirche angewendete Schrift. Die Einheit der Schrift erscheint nicht als ein Axiom, dessen Bestätigung von der historischen Forschung erwartet wird, sondern als praktisches Postulat der Anwendbarkeit, dessen Verifizierung historische Forschung nicht leisten kann und nicht zu leisten braucht. Würde die angewendete Schrift mit der Schrift an sich identifiziert – mit anderen Worten: Würde der Vorgang der Anwendung nicht reflektiert –, so müßte historische Forschung immer im Geruch der Illegitimität stehen. Man könnte dann paradoxerweise den Ergebnissen der Erforschung des buchstäblichen Sinnes der Schrift den Vorwurf machen, "nicht schriftgemäß" zu sein. Nach Mildenberger aber gilt für die historische Methode:

"Wir können an dieser Weise des Verstehens nicht mehr vorbei. Eine Unbefangenheit in der Anwendung der Bibel wird es nicht mehr geben, auch wenn man sich gegen historisches Verstehen abschirmt."[15]

Zugleich aber gilt als andere Seite der Argumentation Mildenbergers,

"daß historisches Verstehen und buchstäbliches Verstehen der Schrift nicht identisch sind. Verstanden ist die Schrift erst, wenn sie in ihrer Anwendbarkeit verstanden ist"[16]!

Damit buchstäbliches Verstehen über die historische Interpretation hinausdringen kann zur Anwendung, muß eine Voraussetzung gemacht werden:

14 a.a.O., 59.
15 a.a.O., 62.
16 a.a.O., 63. In der Fortsetzung bestätigt Mildenberger eine Beobachtung, die in dieser Arbeit mehrmals wichtig wurde, daß nämlich die exegetische Arbeit Bultmanns über die historische Erforschung hinaus zur gegenwärtigen Anwendung (bzw. "Bedeut-

"Die Schrift hat Macht, Glauben zu wirken."[17]

Dann aber kann das Verstehen der Schrift nicht absehen von den Zeugnissen des Glaubens, den die Schrift bei den Vätern und Müttern gewirkt hat. Das Bekenntnis wird zur "Vorgabe einer Übereinkunft über das in der Schrift gehörte Evangelium"[18].

Beim Streit um die Wahrheit des Evangeliums ist "die historisch-kritische Exegese nur von höchst untergeordneter Bedeutung. Sie hat ja den Streit um diese Wahrheit des Evangeliums methodisch ausgeklammert und kann sich deshalb nicht beklagen, wenn sie in diesem Streit keine Beachtung findet. Hier kann nur das Bekenntnis mit seinen Entscheidungen in den Prozeß des Streites um die Wahrheit eintreten. Nicht in dem Sinne, daß hier nun die Formulierungen des Evangeliums vorgegeben wären, die fraglos und immer gültig sind und nur eben neu reproduziert werden müßten ... Hier sind aber Konsensformulierungen vorgegeben, die einmal den Streit um die Wahrheit des Evangeliums in bestimmten Hinsichten und in einer bestimmten Situation entschieden haben. Und dieser Konsens kann vorbildlich sein für weitere Versuche, zu einem Einverständnis zu kommen, das dann diesen vorgegebenen Konsens mit einbezieht."[19]

M.E. erweist sich auch Mildenbergers Ansatz als problematisch. Es kann nicht bestritten werden, daß historische Arbeit als historische im Streit um die gegenwärtige Wahrheit des Evangeliums nicht in dem Sinne mitsprechen kann, daß sie den ursprünglichen, an eine bestimmte geschichtliche Situation gebundenen, Sinn der Texte unbesehen bzw. ohne weitere Reflexion für gegenwärtig normativ erklärt. Die Problematik bei Mildenberger liegt aber da, wo er, der durch die Unterscheidung der historisch interpretierten von der kirchlich angewendeten Schrift Raum für die historische Arbeit gewonnen hat, darauf verzichtet, die positive Funktion der Exegese näher auszuführen.

Von einer solchen positiven Funktion läßt sich aber m.E. sehr wohl sprechen. Es bedarf dazu im vorliegenden Zusammenhang nicht einmal einer ausgeführten hermeneutischen Reflexion, die an der Frage orientiert ist, was von dem historischen Sinn der Schrift nach welchen Kriterien heute Geltung beanspruchen darf. Es genügt eine einfache Weiterführung des Ansatzes bei Mildenberger: Die Unterscheidung von historisch interpretierter und kirchlich angewendeter Schrift ist ja nicht selbstverständlich. Eingeschärft wird sie heute primär von der historischen Arbeit der Exegese. Insofern eine solche Unterscheidung für die Kirche aus sachlichen Gründen notwendig ist, hat historische Exegese eine positive theologische Funktion, mag deren Ausübung auch schmerzhaft sein.

samkeit") schreitet. "Man kann gegen die Hermeneutik Rudolf Bultmanns eine ganze Menge Einwendungen machen - aber hier wurde eingeschärft, daß Verstehen bis zur Anwendbarkeit vorstoßen muß."
17   a.a.O., 63.
18   Mildenberger, Bekenntnisschriften, 184.
19   a.a.O, 185.

b) Kritik auf katholischer Seite

α) Leo Scheffzcyk

Auch in der katholischen Dogmatik wird die "hermeneutische Grunddifferenz zwischen 'einst' und 'jetzt'" erörtert und die Auseinandersetzung mit einer exegetischen Arbeit geführt, die "rein historisch"[20] sein will.

Angesichts der hermeneutischen Theorie Emilio Bettis, der bekanntlich zwischen historischer Forschung und Applikation des Erforschten auf die Gegenwart streng trennen will[21], formuliert Leo Scheffczyk:

"Weil der Interpret den Gegenstand in seinem An-sich-Sein besitzt (man muß allerdings kritisch sagen: 'angeblich besitzt'), ihn aber nicht im Ganzen verwerten kann, kommt es notwendigerweise zu einer zeitbedingten Beschneidung des Gegenstandes und seiner Wertelemente. So ergibt sich die merkwürdige Diskrepanz, daß der Interpret angeblich den Gegenstand in seiner unverhüllten Ganzheit erfassen kann, daß er ihn aber für die Gegenwart, weil er ja ein historischer Gegenstand ist, nicht in allem gebrauchen kann. Ja man muß sogar mit der Möglichkeit rechnen, daß er überhaupt nichts an ihm und von ihm für die Gegenwart nutzen und verwerten kann. Das kann für normative Texte, mit denen es die Theologie bei der Schrift und beim Dogma zu tun hat, nicht zugegeben werden."[22]

Scheffzyks Kritik an einer Exegese, die zwischen historischer Forschung und Applikation trennt und damit die Frage, welche Texte appliziert (= angewendet) werden können und gegebenenfalls wie, der Beliebigkeit aussetzt, trifft sich genau mit der Friedrich Mildenbergers. Als normativer, von der Kirche gebrauchter Text, als in Geltung befindliche Heilige Schrift, ist die Bibel eo ipso anwendbar. Die Frage kann allenfalls sein, wie die Schrift angewendet wird. Scheffzyk nimmt deshalb die Hermeneutik Gadamers positiv auf und beschreibt die exegetische Aufgabe als Einheit von historischer Forschung und Applikation.

"Als Verkündigungswort wollte das Schriftwort ganz anders als etwa ein Text Platos für alle Zeit gesprochen sein. Die Schrift und ihre Exegese treten deshalb von vornherein mit einem legitimen Anspruch an die Gegenwart auf, auch wenn die Exegese dabei nicht vergessen kann und wird, daß sie die Vergegenwärtigung des tief in der Geschichte liegenden Ursprungs betreibt und daß dies ihr Anliegen ist ... Der Exeget muß das ursprünglich Gemeinte aufnehmen und aufheben. Aber er kann es nur mit Hilfe seines heutigen Daseinsverständnisses tun, mit Hilfe der heutigen Erfahrung und des gegenwärtigen Welthorizonts."[23]

Mit der Rezeption dieser Position, die sich bis in die Formulierung hinein an Rudolf Bultmann anlehnt, ist Scheffczyk allerdings in eine eigentümliche Situation geraten. Die Ablehnung rein historischer Exegese im Interesse der gegenwärtigen Autorität der Schrift läßt ihn eine Exegese anvisieren, die,

---

20   Scheffczyk, Dogma der Kirche, 148.
21   Vgl. Betti, Hermeneutik.
22   Scheffczyk, Dogma der Kirche, 153.
23   a.a.O., 115.

indem sie die Schrift auf die Gegenwart hin auslegt, die Arbeit der Dogmatik und Fundamentaltheologie mit übernommen hat. Es ist Scheffczyk klar, daß die Exegese der Bultmannschule die Tendenz hat, "sich an die Stelle der Systematik"[24] zu setzen. Das aber ist im Rahmen katholischer Theologie unmöglich, weil zusammen mit der Rolle der Dogmatik auch die des Lehramtes fragwürdig wird. Nach der klassischen katholischen Hermeneutik wird die Aktualisierung der Schrift gerade nicht von der Exegese geleistet, sondern vom Lehramt, das von der Tradition getragen wird und seinerseits Schrift und Tradition je und je aktuell appliziert. Scheffczyk denkt nicht daran, diese Grundsätze revidieren zu wollen. Deshalb riskiert er eher den Selbstwiderspruch:[25]

"Die Exegese kann und soll also das, was als Auslegen, Interpretieren der Schrift bezeichnet wird, für die gegenwärtige Zeit leisten. Aber sie kann nicht die volle, verbindliche Applikation des so Verstandenen auf die Gegenwart leisten, das heißt sie kann auch die verbindliche Aneignung für die Kirche der Gegenwart nicht fordern. Das kann sie nicht nur deshalb nicht, weil sie als menschliche Wissenschaft dazu nicht die Autorität einer Glaubensinstanz besitzt. Sie kann es schon deshalb nicht, weil sie mit ihren Mitteln nicht sagen kann, was die Gegenwart überhaupt braucht."[26]

Damit ist die alte Situation wieder hergestellt: Die Exegese legt die Schrift aus. Aber sie macht keine glaubensverbindlichen Aussagen. Dies bleibt dem Lehramt vorbehalten.

Hatte es zunächst so ausgesehen, als wolle Scheffczyk der exegetischen Arbeit entscheidende theologische Relevanz einräumen, sie von der Beschränkung auf das unverbindliche Historische befreien, so schreckt er doch vor der Normativität zurück, die exegetische Aussagen dann gewinnen würden.

β) Heinz-Günther Stobbe

Heinz-Günther Stobbe unterzieht die "katholische Gadamer-Rezeption" einer systematischen Kritik.[27] Als Beispiele wählt er Rudolf Schnackenburg, Franz Mußner und Leo Scheffczyk. Er weist nach, daß die Rezeption Gadamers verbunden ist mit der Übernahme des reformatorischen Schriftprinzips:

"Die Wirkungsgeschichte der Heiligen Schrift, das ist nach Gadamer die Geschichte der im Predigtgeschehen sich selbst Geltung verschaffenden Autorität des Wortes; das ist die Geschichte der Schrift – Jesus Christus, der durch das Medium der Wortverkündigung hindurch zugleich zum glaubenden Gehorsam ruft und Glauben bewirkt; Wirkungsgeschichte der Heiligen Schrift, das ist endlich die Geschichte der Selbstinterpretation der

---

24   Vgl. a.a.O., 117 f.
25   Zur katholischen Kritik an Scheffczyk vgl.: Stobbe, Hermeneutik, 187-213.
26   Scheffczyk, Dogma der Kirche, 118.
27   Stobbe, Hermeneutik.

Schrift, die in den wechselnden Verkündigungssituationen immer neu verkündigt und ausgelegt werden muß, aber gerade so und nicht anders sie selbst bleibt."[28]

Diese Hermeneutik kann nach Stobbe katholische Theologie aber nicht akzeptieren, zum einen wegen der ihr eigenen Unklarheit, zum anderen aber weil hier die Aufgaben der Exegese, der Dogmatik und des Lehramts selbst im Begriff "Auslegung" – der seinerseits höchst unklar ist – zusammenfallen. Hier aber muß unterschieden werden. Die exegetische Arbeit hat es mit dem Text als historischer Quelle zu tun und mit sonst nichts und deshalb können ihre Ergebnisse auch keine Relevanz besitzen für den Glaubensdissens zwischen den Kirchen.

"Daß Schnackenburg als Exeget sich nicht mit der in der Exegese vorhandenen Übereinstimmung zufriedengeben kann und die Diskrepanz zwischen exegetischem Konsens und Glaubensdissens als erklärungsbedürftig empfindet, leuchtet nur ein, wenn man seiner unausgesprochenen Annahme zustimmen kann, ein exegetischer Konsens müsse eigentlich auch zu einer Übereinstimmung im Bekenntnis führen. Diese Voraussetzung aber ist höchst fragwürdig, weil sich der exegetische Konsens bzw. die exegetische Aussage nicht auf die Sache bezieht wie der Bekenntniskonsens bzw. die Glaubensaussage. Während die exegetische Aussage, wie Schnackenburg selbst feststellt, die Aussage des exegetisierten Textes zum Gegenstand hat, richtet sich das Bekenntnis auf dasjenige, worauf die Aussage des Textes zielt, nicht jedoch auf die Aussage als solche."[29]

Noch deutlicher, als Stobbe es hier tut, läßt sich die Absage an die ökumenische Relevanz der exegetischen Arbeit wohl kaum formulieren. Zwar kann Stobbe auch von der "Waffenbrüderschaft zwischen den Exegeten in den konfessionsverschiedenen Lagern"[30] sprechen, aber das ist wirklich nur eine Ökumene der Exegeten, nicht eine Ökumene des kirchlichen Glaubens. (Slenczka differenziert im gleichen Zusammenhang zwischen "Theologenkonsens" und "theologischem Konsens"[31].) Daß der Konsens der Exegeten keine echte ökumenische Bedeutung hat, liegt daran – so muß man Stobbe wohl verstehen –, daß es die Exegese gar nicht mit der Sache selbst zu tun hat, sondern mit Aussagen über die Sache des Glaubens.

Wenn Stobbe repräsentativ ist für die katholische Hermeneutik – tatsächlich knüpft er an deren klassische Tradition an – so kann die Beobachtung nicht mehr verwundern, daß die Ergebnisse katholischer Paulusexegese häufig stärker historisch orientiert sind als in der evangelischen Forschung. Man kann ohne weiteres die Situationsgebundenheit und geschichtliche Einmaligkeit der paulinischen Gesetzeskritik herausarbeiten, wenn der Exegese die Frage nach der Anwendbarkeit ihrer Ergebnisse abgenommen ist, weil die Anwendung ohnehin fest in der Hand von Lehramt und Dogmatik ist. Man kann die Fremdheit der Schrift von der Gegenwart leicht einschärfen, wenn ihre Gegenwartsnähe von der Tradition gesichert wird.

28   a.a.O., 168.
29   a.a.O., 172 f.
30   a.a.O., 200.
31   Slenczka, Ökumenische Erklärungen, 230.

Was bei Scheffczyk sich am Ende herausstellt, daß die exegetische Arbeit für das Leben der Kirche nicht wirklich relevant ist, ist bei Stobbe systematisiert. Die Bewegungsfreiheit der Exegese ist bei ihm größer, weil sie von vornherein keinen Anspruch auf Geltung im konkreten Leben der Kirche hat.

c) Ergebnis

Es wurden sowohl auf evangelischer wie auf katholischer Seite markante Positionen vorgestellt. Es ließen sich gewiß auf beiden Seiten Theologen finden, die das Verhältnis von Bibelwissenschaft und Dogmatik weniger antithetisch bestimmten. Aber es geht in dieser Arbeit ja um eine Antwort auf die Frage, ob das Programm eines "ökumenischen Biblizismus", d.h. der Überwindung der konfessionellen Differenzen durch Rückgang auf den historisch rekonstruierten Ursprungssinn der biblischen Schriften, Aussicht auf Erfolg hat. Solche Aussicht besteht m.E. aber nur dann, wenn neben den faktischen Konsens der historisch-kritischen Forschung eine anerkannte hermeneutische Klärung der Relevanz dieser Forschung für die Kirche und den in ihr gelebten Glauben tritt. Von einer solchen Klärung kann aber – das machen die angeführten Beispiele wohl deutlich – einstweilen keine Rede sein.

Auf evangelischer Seite wird der historischen Forschung vorgeworfen, daß sie durch ihre methodische Grundentscheidung den Streit um die Wahrheit des Evangeliums in der Gegenwart ausgeklammert hat und deshalb kein Mitspracherecht hat, wo es um die Formulierung des Glaubenskonsenses in der gegenwärtigen Kirche geht (so die deutlichen Formulierungen Mildenbergers). Das "Schriftprinzip" meint nicht die Verbindlichkeit der vergangenen Aussageintention der biblischen Autoren gegenüber ebenso vergangenen Adressaten für die gegenwärtige Kirche (wobei ohnehin schon angegeben werden müßte, inwiefern und nach welchen Prinzipien eine solche Übertragung möglich ist). Das Schriftprinzip weist vielmehr auf die Autorität der gegenwärtig ausgelegten, d.h. angewendeten Bibel für diese Kirche hin, die darauf vertraut, in der Anwendung der Schrift das Glauben schaffende Wort Gottes zu hören. In der katholischen Dogmatik wird der Exegese – wenigstens von bestimmten Theologen – genau die Beschränkung auf das Historische vorgeschrieben, die evangelischerseits beanstandet wird. Das "Traditionsprinzip" heißt, daß die Gegenwärtigsetzung der Schrift nicht Sache der Exegese, sondern der kirchlichen Überlieferung und des sie repräsentierenden Lehramtes ist.

Dann aber ist der Konsens der Exegeten wirklich nur ein Konsens der Exegeten, der das Verständnis des Evangeliums in den Kirchen nicht berührt.[32]

---

32 Mildenberger weist auf die Abstraktion hin, die dem Konsens der Exegeten

Von hier aus fällt nochmals ein Licht auf die öfters erwähnte Sonderstellung Rudolf Bultmanns in der Geschichte der neutestamentlichen Exegese. Die am Anfang dieser Arbeit zitierten Vertreter der Religionsgeschichtlichen Schule konnten so unbefangen die völlige Fremdheit der paulinischen Theologie von ihrer eigenen vertreten, weil sie das Postulat der Anwendbarkeit der Schrift als ganzer nicht akzeptierten. Verwendbar war allenfalls eine Auswahl aus der Schrift. Nur so ist es zu erklären, daß der Paulus, der für sie der Vater der katholischen Lehre war, sie dennoch nicht weiter in Frage stellte. Bultmann hingegen kehrte zum Schriftprinzip, d.h. zur Anwendbarkeit der Schrift zurück. Folgerichtig begnügte er sich in seiner exegetischen Arbeit nicht mit der historischen Analyse, sondern entwickelte die Hermeneutik der existentialen Interpretation, in der die Forderung nach Anwendbarkeit der Bibel bei ihm praktische Gestalt gewann. Was als Nähe Bultmanns zur Paulusinterpretation Luthers benannt wurde, könnte vor aller inhaltlichen Beeinflussung das Ergebnis der Zustimmung zur reformatorischen Bestimmung der Autorität der Schrift und der Aufgabe der Exegese sein.

Das Ergebnis der dogmatischen Kritik an der historisch kritischen Forschung wäre also, daß diese gerade als nur historische für die Kirche und ihr Verständnis des Evangeliums irrelevant und deshalb für die eigentliche ökumenische Verständigung unfruchtbar ist. Die Aufgabe dieser Arbeit hätte sich dann darin erschöpft, den Exegetenkonsens zu beschreiben.

C. Ein Vorschlag

Die Frage ist aber, ob sich die theologische Funktion historischer Forschung an der Schrift nicht noch anders beschreiben läßt, als bisher vorgeführt.

Eine Einsicht kann m.E. nicht umgangen werden, wo man versucht, diese theologische Funktion der historischen Forschung (und damit auch ihre ökumenischen Möglichkeiten) zu bestimmen: Die Kirche lebt, wo sie überhaupt geistlich lebt, nicht vom historisch verstandenen Bibelwort, sondern vom gegenwärtig sie ansprechende Wort Gottes. Mildenberger hat damit recht: Nicht die historisch interpretierte, sondern die angewendete Schrift ist der Lebensgrund der Kirche.

Anders formuliert: Die Kirche eignet sich das Wort der Schrift an, um von ihm "Gnade und Hilfe, Lehre und Trost zu empfangen"[33]. Diese Aneignung

---

zugrundeliegt: Das "Unternehmen eines Evangelisch-Katholischen Kommentars zum Neuen Testament" ist nur durchführbar, weil "das abstrakte Subjekt der historischen Wissenschaft selbstverständlich weder evangelisch noch katholisch sein" kann. Mildenberger, Bekenntnisschriften, 181.

33   Das Confiteor der bayerischen Agende von 1854 lautet: "Ihr Geliebten in Christo! Weil wir vor dem Angesicht des Herrn versammelt sind, um aus seinem Worte Gnade und

der Schrift ist der Kirche lebensnotwendig. Im Prozeß der Aneignung wird die historische Distanz überwunden und das fremde Wort fremder Menschen zu ebenso fremden Menschen wird zur gegenwärtigen Anrede Gottes an seine Kirche (Röm 10,8). Solche Aneignung des Wortes durch die Kirche heute wird angeleitet von der Aneignung des Wortes durch die Väter und Mütter. Auch daran ist m.E. nicht zu rütteln. Die Alternative wäre lediglich eine fundamentalistische Gegenwärtigsetzung des Wortes, die stets mit hermeneutischer Willkür verbunden ist.

Fragt man nun, was der Beitrag historischen Verstehens der Schrift zu dieser Aneignung des Wortes durch die Kirche und in der Kirche ist, so muß die Antwort notwendig negativ sein. Historische Exegese kann zur Aneignung nichts beitragen, weil ihr Skopus die Fremdheit des Wortes ist und nicht seine Bekanntheit, die Ferne der Schrift und nicht ihre Nähe. Aber damit ist noch nicht gesagt, daß die historische Exegese keine positive theologische Funktion hat. Gerade weil die Kirche sich das fremde Wort aneignet, es sich assimiliert, ist es notwendig, daß die Fremdheit des Wortes gesichert wird. Wo solche Sicherung unterbleibt, besteht die Gefahr, daß die Kirche die von ihr verstandene und angewendete Schrift mit der Schrift an sich identifiziert, daß sie meint, das Wort immer schon verstanden zu haben, immer schon im voraus zu wissen, was die Schrift sagt. Das Gegenüber von Schrift und Kirche wird gerade nicht gewahrt, wo es keine Instanz gibt, die die Fremdheit der Schrift sichert. Wo nicht eingeschärft wird, daß die Bibel immer noch mehr und noch anderes sagt, als die Kirche verstanden hat, wo nicht festgehalten wird, daß der Kanon des geschriebenen Bibelwortes weiter ist als der Kanon des in der Kirche rezipierten Bibelwortes, da besteht die Gefahr, daß die Kirche meint, sich das Wort Gottes selbst sagen zu können. Historische Exegese ist überfordert, wenn sie den Aneignungsprozeß der Schrift in der Kirche normieren und in ihre Regie übernehmen soll, aber sie erweist ihre Kraft, wo sie durch die Betonung der Fremdheit der Schrift den Assimilations- und Vereinheitlichungstendenzen der Kirche Widerstand entgegensetzt.

Hans Weder betont in seiner "Neutestamentlichen Hermeneutik", daß uns das Evangelium notwendig als fremde Geschichte begegnet:

"Wenn nun das Evangelium mir die Geschichte Jesu erzählt, um mir sein Wort des Lebens zu sagen, so werde ich mit ... diesem Problem der Fremdheit konfrontiert. Ich muß die Fremdheit als etwas verstehen lernen, das unabänderlich ist ... Das Evangelium lehrt, mit der Fremdheit des Jesus Christus leben zu lernen. Es intendiert das Anwesendseinlassen des Fremden, ohne daß er vereinnahmt werden muß. Dies ist für das menschliche Subjekt eine erhebliche Zumutung, wie gerade die vielen Internalisierungsversuche zeigen. Das menschliche Subjekt tendiert darauf, das Fremde sich

Hilfe, Lehre und Trost zu empfangen, so beugen wir uns in Demut vor ihm, bekennen unsere Unwürdigkeit, Sünde und Schuld und bitten aus Herzensgrund: Gott, sei uns Sündern gnädig."

einzuverleiben, das Geschichtliche – wenigstens in der willkürlichen Deutung – sich zu unterwerfen."[34]

Aus dieser Sicht ergibt sich die notwendige theologische Funktion historischer Exegese:

Die historische Forschung dient der Sicherung der Fremdheit des Evangeliums gegenüber seiner vorschnellen Einverleibung durch die Kirche. Gerade weil die Kirche nicht von der historisch verstandenen, sondern von der angewendeten Schrift lebt, bedarf sie einer Instanz, die dafür sorgt, daß der Kirche das Wort immer neu als das ihr fremde Wort Gottes, als das ihr nicht von sich aus Verfügbare begegnet. Historische Exegese ist eine Frucht der Aufklärung und als solche selbst geschichtlich bedingt. Zu anderen Zeiten wurde für die Sicherung der Fremdheit der Schrift mit anderen Mitteln gekämpft. Das ändert aber nichts daran, daß unter den gegenwärtigen Bedingungen vor allem die historische Exegese immer neu einschärft, daß die Schrift noch mehr und anderes sagt als die Kirche schon zu wissen meint.

Insofern hat die historische Exegese nun paradoxerweise auch normative Funktion – nicht als ob der historische Sinn der Schrift als solcher der verbindliche wäre, wohl aber so, daß die Kirche zu immer neuem Hören auf die Schrift, zu neuer Verständigung und Übereinkunft über das aktuelle Wort Gottes genötigt wird. Negative und positive, destruktive und konstruktive Funktion der Exegese lassen sich hier nicht voneinander trennen.

Auch Friedrich Mildenberger spricht in seinem jüngsten Beitrag zum Thema nicht mehr rein negativ von der theologischen Bedeutung historischer Exegese. Vielmehr verlangt er eine "Wechselwirkung von wissenschaftlicher Schriftauslegung und kirchlicher Anwendung der Schrift":

"Die wissenschaftliche Schriftauslegung gibt dabei nicht nur ihr historisches Verständnis der Texte an die Anwendung durch die kirchliche Praxis weiter. Sie läßt sich vielmehr selbst vorgeben, wie die Schrift in bestimmten Lebenszusammenhängen gegenwärtig gehört und verstanden wird, um solches Verstehen an den Texten methodisch nachzuprüfen. Das heißt dann auch, daß die Mitte der Schrift nicht ein für allemal festliegt. Sie ist vielmehr als die in eine bestimmte Situation hinein ergehende aktuelle Anrede zu bestimmen."[35]

Solche Wechselwirkung ist aber nur möglich, wenn die Aufgabe der Exegese nicht darin gesehen wird, die aktuelle Auslegung der Schrift in der Kirche einseitig zu normieren. Ich meine vielmehr, daß diese Wechselwirkung am ehesten dann zustandekommt, wenn man die Aufgabe der Exegese als Sicherung der Fremdheit der Schrift kennzeichnet.

Nur die Spannung zwischen Aneignung und Fremdheit sorgt dafür, daß die Kirche Tochter des Wortes bleibt und nicht zu seiner Mutter wird.

---

34 Weder, Hermeneutik, 385.
35 Mildenberger, Biblische Theologie als kirchliche Schriftauslegung, 159.

Damit ist aber auch klar, daß historische Exegese allein zu keinem ökumenischen Konsens führen wird. Die ökumenischen Möglichkeiten der Exegese liegen da, wo sie die Kirche davon abhält, sich mit geschehener Aneignung der Schrift zu begnügen.

Zur ökumenischen Verständigung wird es dann kommen, wenn innerhalb der Christenheit eine Übereinkunft über die aktuelle Auslegung der Schrift aufgrund gegenwärtiger Herausforderungen erreicht wird. Daß solche Übereinkunft überhaupt möglich wird, daß also die Kirchen bei ihrer jeweiligen konfessionellen Übereinkunft über die Sache der Schrift nicht stehenbleiben, sondern bereit sind, darüber hinauszugehen, – dieses allein ist schon ein entscheidender Beitrag historischer Bibelforschung für die ökumenische Verständigung.

Literaturverzeichnis

Verschiedene Schriften des gleichen Autors sind, soweit bekannt, nach dem Erscheinungsjahr geordnet. Die Abkürzungen richten sich nach dem Abkürzungsverzeichnis der Theologischen Realenzyklopädie. Bei den Anmerkungen wird auf Literatur nur mit einem Stichwort verwiesen, mit dessen Hilfe man die genauen Angaben im Literaturverzeichnis auffinden kann.

P. Althaus, Gottes Gottheit als Sinn der Rechtfertigungslehre Luthers, in: ders., Theologische Aufsätze II, Gütersloh 1935, 1-30.

P. Althaus, Die Gerechtigkeit des Menschen vor Gott, in: Das Menschenbild im Lichte des Evangeliums (FS E. Brunner), Zürich 1950, 31-47.

P. Althaus, "... Daß ihr nicht tut, was ihr wollt" (Gal 5,17), ThLZ 75 (1951), 15-18.

P. Althaus, Paulus und Luther über den Menschen, 3. Aufl., Gütersloh 1958 (1. Aufl. erschienen 1938).

P. Althaus, Die christliche Wahrheit, Nachdruck der 8. Aufl., Gütersloh 1972.

H.G. Anderson/T.A. Murphy/J.A. Burgess, Justification by Faith, Minneapolis 1985.

W. Anz, Zur Exegese von Römer 7 bei Bultmann, Luther, Augustin, in: C. Andresen/G. Klein (Hg.), Theologia Crucis - Signum Crucis, FS E. Dinkler, Tübingen 1979, 1-15.

R. Asting, Die Heiligkeit im Urchristentum, Göttingen 1930.

A. Auer, Gesetz und Freiheit im Verhältnis von Gott und Mensch bei Franz Xaver Linsenmann, in: Ph. Weindel – R. Hofmann (Hg.), Der Mensch vor Gott (FS Th. Steinbüchel), Düsseldorf 1948, 246-263.

Ph. Bachmann, Der erste Brief des Paulus an die Korinther, KNT VII, Leipzig 1905.

K. Barth, Rudolf Bultmann – Ein Versuch, ihn zu verstehen, 3. Aufl., Zürich 1963 (3. Aufl. zusammen mit der Studie "Christus und Adam nach Röm. 5").

B. Bartmann, St. Paulus und St. Jakobus über die Rechtfertigung, Freiburg i.B. 1897.

B. Bartmann, Paulus – Die Grundzüge seiner Lehre und die moderne Religionsgeschichte, Paderborn 1914.

I. Beck, Altes und neues Gesetz, MThZ 15 (1964), 127-142.

Die Bekenntnisschriften der evangelisch-lutherischen Kirche, 6. Aufl., Göttingen 1967.

E. Betti, Die Hermeneutik als allgemeine Methodik der Geisteswissenschaften, Ph 678/79, 2. Aufl., ThSt 35, Tübingen 1972.

Die Bibel, Einheitsübersetzung, Freiburg-Basel-Wien 1980.

H. Binder, Der Glaube bei Paulus, Berlin 1968.

P. Bläser, Glaube und Sittlichkeit bei Paulus, in: N. Adler (Hg.), Vom Wort des Lebens (FS M. Meinertz), München 1951, 114-127.

P. Bläser. Bläser, Gesetz und Evangelium, Cath (M) 14 (1960), 1-23.

P. Bläser, Paulus und Luther über "Gottes Gerechtigkeit", Cath (M) 36 (1982), 269-279.

J. Blank, Evangelium und Gesetz, Diak 5 (1974), 363-375; abgedruckt in: ders., Paulus. Von Jesus zum Christentum, München 1982, 69-85 (zitiert nach dem Abdruck).

J. Blank, Gesetz und Geist – Zum Verhältnis von Kapitel 7 und 8 des Römerbriefes, in: L. de Lorenzi (ed.), The Law of the Spirit in Röm 7 und 8, St. Pauls Abbey, Rome 1976, 73-100; abgedruckt in: J. Blank, Paulus – Von Jesus zum Christentum, München 1982, 86-123.

J. Blank, Warum sagt Paulus: "Aus Werken des Gesetzes wird niemand gerecht"?, in: ders., Paulus – Von Jesus zum Christentum, München 1982, 42-68.

F. Blass/A. Debrunner; Grammatik des neutestamentlichen Griechisch, bearbeitet von F. Rehkopf, 16. Aufl., Göttingen 1984.

F. Böckle, Grundprobleme evangelischer Ethik in katholischer Sicht, Cath (M) 15 (1962), 1-23.

F. Böckle, Gesetz und Gewissen, 2. Aufl., Luzern 1966.

P. Bormann, Die Heilswirksamkeit der Verkündigung nach dem Apostel Paulus, KKTS XIV, Paderborn 1965.

G. Bornkamm, Paulus, 4. Aufl., Stuttgart 1979.

G. Bornkamm, Wandlungen im alt- und neutestamentlichen Gesetzesverständnis, in: ders., Studien zum Neuen Testament, Berlin 1985, 25-71.

H. Bornkamm, Martin Luther in der Mitte seines Lebens, Göttingen 1979.

G. Boss, Die Rechtfertigungslehre in den Bibelkommentaren des Kornelius a Lapide, KLK 20, Münster 1960.

R.E. Brown/J.P. Meier, Antioch and Rome, Ramsey (New York) 1983.

N. Brox, Paulus und seine Verkündigung, SK VI, München 1966.

W. Brugger, Art. Prinzip, in: ders., Philosophisches Wörterbuch, 15. Aufl., Freiburg-Basel-Wien 1978, 304-305.

R. Bultmann, Römer 7 und die Anthropologie des Paulus, in: H. Bornkamm (Hg.), Imago Dei (FS G. Krüger), Gießen 1932, 53-62.

R. Bultmann, Geschichte und Eschatologie, Tübingen 1958.

R. Bultmann, ΔΙΚΑΙΟΣΥΝΗ ΘΕΟΥ, JBL LXXXIII (1964), 12-16.

R. Bultmann, Die Bedeutung der "dialektischen Theologie" für die neutestamentliche Wissenschaft, ThBl 8 (1928), 57-76; abgedruckt in: ders., Glauben und Verstehen I, 6. Aufl., Tübingen 1966, 114-133 (zitiert nach dem Abdruck).

R. Bultmann, Christus des Gesetzes Ende, EEvTh 1 (1940), 3-27; abgedruckt in: ders., Glauben und Verstehen II, 5. Aufl., Tübingen 1968, 32-58 (zitiert nach dem Abdruck).

R. Bultmann, Theologie des Neuen Testaments, 7. Aufl., Tübingen 1977.

R. Bultmann, Das Problem der Ethik bei Paulus, ZNW 23 (1924), 123-140; wieder abgedruckt in: U. Luck/K.H. Rengstorf (Hg.), Das Paulusbild in der neueren deutschen Forschung, 3. Aufl., WdF XXIV, Darmstadt 1982, 179-199 (zitiert nach dem Abdruck).

H.v. Campenhausen, Die Begründung kirchlicher Entscheidungen beim Apostel Paulus, SHAW, PH 1957/2, Heidelberg 1957.

H. Conzelmann, Randbemerkungen zur Lage im "Neuen Testament", EvTh 22 (1962), 225-233.

N.A. Dahl, In welchem Sinn ist nach dem NT der Getaufte gerecht und Sünder zugleich?, LR 12 (1962), 280-295.

W. Dantine, Evangelium und Recht in den lutherischen Kirchen, in: H. Meyer, Evangelium – Welt – Kirche. Schlußberichte und Referate der römisch-katholisch/evangelisch-lutherischen Studienkomission "Das Evangelium und die Kirche", Frankfurt a. Main 1975, 353-365.

W. Dantine, Rechtfertigung und Gottesgerechtigkeit, VuF 11 (1966), 68-100; abgedruckt in: ders., Recht aus Rechtfertigung, Tübingen 1982, 23-58 (zitiert nach dem Abdruck).

P. Demann, Mose und das Gesetz bei Paulus, in: Moses in Schrift und Überlieferung, Düsseldorf 1963 (Original: Tournai 1955), 205-264.

H. Diem, Was heißt schriftgemäß? Neukirchen 1958.

Chr. Dietzfelbinger, Die Berufung des Paulus als Ursprung seiner Theologie, WMANT 58, Neukirchen Vluyn 1985.

E. Dinkler, Der Brief an die Galater, Zum Kommentar von Heinrich Schlier, VF 1953/55, 175-183; abgedruckt in: ders., Signum Crucis, Tübingen 1967, 270-282.

A. van Dülmen, Die Theologie des Gesetzes bei Paulus, Stuttgart 1968.

G. Ebeling, Erwägungen zur Lehre vom Gesetz, ZThK 55 (1958), 270-306; abgedruckt in: ders., Wort und Glaube I, 3. Aufl., Tübingen 1967, 255-293.

G. Ebeling, Luther – Einführung in sein Denken, 3. Aufl., Tübingen 1978.

R. Egenter, Von der Freiheit der Kinder Gottes, 2. Aufl., Freiburg 1949 (1. Aufl. 1941).

G. Eichholz, Bewahren und Bewähren des Evangeliums, in: H. Gollwitzer/ H. Traub, Hören und Handeln (FS E. Wolf), München 1962.

G. Eichholz, Die Theologie des Paulus im Umriß, 2. Aufl., Neukirchen-Vluyn 1977.

P. Fischer-Appelt, Zum Verständnis des Glaubens in der liberalen und dialektischen Theologie, in: H.-G. Geyer (Hg.), Freispruch und Freiheit (FS W. Kreck), München 1973, 68-84.

H. Frankemölle, Das Taufverständnis des Paulus. Taufe, Tod und Auferstehung nach Röm 6, SBS 47, Stuttgart 1970.

G. Friedrich, Muß ὑπακοὴ πίστεως Röm 1,5 mit "Glaubensgehorsam" übersetzt werden?, ZNW 72 (1981), 118-123.

G. Friedrich, Glaube und Verkündigung bei Paulus, in: F. Hahn/H. Klein

(Hg.), Glaube im Neuen Testament (FS H. Hinder), Neukirchen-Vluyn 1982, 93-113.

W. Fürst, Ist das Neue Testament doch katholisch? (Zu den Anfragen Heinrich Schliers), VF 9 (1958/59), 57-67.

V.P. Furnish, Theologie und Ethics in Paul, Nashville and New York 1968.

P. Gaechter, Petrus in Antiochia (Gal 2, 11-14), ZKTh 72 (1950), 177-212; abgedruckt in: ders., Petrus und seine Zeit, Innsbruck-Wien-München 1958, 213-257.

N. Gäumann, Taufe und Ethik, München 1967.

E. Gaugler, Die Heiligung in der Ethik des Apostels Paulus, IKZ 15 (1925), 100-120.

K. Haacker, Glaube – II/3. Neues Testament, TRE XIII (1984), 289-304.

B. Häring, Paulinische Freiheitslehre, Gesetzesethik und Situationsethik, in: Studiorum Paulinorum Congressus Internationalis Catholicus I, Roma 1961, 165-173.

F. Hahn, Der Beitrag der katholischen Exegese zur neutestamentlichen Forschung, VF 18 (1973), 83-98.

F. Hahn, Das Gesetzesverständnis im Römer- und Galaterbrief, ZNW 67 (1976), 29-63.

F. Hahn, Taufe und Rechtfertigung, in: G. Friedrich/W. Pöhlmann/P. Stuhlmacher (Hg.), Rechtfertigung (FS E. Käsemann), Tübingen 1976, 95-124.

E. Haible, Der Kanon des Neuen Testaments als Modellfall einer kirchlichen Wiedervereinigung, TrThZ 75 (1966), 11-27.

A.v.Harnack, Evangelium. Geschichte des Begriffs in der ältesten Kirche, in: Entstehung und Entwicklung der Kirchenverfassung und des Kirchenrechts in den ersten zwei Jahrhunderten, Leipzig 1910 (unveränderter Neudruck 1967), 199-239.

W. Heitmüller, Luthers Stellung in der Religionsgeschichte des Christentums, MakR 38, Marburg 1917.

C. Hempel, Rechtfertigung als Wirklichkeit. Ein katholisches Gespräch: Karl Barth – Hans Küng – Rudolf Bultmann und seine Schule, Frankfurt a. Main und Bern 1976.

R. Hermann, Luthers These "Gerecht und Sünder zugleich", 2. Aufl, Darmstadt 1960 (1. Aufl. 1930).

R. Hermann, Zur Kontroverse zwischen Luther und Latomus, in: V. Vajta (Hg.), Luther und Melanchthon. Referate und Berichte des zweiten Internationalen Kongresses für Lutherforschung. Göttingen 1961, 104-118.

E. Herms, Einheit der Christen in der Gemeinschaft der Kirchen, Göttingen 1984.

W. Herrmann, Der geschichtliche Christus als Grund unseres Glaubens, in: ders., Schriften zur Grundlegung der Theologie Bd. I (Hg. von P. Fischer-Appelt), München 1966, 149-185.

E. Hirsch, Der Glaube nach evangelischer und römisch-katholischer Auffassung, in: Der römische Katholizismus und das Evangelium, Stuttgart 1931, 61-141.

O. Hofius, Das Gesetz des Mose und das Gesetz Christi, ZThK 80 (1983), 262-286.

K. Holl, Der Kirchenbegriff des Paulus in seinem Verhältnis zu dem der Urgemeinde, SPAW, Philosophisch-historische Klasse, 1921, 920-947; abgedruckt in: U. Luck/K.H. Rengstorf, Das Paulusbild in der neueren deutschen Forschung, WdF XXIV, Darmstadt 1982, 144-178.

K. Holl, Gesammelte Aufsätze zur Kirchengeschichte I: Luther, Tübingen 1921, 4. Aufl., Tübingen 1927 (Neudruck Darmstadt 1965).

B. Holmberg, Paul and Power, CBNT 11, Lund 1978.

B. Holmberg, Sociological versus Theological Analysis of the Question concerning Pauline Church Order, in: S. Pedersen, Die paulinische Literatur und Theologie, Aarhus und Göttingen, 187-200.

H. Hübner, Das Gesetz bei Paulus, FRLANT 119, 3. Aufl., Göttingen 1982.

H. Hübner, Was heißt bei Paulus "Werke des Gesetzes"? in: E. Gräßer/O. Merk, Glaube und Eschatologie (FS W.G. Kümmel), Tübingen 1985, 123-133.

E. Iserloh, Gratia und Donum. Rechtfertigung und Heiligung nach Luthers Schrift "Wider den Löwener Theologen Latomus" (1521), in: L. Abramowski/J.F.G. Goeters, Studien zur Geschichte und Theologie der Reformation (FS E. Bizer), Neukirchen-Vluyn 1969, 141-156.

H.J. Iwand, Rechtfertigungslehre und Christusglaube, 2. Aufl., München und Leipzig 1961.

H.-J. Iwand, Die politische Existenz des Christen unter dem Auftrag und der Verheißung des Evangeliums von Jesus Christus, in: ders., Um den rechten Glauben, 2. Aufl., München 1965, 183-201.

H.-J. Iwand, Predigtmeditationen I, 4. Aufl., Göttingen 1977.

H.-J. Iwand, Glaubensgerechtigkeit nach Luthers Lehre, TEH 75, München 1941; abgedruckt in: ders., Glaubensgerechtigkeit, Gesammelte Aufsätze II, München 1980, 11-125.

H.-J. Iwand, "Sed Originale per Hominem Unum", in: ders., Glaubensgerechtigkeit, Gesammelte Aufsätze II, München 1980, 171-193.

H.-J. Iwand, Art. Gesetz und Evangelium dogmatisch, RGG II, 3. Aufl.

W. Joest, Paulus und das Lutherische Simul Iustus et Peccator, KuD 1 (1955), 269-320.

W. Joest, Ontologie der Person bei Luther, Göttingen 1967.

W. Joest, Gesetz und Freiheit, 4. Aufl., Göttingen 1968.

W. Joest, Dogmatik Bd. 2, Die Wirklichkeit des Menschen im Urteil Gottes, Göttingen 1986.

E. Jüngel, Paulus und Jesus, Tübingen 1962.

E. Jüngel, Das Gesetz zwischen Adam und Christus, ZThK 60 (1963), 42-74.

E. Jüngel, Die Welt als Möglichkeit und Wirklichkeit, in: ders., Unterwegs zur Sache, München 1972, 206-231.

E. Käsemann, Gottesgerechtigkeit bei Paulus, ZThK 58 (1961), 367-378; abgedruckt in: ders., Exegetische Versuche und Besinnungen, Göttingen 1964, 181-183 (zitiert nach dem Abdruck).

E. Käsemann, Begründet der neutestamentliche Kanon die Einheit der Kirche?, in: ders., Exegetische Versuche und Besinnungen I, 6. Aufl., Göttingen 1970, 214-233.

E. Käsemann, Einheit und Vielfalt in der neutestamentlichen Lehre von der Kirche, in: ders., Exegetische Versuche und Besinnungen II, 3. Aufl., Göttingen 1970, 262-267.

E. Käsemann, Paulinische Perspektiven, 2. Aufl. Tübingen 1972.

E. Käsemann, An die Römer, HNT 8a, 4. Aufl., Tübingen 1980 (1. Aufl. 1973).

E. Karner, Rechtfertigung, Sündenvergebung und neues Leben bei Paulus, ZSystTh 16 (1939), 548-561.

K. Kertelge, Rechtfertigung bei Paulus als Heilswirklichkeit und Heilsverwirklichung, BiLe 8 (1967), 83-93.

K. Kertelge, "Rechtfertigung" bei Paulus, 2. Aufl., Münster 1971.

K. Kertelge, Exegetische Überlegungen zum Verständnis der paulinischen Anthropologie nach Römer 7, ZNW 62 (1971), 105-114.

K. Kertelge, Art. δικαιοσύνη, EWNT I, 784-796.

E. Kinder/K. Haendler, Gesetz und Evangelium, Wege der Forschung CXLII Darmstadt 1968.

A. Kirchgässner, Erlösung und Sünde im Neuen Testament, Freiburg i.B. 1950.

G. Klein, Gottes Gerechtigkeit als Thema der neuesten Paulus-Forschung, in: ders., Rekonstruktion und Interpretation, München 1969, 225-236.

G. Klein, Sündenverständnis und theologia crucis bei Paulus, in: C. Andresen/G. Klein, Theologia crucis – signum crucis (FS E. Dinkler), Tübingen 1979, 249-282.

A. Köberle, Rechtfertigung und Heiligung, 2.Aufl., Leipzig 1929.

R. Kösters, Luthers These "Gerecht und Sünder zugleich". Zu dem gleichnamigen Buch von Rudolf Hermann, Cath (M) 19 (1965), 136-160.

E. Krebs, Art. Rechtfertigung, VIII, LThK, 2. Aufl. (1936), 675-680.

W.G. Kümmel, Der Glaube im Neuen Testament - seine katholische und reformatorische Deutung, in: ders., Heilsgeschehen und Geschichte, Marburg 1965, 67-80 (als Vortrag 1936 entstanden).

W.G. Kümmel, Mitte des Neuen Testaments, in: L'Evangile hier et aujourd'hui (FS F.-J. Leenhardt), Genève 1968, 71-85.

W.G. Kümmel, Römer 7 und die Bekehrung des Paulus, Leipzig 1929; wieder abgedruckt in: ders., Römer 7 und das Bild des Menschen im Neuen Testament, München 1974, 1-160 (zitiert nach dem Abdruck).

W.G. Kümmel, Rudolf Bultmann als Paulusforscher, in: B. Jaspert (Hg.), Rudolf Bultmanns Werk und Wirkung, Darmstadt 1984, 174-193.

H. Küng, Rechtfertigung. Die Lehre Karl Barths und eine katholische Besinnung, 2. Aufl., Einsiedeln 1957.

H. Küng, Rechtfertigung und Heiligung nach dem Neuen Testament, in: M. Roesle/O.Cullmann, Begegnung der Christen (FS O. Karrer), Stuttgart und Frankfurt a. Main, 1960, 249-270.

H. Küng, Der Frühkatholizismus im Neuen Testament als kontroverstheologisches Problem, ThQ 142 (1962), 385-424.

K.G. Kuhn, πειρασμὸς – ἁμαρτία – σάρξ im Neuen Testament und die damit zusammenhängenden Vorstellungen, ZThK 49 (1952), 200-222.

O. Kuss, Der Glaube nach den paulinischen Hauptbriefen, in: ders., Auslegung und Verkündigung I, Regensbrug 1963, 187-212.

O. Kuss, Nomos bei Paulus MThZ 17 (1966), 173-227.

O. Kuss, Der Römerbrief, 1. Lieferung Regensburg 1957, 2. Lieferung Regensburg 1959 (2. Aufl. dieser Lieferung 1963), 3. Lieferung Regensburg 1978.

F. Lang, Gesetz und Bund bei Paulus, in: G. Friedrich/W. Pöhlmann/P. Stuhlmacher, Rechtfertigung (FS E. Käsemann), Tübingen 1976, 305-320.

M. Limbeck, Von der Ohnmacht des Rechts, Düsseldorf 1972.

F.X. Linsenmann, Über Richtungen und Ziele der heutigen Moralwissenschaft, ThQ 54 (1872), 529-553.

F.X. Linsenmann, Untersuchungen über die Lehre von Gesetz und Freiheit, ThQ 53 (1871), 62-114. 221-277; ThQ 54 (1872), 3-49, 193-245.

O. Linton, Das Problem der Urkirche in der neueren Forschung, Uppsala 1932.

C. Locher, Fragen zur "Neuen Jerusalemer Bibel", Orien 50 (1986), 30-34.

J. Lönning, Paulus und Petrus. Gal 2,11 ff als kontroverstheologisches Fundamentalproblem, StTh 24 (1970), 1-69.

E. Lohmeyer, Grundlagen paulinischer Theologie, Tübingen 1929.

E. Lohmeyer, Der Brief an die Philipper, KEK IX, 14. Aufl., Göttingen 1974.

E. Lohse, Taufe und Rechtfertigung bei Paulus, KuD 11 (1965), 308-324.

E. Lohse, Wir richten das Gesetz auf, in: P. v.d. Osten-Sacken (Hg.), Treue zur Thora (FS G. Harder), Berlin 1977, 65-71.

D. Lührmann, Glaube im frühen Christentum, Gütersloh 1976.

M. Luther, Werke. Kritische Gesamtausgabe ("Weimarer Ausgabe"). Weimar, 1883 ff.

U. Luz, Gesetz im Frühjudentum und im Neuen Testament, in: R. Smend/U. Luz, Gesetz, Stuttgart 1981, 45-144.

M. Meinertz, Theologie des Neuen Testaments Bd. II, HSNT/E II, Bonn 1950.

O. Merk, Handeln aus Glauben, MThSt 5, Marburg 1968.

H. Ph. Meyer, Normen christlichen Handelns? Zum Problem des tertius usus legis, in: W. Lohff/L.W. Spitz (Hg.), Widerspruch, Dialog und Einigung, Studien zur Konkordienformel der lutherischen Reformation, Stuttgart 1977, 223-247.

H.Ph. Meyer, Kirchenleitung nach lutherischem Verständnis, ZEvKR 25 (1980), 115-135.

M. Meyer, Die Sünde des Christen nach Pauli Briefen an die Korinther und Römer, Gütersloh 1902.

M. Meyer, Der Apostel Paulus als armer Sünder, Gütersloh 1903.

F. Mildenberger, Sola scriptura - tota scriptura, in: M. Honecker/L. Steiger, Auf dem Wege zu schriftgemäßer Verkündigung (FS H. Diem), BEvTh 39, München 1965, 7-22.

F. Mildenberger, Die Gegenläufigkeit von historischer Methode und kirchlicher Anwendung als Problem der Bibelauslegung, ThBeitr 3 (1973), 57-64.

F. Mildenberger, Theologie der Lutherischen Bekenntnisschriften, Stuttgart 1983.

F. Mildenberger, Biblische Theologie als kirchliche Schriftauslegung, Jahrbuch für Biblische Theologie 1, Neukirchen 1986, 151-162.

E. Moscy, Problema imperativi ethici in iustificatione paulina, KD 25 (1947), 204-217. 264-269.

W. Mostert, Fides creatrix, ZThK 74 (1977), 233-250.

W. Mundle, Der Glaubensbegriff des Paulus, Leipzig 1932 (Nachdruck: Darmstadt 1977).

F. Mußner, Die Mitte des Evangeliums in neutestamentlicher Sicht, Cath (M) 15 (1961), 271-292.

F. Mußner, "Evangelium" und "Mitte des Evangeliums", in: ders., Präsentia Salutis, Düsseldorf 1967, 159-177.

F. Mußner, Der Galaterbrief, HThK IX, Freiburg-Basel-Wien 1974.

F. Mußner, Petrus und Paulus - Pole der Einheit, QD 76, Freiburg i.B. 1976.

F. Mußner, "Christus (ist) des Gesetzes Ende zur Gerechtigkeit für jeden, der glaubt" (Röm 10,4), in: M. Barth/J. Blank/J. Bloch/F. Mußner/Z. Werblowsky, Paulus - Apostat oder Apostel, Regensburg 1977, 31-44.

F. Mußner, Traktat über die Juden, München 1979.

F. Mußner, Gesetz und Evangelium - paulinisch und jesuanisch gesehen, in: J. Reikerstorfer (Hg.), Gesetz und Freiheit, Freiburg-Basel-Wien, 1983, 85-97.

F. Neugebauer, Die hermeneutischen Voraussetzungen Rudolf Bultmanns in ihrem Verhältnis zur paulinischen Theologie, KuD 5 (1959), 289-305.

F. Neugebauer, In Christus, Göttingen 1961.

A. Nygren, Simul iustus et peccator bei Augustin und Luther, ZSTh 16 (1939), 364-379.

A. Nygren, Der Römerbrief, Göttingen 1951.

R. Oechslen, Rezension: Zeller, Der Brief an die Römer, DtPfrBl 86 (1986), 345.

R. Oechslen, Gesetz und Evangelium – ein lutherisches Sonderthema, Cath (M) 41 (1987), 30-41.

A. Oepke, Der Brief des Paulus an die Galater, ThHK IX, 2. Aufl., Berlin 1957.

P. v.d. Osten-Sacken, Das paulinische Verständnis des Gesetzes im Spannungsfeld von Eschatologie und Geschichte, EvTh 37 (1977), 549-487.

W. Pannenberg, Ethik und Ekklesiologie, Göttingen 1977.

O.H. Pesch/A. Peters, Einführung in die Lehre von Gnade und Rechtfertigung, Darmstadt 1981.

O.H. Pesch, "Um Christi willen..." – Christologie und Rechtfertigungslehre in der katholischen Theologie: Versuch einer Richtigstellung, Cath (M) 35 (1981), 17-57.

O.H. Pesch, Gesetz und Evangelium, in: ders., Gerechtfertigt aus Glauben, QD 97, Freiburg-Basel-Wien 1982, 56-94.

O.H. Pesch, Frei Sein aus Gnade. Theologische Anthropologie, Freiburg-Basel-Wien 1983.

R. Pesch, Zusammenfassung der Diskussion, in: E. Schweizer/R. Schnakkenburg u.a. (Hg.), Evangelische-Katholischer Kommentar zum Neuen Testament. Vorarbeiten I, Zürich und Neukirchen-Vluyn 1969, 97-108.

A. Peters, Luther und die existentiale Interpretation, LM 4 (1965), 466-473.

A. Peters, Rechtfertigung, Handbuch Systematischer Theologie 12, Gütersloh 1984.

J. Pfammater, Glaube nach der Heiligen Schrift – B. Neues Testament, in: MySal I, 4. Aufl., Einsiedeln 1978, 798-816.

J. Piegsa, Freiheit und Gesetz bei Franz Xaver Linsenmann, MThSt Hist. Abteilung 2, Düsseldorf 1974.

H. Pohlmann, Hat Luther Paulus entdeckt?, Berlin 1950.

R. Prenter, Dogmatische Bemerkungen zu der exegetischen Diskussion über die Rechtfertigung bei der Sitzung der Theologiekommission des Lutherischen Weltbundes in Amsterdam August 1959, – Referat auf der Tagung der Theologischen Kommission in Osnabrück 1960 (ungedruckt), Archiv des Lutherischen Weltbundes Genf TH/VII, 2d.

G.v. Rad, Theologie des Alten Testaments Bd. 2, 6. Aufl., München 1975, 413-436.

H. Räisänen, Legalism and Salvation by the Law, in: S. Pedersen, Die paulinische Literatur und Theologie, Århus und Göttingen 1980, 63-83.

H. Räisänen, Paul and the Law, Tübingen 1983.

K. Rahner, Grundkurs des Glaubens, 7. Aufl., Freiburg i.B. 1976.

J. Reumann, Righteousness in the New Testament, Philadelphia-New York-Ramsey 1982.

J. Roloff, Apologie IV als Schriftauslegung, LR 11 (1961), 45-73.

J. Roloff, Die Geschichtlichkeit der Schrift und die Bezeugung des einen Evangeliums, in: V. Vajta (Hg.), Evangelium als Geschichte (Evangelium und Geschichte 4), Göttingen 1974, 126-158.

E.P. Sanders, Paulus und das palästinische Judentum, Göttingen 1985.

L. Scheffczyk, Dogma der Kirche – heute noch verstehbar?, Berlin 1973.

K.H. Schelkle, Die Petrusbriefe – Der Judasbrief, HThK XII/2, Freiburg 1980.

P. Schempp, Luthers Stellung zur Heiligen Schrift, München 1929, abgedruckt in: ders., Theologische Entwürfe, TB Systematische Theologie 50, München 1973, 10-74.

W. Schenk, Die Gerechtigkeit Gottes und der Glaube Christi, ThLZ 97 (1972), 161-174.

W. Schenk, Die Philipperbriefe des Paulus, Stuttgart 1984.

A. Schlatter, Luthers Deutung des Römerbriefes, BFChTh 21, Gütersloh 1917.

H. Schlier, Die Eigenart der christlichen Mahnung nach dem Apostel Paulus (erstmals erschienen 1963); abgedruckt in: ders., Besinnung auf das Neue Testament. Exegetische Aufsätze und Vorträge II, 2. Aufl., Freiburg i.B. 1967, 340-357 (zitiert nach dem Abdruck).

H. Schlier, Der Brief an die Galater, KEK VII, 14. Aufl., Göttingen 1971. (1949 erschien die 10. Aufl. erstmals in Schliers Neubearbeitung).

H. Schlier, Das bleibend Katholische, Cath (M) 24 (1970), 1-21; abgedruckt in: ders., Das Ende der Zeit. Exegetische Aufsätze und Vorträge III, 2. Aufl., Freiburg-Basel-Wien 1972, 297-320 (zitiert nach dem Abdruck).

H. Schlier, Vom Wesen der apostolischen Ermahnung (erstmals erschienen 1940), abgedruckt in: ders., Die Zeit der Kirche. Exegetische Aufsätze und Vorträge I, 5. Aufl., Freiburg i.B. 1972, 74-89.

H. Schlier, Grundzüge einer paulinischen Theologie, 2. Aufl., Freiburg-Basel-Wien 1979.

H.Schlier, Der Römerbrief, HThK VI, 2. Aufl., Freiburg-Basel-Wien 1979.

H. Schlier, Kurze Rechenschaft, in: K. Hardt (Hg.), Bekenntnis zur katholischen Kirche, Würzburg 1955, 167-193; abgedruckt in: H. Schlier, Der Geist und die Kirche. Exegetische Aufsätze und Vorträge IV, Freiburg-Basel-Wien 1980, 270-289 (zitiert nach dem Abdruck).

E. Schlink, Gesetz und Evangelium als kontroverstheologisches Problem, KuD 7 (1961), 1-35.

W. Schmithals, Zwischen Historie und Kerygma – Rezension zu U.Wilckens, Der Brief an die Römer – BThZ 1 (1984), 123-139.

A. Schneider, Wort Gottes und Kirche im theologischen Denken von Heinrich Schlier, Frankfurt a. Main 1981.

U. Schnelle, Gerechtigkeit und Christusgegenwart, GTA 24, 2. Aufl., Göttingen 1986.

K. Scholder, Art. Ferdinand Christian Baur, TRE 5 (1979/80), 352-359.

B. Schüller, Gesetz und Freiheit, Düsseldorf 1966.

H. Schürmann, Die Freiheitsbotschaft des Paulus – Mitte des Evangeliums?, Cath (M) 25 (1971), 22-59; abgedruckt in ders., Orientierung am Neuen Testament, Düsseldorf 1978, 13-49 (zitiert nach dem Abdruck).

H. Schürmann, "Das Gesetz des Christus" (Gal 6,2), in : J. Gnilka, Neues Testament und Kirche, FS Schnackenburg, Freiburg-Basel-Wien 1974, 282-300.

H. Schürmann, Die neubundliche Begründung von Ordnung und Recht in der Kirche, in: ders., Orientierung am Neuen Testament, Düsseldorf 1978, 50-63.

S. Schulz, Die Mitte der Schrift, Stuttgart-Berlin 1976.

S. Schulz, Zur Gesetzestheologie des Paulus im Blick auf Ebelings Galaterbrief-Auslegung, in: H.F. Geißler/W. Mostert, Wirkungen hermeneutischer Theologie (FS G. Ebeling), Zürich 1983, 81-98.

A. Schweitzer, Die Mystik des Apostels Paulus, Tübingen 1981, Neudruck der 1. Aufl. von 1930.

E. Schweizer, Ein evangelisch-katholischer Kommentar zum Neuen Testament, Neue Züricher Zeitung 21. November 1969, 37.

E. Schweizer, Art. σάρξ – E. Das Neue Testament, ThWNT VII, 123-145.

H. Seebass, Art. Fleisch, TBLNT I, 342-347.

H. Seebass, Art. Heilig, TBLNT I, 645-650.

R. Slenczka, Schrift - Tradition – Kontext, in: Th. Schober u.a. (Hg.), Grenzüberschreitende Diakonie (FS P. Philippi) Stuttgart 1984, 40-52.

R. Slenczka, Glaube – VI. Reformation/Neuzeit/Systematisch-theologisch, TRE XIII (1984), 318-365.

R. Slenczka, Luther und unsere kirchliche Wirklichkeit heute, Luther 56 (1985), 101-116.

R. Slenczka, Ökumenische Erklärungen und dogmatische Klärungen, KuD 32 (1986), 207-232.

G. Söhngen, Christi Gegenwart in uns durch den Glauben (Eph 3,17), in: ders., Die Einheit in der Theologie, München 1952, 324-341.

G. Söhngen, Gesetz und Evangelium – Ihre analoge Einheit, Freiburg i.B. und München 1957.

G. Söhngen, Gesetz und Evangelium, Cath (M) 14 (1960), 81-105; abgedruckt in: E. Kinder/K. Haendler, Gesetz und Evangelium, WdF CXLII, Darmstadt 1968, 324-355 (zitiert nach dem Abdruck).

R. Sohm, Wesen und Ursprung des Katholizismus, 2. Aufl., Leipzig und Berlin 1912.

L. Steiger, Gerecht aus Glauben, in: ders., Sic et Non – Ja und Nein, Kassel 1985, 83-92.

L. Steiger, Der junge Luther - Gottes Gerechtigkeit, in: ders., Sic et Non – Ja und Nein, Kassel 1985, 46-69.

L. Steiger, Predigtmeditation zu 1. Kor 13, GPM 40 (1985/86), 131-147.

K. Stendahl, The Apostle Paul and the introspective Conscience of the West, HThR 56 (1963), 199-215.

K. Stendahl, Der Jude Paulus und wir Heiden, München 1978.

H.G. Stobbe, Hermeneutik – ein ökumenisches Problem, Ökumenische Theologie, Zürich und Gütersloh 1981.

264 *Literaturverzeichnis*

P. Stuhlmacher, Gerechtigkeit Gottes bei Paulus, Göttingen 1965.

P. Stuhlmacher, Erwägungen zum ontologischen Charakter der καινη κτισις bei Paulus, EvTh 27 (1967), 1-35.

P. Stuhlmacher, Das paulinische Evangelium. I. Vorgeschichte, Göttingen 1968.

P. Stuhlmacher, Rezension: Kertelge Rechtfertigung bei Paulus, ThLZ 96 (1971), 757-759.

P. Stuhlmacher, Das Evangelium von der Versöhnung in Christus, in: ders./ H. Claß, Das Evangelium von der Versöhnung in Christus, Stuttgart 1979, 13-54.

P. Stuhlmacher, Das Ende des Gesetzes, in: ders., Versöhnung, Gesetz und Gerechtigkeit, Göttingen 1981, 166-191.

P. Stuhlmacher, Die Gerechtigkeitsanschauung des Apostels Paulus, in: ders., Versöhnung, Gesetz und Gerechtigkeit, Göttingen 1981, 87-116.

P. Stuhlmacher, Das Gesetz als Thema biblischer Theologie, in: ders., Versöhnung, Gesetz und Gerechtigkeit, Göttingen 1981, 136-165.

P. Stuhlmacher, Schriftauslegung in der Confessio Augustana, in: ders., Versöhnung, Gesetz und Gerechtigkeit, Göttingen 1981, 166-191.

P. Stuhlmacher, Paulus und Luther, in: E. Gräßer/O. Merk (Hg.), Glaube und Eschatologie, FS W.G. Kümmel, Tübingen 1985, 285.

M. Stupperich, Lehrentscheidung und theologische Schematisierung, in: W. Lohff u. L.W. Spitz, Widerspruch, Dialog und Einigung, Stuttgart 1977, 171-195.

G. Theissen, Psychologische Aspekte paulinischer Theologie, FRLANT 131, Göttingen 1983.

T.v. Aquin, Summa theologica; zitiert nach: Vollständige ungekürzte deutsch-lateinische Ausgabe der Summa theologica, übersetzt und kommentiert von den Dominikanern und Benediktinern Deutschlands und Österreichs, hg. von der Albertus-Magnus-Akademie, Walberberg bei Köln; Salzburg (u.a.O.) 1934 ff.

E. Tobac, Le Problème de la Justification dans Saint Paul, Gembleux 1908 (Neudruck 1941).

W. Trilling, "Das Evangelium" in der Confessio Augustana und bei Paulus, in: F. Hoffmann/U. Kühn, Die Confessio Augustana im ökumenischen Gespräch, Berlin 1980, 129-148.

L. Vischer, Die Auslegungsgeschichte von 1. Kor 6,1-11, BGBE 1, Tübingen 1955.

A. Vögtle, Neutestamentliche Wissenschaft – gegenwärtige Tendenzen und Probleme aus römisch-katholischer Sicht, in: O. Merk (Hg.), Schriftauslegung als theologische Aufklärung, Gütersloh 1984, 52-74.

O. Weber, Grundlagen der Dogmatik II, 5. Aufl., Neukirchen-Vluyn 1977.

H. Weder, Neutestamentliche Hermeneutik, Zürich 1986.

J. Werbick, Rechtfertigung des Sünders – Rechtfertigung Gottes, KuD 27 (1981), 45-57.

P. Wernle, Der Christ und die Sünde bei Paulus, Freiburg i.B. und Leipzig 1897.

A. Wikenhauser, Die Christusmystik des Apostels Paulus, 2. Aufl., Freiburg i.B. 1956.

U. Wilckens, Was heißt bei Paulus: "Aus Werken des Gesetzes wird kein Mensch gerecht"?, in: ders., Rechtfertigung als Freiheit, Neukirchen-Vluyn 1974, 77-109.

U. Wilckens, Christologie und Anthropologie im Zusammenhang der paulinischen Rechtfertigungslehre, ZNW 67 (1976).

U. Wilckens, Glaube nach urchristlichem und frühjüdischem Verständnis, in: P. Lapide/F. Mußner/U. Wilckens, Was Juden und Christen voneinander denken, Freiburg i.B. 1978, 72-96.

U. Wilckens, Das Augsburger Bekenntnis im Lichte der Heiligen Schrift, in: B. Lohse/O.H. Pesch (Hg.), Das "Augsburger Bekenntnis" von 1530 damals und heute, München und Mainz 1980, 199-214.

U. Wilckens, Der Brief an die Römer Bd. 1, EKK VI/1, Zürich-Neukirchen-Vluyn 1978.

U. Wilckens, Der Brief an die Römer Bd. 2, EKK VI/2, Zürich-Neukirchen-Vluyn, 1980.

U. Wilckens, Der Brief an die Römer Bd. 3, EKK VI/3, Zürich-Neukirchen-Vluyn, 1982.

E. Wissmann, Das Verhältnis von ΠΙΣΤΙΣ und Christusfrömmigkeit bei Paulus, Göttingen 1926.

E. Wolf, Peregrinatio I, München 1954.

W. Wrede, Paulus, RV I, 5-6, Halle 1904.

D. Zeller, Zur Pragmatik der paulinischen Rechtfertigungslehre, ThPh 56 (1981), 204-217.

D. Zeller, Der Zusammenhang von Gesetz und Sünde im Römerbrief, ThZ 38 (1982), 193-212.

D. Zeller, Der Brief an die Römer, RNT, Regensburg 1985.

W. Zimmerli, Das Gesetz und die Propheten, 2. Aufl., Göttingen 1969.